유시민

어떻게 살 것인가

이론은 모두 잿빛이며, 영원한 생명의 나무는 푸르다

Grau ist alle Theorie,
Und grün des Lebens goldner Baum.

- 괴테 Johann Wolfgang von Goethe, 『파우스트 Faust』

프롤로그

나답게
살기

비행기가 곧 착륙한다는 안내 방송이 들린다. 읽던 책을 접고 창으로 밖을 내다본다. 겨울 햇살에 눈이 부시다. 다시 책을 들여다본다. 나는 셰릴 스트레이드가 쓴 논픽션 『와일드』 끝 부분을 읽는 중이다. 멕시코 국경 근처에서 출발해 시에라네바다 산맥과 캐스케이드 산맥을 따라 캐나다 국경 근처까지 4,285킬로미터의 퍼시픽 크레스트 트레일the Pacific Crest Trail을 홀로 걸은 셰릴은 콜롬비아 강변에 발톱 여섯 개가 빠진 발을 편안하게 내려놓고 아이스크림을 핥아 먹는 중이다.

나는 조심스럽게 기지개를 켠 다음 등받이에 몸을 기댄다. 마음이 고요해진다. 비행기에서 책을 읽은 것이 도대체 얼마 만인가! 김포공항에서 김해공항까지 50분 동안 다른 생각은 하지 않고 독서에 몰입한 내가 자랑스럽다. 가슴에서 따뜻한 기운이 올라와 온몸으로 번져 간다. 돋보기를 접어 넣으며 생각해본다. 그래, 이게 나야. 그런데 이런 행복한 느낌이 얼마 만인가? 기억이 나지 않는다. 지난 십 년, 늘 잠이 부족했다. 출장을 가느라 기차나 비행기를 타면 잠시 신문을 읽다가 쪽잠을 자곤 했다. 책을 읽은 적은 거의 없었다.

'어떻게 살 것인가'라는 주제로 책을 내자는 출판사의 제안을 받았을 때 적잖이 당황스러웠다. 내가 자격이 있는가? 그런 책은 성공적인 삶을 살았거나 고매한 인품을 인정받은 사람이라야 쓸 수 있는 것 아닌가? 인생에 무슨 정답이 있는 것도 아닐 터, 별 도움이 되지도 않고 옳다는 증거도 없는 '공자님 말씀' 비슷한 것을 따분하게 늘어놓게 되지 않을까? 그런 걱정을 했다. 하지만 결국 쓰기로 했다. 내 인생을 관통한 목표와 원칙이 있었는지, 있었다면 무엇이었는지, 내 삶을 지배한 감정과 욕망은 어떤 것이었는지, 과연 나는 내게 맞는 삶을 살았는지 살펴보는 일이 앞으로도 짧지 않은 시간을 더 살게 될 내 자신에게 만큼은 의미가 있을 것 같았다. 누군가 비슷한 고민을 하고 있다면 혹시 참고가 될 수도 있겠다는 생각도 들었다.

어떤 사람은 나를 '선생님'이라고 부른다. '의원님', '장관님', '대표님'이라고도 한다. 뭐라고 부르면 좋겠냐고, 난감한 표정을 지으며 묻는 분도 더러 있었다. 나는 무엇인가? 어떤 사람인가? 내 맘이 편하기로 말하자면 '선생님'이 좋다. 이것은 김대중 대통령이 생전에 들었던

'선생님'과는 의미가 크게 다르다. 그는 정치인이었지만 보통 정치인과는 차원이 다른 존경을 받았다. '선생님'은 그 특별한 존경심을 담은, '대통령님'보다 더 극진한 존칭이었다. 나는 그런 사람이 아니다. 그런데 파주 출판단지에서 만나는 분들은 대체로 나를 '선생님'이라고 한다. 출판계에서는 '글 쓰는 사람'을 보통 그렇게 부른다. 그분들이 제대로 보았다. 나는 비행기에서 책을 읽는 것만으로 행복을 느끼는 사람이다. 그런 사람으로서 이 책을 썼다.

작업이 수월하지는 않았다. 초고부터 많은 시행착오를 겪었다. 책의 구성을 여러 차례 바꾸었다. 좋아 보였던 문장이 다음 날 읽으면 마음에 들지 않는 상황이 반복되었다. 책을 여러 권 썼지만 이렇게까지 더듬은 적은 없었다. 이렇게 된 데에는 두 가지 장애물이 있었던 것 같다. 우선 나를 드러내는 게 왠지 불편했다. 1988년『거꾸로 읽는 세계사』를 출간한 이후 지금까지 내 생업은 지식소매상이었다. 유용한 지식과 정보를 찾아 요약하고, 발췌하고, 해석하고, 가공해서 독자들이 편하게 읽을 수 있는 이야기로 만드는 것이 지식소매상이 하는 일이다.『내 머리로 생각하는 역사 이야기』,『부자의 경제학 빈민의 경제학』,『유시민의 경제학 카페』,『후불제 민주주의』 등 내가 쓴 책들은 대체로 그런 것들이었다.

내 자신의 인생 경험과 가족사, 살면서 느꼈던 개인적 고민과 감정을 직접 드러내는 글은 많이 써보지 않았다. 그런데 '인생론'을 쓰려니 어느 정도는 내 이야기를 하지 않을 수 없었다. 이것이 익숙하지 않아 적지 않은 어려움을 겪었다.

더 난감한 장애물은 정치적 자기 검열 습관이었다. 글 쓰는 사람은 누구나 나름의 자기 검열을 한다. 글의 진실성, 논리의 정합성, 인간에 대한 예의, 다른 생각을 가진 사람에 대한 존중. 그런 것들을 위해 자기가 쓴 글을 객관적 비판적으로 살펴보고 수정하는 것이다. 그런데 정치적인 자기 검열은 성격이 다르다. 그것은 '정치적 올바름'을 갖추기 위해 무엇인가를 감추거나 꾸미는 작업이다.

십여 년 전 '직업으로서의 정치'에 뛰어들어 국회의원이 된 뒤로 내가 쓴 글은 모두 정치적 자기 검열을 거쳤다. '이렇게 말하면 혹시 이미지가 나빠지지 않을까? 이렇게 쓰면 사람들이 더 좋아하지 않을까? '우리 편'에게 상처를 주지는 않을까? 괜한 정치적 논쟁을 촉발하지 않을까? 소속 정당이나 내 자신에게 부정적인 영향을 주는 것은 아닐까? 누군가에게 악의적인 비판과 공격을 할 빌미를 주지는 않을까?' 이런 걱정들을 하면서 글을 썼다. 이 습관이 몸에 붙는 데 십 년은 충분히 긴 시간이었다. 근자에 쓴 『청춘의 독서』와 『국가란 무엇인가』도 이것과 아주 무관하지는 않았다. 쉽지는 않았지만, 나는 '글 쓰는 사람'으로서 이 책을 썼다. 정치적 자기 검열 습관을 벗어던지려고 노력했다.

원고를 마무리하면서 다시 생각해본다. 이 책을 쓰기로 한 것이 정말 잘한 결정이었을까? 차라리 지식소매상에게 어울리는 다른 책을 쓰는 편이 낫지 않았을까? 결론을 말하자면, 좋은 결정이었다고 생각한다. 이 책을 쓰면서 나는, 오래 덮어두었던 내 자신의 내면을 직시할 기회를 가졌고 그것을 드러낼 용기를 냈다. 정치적 올바름을 위해 감추거나 꾸미는 습관과 결별했다. 내 자신의 욕망을 더 긍정적으로 대하게 되었다. 마음이 내는 소리를 들었다. 삶을 얽어맸던 관념의 속박을 풀어버렸다. 원래의 나, 내가 되고 싶었던 나에게 한 걸음 다가섰다. 그렇게 해서 내가 원하는 삶을 나답게 살기로 마음먹었다.

내 나이는 쉰다섯이다. 이 사람이 이렇게 나이가 많은가 하며 놀라는 독자가 있을지도 모르겠다. 나도 때론 실감이 나지 않는다. 내 책의 독자는 대부분 나보다 젊다. 25년 전 『거꾸로 읽는 세계사』를 냈을 때는 나도 독자도 다 젊었는데, 세월이 흐르면서 내 친구들보다는 조카들이나 딸 친구들이 좋아하는 필자가 되어버렸다. 정치적 사회적 이슈에 대한 견해도 청년들과 더 비슷한 것 같다. 남자는 죽을 때까지 철들지 않는다는 말이 있는데, 내가 유난히도 철이 덜 난 사람이어서 그럴지도 모른다.

나는 열정이 있는 삶을 원한다. 마음이 설레는 일을 하고 싶다. 자유롭게, 그리고 떳떳하게 살고 싶다. 인생이라는 짧은 여행의 마지막 여정까지, 그렇게 철이 덜 난 그대로 걸어가고 싶다. 내 삶에 단단한 자부심을 느끼고 싶다. 그렇게 사는 게 나다운 인생이라고 생각한다.

나는 이런 내가 좋다. 자유로움과 열정, 설렘과 기쁨이 없다면 인생이 무슨 의미가 있겠는가.

나는 무엇인가? 나는 누구인가? 어떻게 살아야 하고 어떻게 죽는 것이 좋은가? 의미 있는 삶, 성공하는 인생의 비결은 무엇인가? 품격 있는 인생, 행복한 삶에는 어떤 것이 필요한가? 이것은 독립한 인격체로서 사회에 첫발을 내딛는 청년들뿐만 아니라 인생의 마지막 페이지를 이미 예감한 중년들도 피해갈 수 없는 질문이라고 생각한다. 나는 여기에 내가 나름대로 찾은 대답을 이야기했다. 삶의 기쁨, 존재의 의미, 인생의 품격을 찾으려고 고민하는 모든 분들의 건투를 빈다. 그 무엇도 의미 있는 삶을 찾으려고 분투하는 그대들을 막아서지 못할 것이다.

2013년 3월
자유인의 서재에서
유시민

차례

제 3 장 놀고 일하고 사랑하고 연대하라

제 4 장 삶을 망치는 헛된 생각들

제1장

어떻게 살 것인가

사람은 누구든지
자신의 삶을 자기 방식대로
살아가는 것이 바람직하다.
그 방식이 최선이어서가 아니라,
자기 방식대로 사는 길이기 때문에
바람직한 것이다.

마음 가는 대로 살자

나는 노는 게 좋다. 일도 좋지만 노는 건 더 좋다. 그렇다고 해서 맘껏 놀며 산 건 아니다. 하지만 내가 일보다 노는 걸 더 좋아하는 건 분명하다. 도통 놀 줄 모르고 오로지 일만 하는 사람도 더러는 있다. 박원순 서울시장 같은 사람이다. '희망제작소'와 '아름다운재단' 실무자들 사이에서 박원순은 '악명'이 높았다. 보고서를 읽다가 궁금한 것이 있으면 새벽 두 시에도 불쑥 전화를 해서 사람들을 미치게 만들었다고 한다. 그는 자신이 일중독증workaholism이라는 병에 걸렸다는 사실을 잘 안다. 그런데 도무지 고칠 생각을 하지 않는다. '과로사가 희망 사항'이라며 오히려 그 병을 자랑한다. 그는 전임자들이 황당한 토목건설사업을 벌여 빚더미에 올려놓은 서울시 재정을 바로잡고, 쪽방 거주자와 독거노인, 청소 노동자, 서민들의 삶을 개선하기 위해 오늘도 쉼 없이 일하고 있다. 서울시민에게는 딱 좋은 시장이다. 존경할 만한 '박원순의 인생'이라고 생각한다. 하지만 나는 그런 사람과 함께 일하고 싶지는 않다. 일하는 보람이야 틀림없이 있겠지만, 도통 재미가 없을 것 같아서다.

모든 사람이 박원순 같지는 않다. 그렇지만 일은 누구나 한다. 돈을 벌어야 하기 때문이다. 물론 돈 그 자체는 목적이 아니라 수단일 뿐이다. 먹고살고, 아이들을 키우고, 부모님을 잘 모시고, 노후 대비를 하고, 그리고 여유가 있다면 재미있게 노는 게 목적이다. 그렇게 하려면 일을 해서 돈을 벌어야 한다. 만약 돈벌이가 되는 그 일이 즐겁기까지 하다면 금상첨화라 할 수 있다. 우리는 이런 사람을 '프로'라고 한다. 그 일이 무엇이든 상관없다. 교사, 공무원, 회사원, 엔지니어, 요리사, 헤어 디자이너, 물리치료사, 피겨 스케이팅 선수, 가수, 건축가, 화가, 소설가, 의사, 세일즈맨, 골프 선수 등 무슨 직업이든 좋아서 그 일을 하면 그 사람이 바로 프로다. '진정한 프로'가 되는 것, 이것이 삶의 행복과 인생의 성공을 절반 결정한다. 그런 점에서 행복한 삶을 원한다면 일이 아니라 놀이를 앞자리에 두어야 한다. 일이 먼저가 아니다. 놀이가 먼저다.

무엇이든 놀이로 삼을 수 있다. 사람이 즐기는 놀이에는 한계가 없다. 그중에서 으뜸은 음악이 아닐까 싶다. 사람들은 어떤 식으로든 음악을 즐기며 산다. 노래를 부르고 노래를 듣는다. 스스로 악기를 연주하고 남이 하는 연주를 감상한다. 청각 장애를 가진 분들은 빛과 촉감의 어울림에서 음악이 주는 즐거움과 비슷한 것을 느낄지도 모르겠다. 나도 음악을 즐긴다. 그런데 제대로 할 줄 아는 것이 없다. 노래를 잘 부르지 못한다. 연주할 줄 아는 악기가 하나도 없다. 악보를 보면서 불러도 박자와 음정을 제대로 맞추지 못한다. 변성기가 오기 전부터 내 목소리는 이미 '고음불가高音不可' 상태였다. 리듬감도 없다. 원래부터 그렇게 타고났으니 원망해봐야 아무 소용이 없다.

학창 시절 음악 시간이 괴로웠던 건 당연한 일이다. 하지만 괴로운 게 꼭 해로운 건 아니다. 나는 학교 음악실에서 존재를 감추고 '넘사벽넘을 수 없는 4차원의 벽'과 더불어 사는 요령을 배웠다. 어디 지식을 습득하는 것만 공부인가? 함부로 나서다가 민폐를 끼치거나 비웃음을 살 수 있는 상황에서는 남의 눈에 잘 띄지 않는 무대 뒤편 어두운 곳에 조용히 머무는 게 좋다. 이런 요령을 터득하는 것도 중요한 인생 공부라고 생각한다. 노래와 연주를 하지 못하니 즐기는 능력이라고 신통할 리 없다. 나는 서양 클래식과 국악은 물론이요, 대중음악조차 장르를 제대로 구분하지 못한다. 내게 음악은 들어서 아주 좋은 것과 그냥 좋은 것, 오직 두 종류뿐이다. 작곡가, 가수, 연주자, 밴드, 걸그룹에 대해서도 아는 것이 매우 적다.

뭐든 무능해서 좋을 건 없지만 음악은 특히 그런 것 같다. 우리는 수천 년 전부터 춤 잘 추고 노래 잘 부르기로 알려진 '속희가무 동이족俗喜歌舞 東夷族'의 후예들이다. 대한민국에서 음악적 무능은 일종의 사회적 장애로 간주된다. 민족성 또는 문화유전자가 있기는 있는 것 같다. 여자 양궁 국가대표 선수들은 우리 활도 아닌 서양 활을 들고 올림픽에 나가 일곱 번이나 연속으로 단체전 금메달을 땄다. 싸이는 유튜브에 올린 뮤직비디오 하나로 '지구 가수'가 되었다. 노래방, 노래연습장,

노래주점, 가요주점, 노래뱅크 등 그 이름이 무엇이든 노래 부르며 노는 곳이 온 나라에 이렇게 쫙 깔린 곳은 대한민국밖에 없을 것이다. 노래 천국에서 음치로 사는 아픔을 노래 잘하는 사람들은 이해하지 못한다. 노래방에 가지 않고는 도무지 인간관계를 가꾸기 어려운 우리네 생활양식이 음치에게는 견디기 어려운 문화적 억압이 된다는 사실도 모를 것이다. 하지만 어쩌겠는가? 불평한다고 해서 달라질 것은 없다. 노래방에 가면 탬버린이라도 열심히 흔들어야 한다. 노래를 못하면 동정이라도 받지만, 노래방 분위기를 깨면 용서받지 못할 범죄자로 지탄받는다.

그런데 이런 내가 좀 아는 밴드가 하나 있다. 크라잉넛Crying Nut이다. 개인적으로 아는 게 아니라 그냥 대중음악 소비자로서 안다. 공식 홈페이지에서 크라잉넛은 '대한민국 록계를 말 달려온 펑크록의 최강자'를 자처한다. 이렇게 오만방자한 공식 프로필을 다른 데서는 본 적이 없다. 그냥 강자도 아니고 최강자라니! 록Rock이란 시끄러운 밴드와 목소리 탁한 가수가 제멋대로 뛰어다니며 몸을 비틀고 머리를 돌리고 소리를 마구 질러대는 장르다. 나는 그렇게 이해한다. 그런데 록 앞에 펑크Punk가 붙었다. 이건 또 뭐지? 지식 검색을 열심히 했지만 딱 와닿는 대답을 얻지는 못했다. 크라잉넛이 하는 유난히 시끄러운 록이 펑크록인가 보다. 그냥 그렇게 넘어가기로 했다.

밴드 이름도 좀 그렇다. 도대체 무슨 사연이 있기에 호두가 운다는 말인가. 크라잉넛 멤버들은 대중이 좋아하는 음악이 아니라 자기네가 하고 싶은 음악을 했다. 그렇게 하면 돈이 잘 벌리지 않는다. 어느 날 배가 너무 고픈 나머지 버스비를 탈탈 털어 호두과자로 끼니를 때우며 집으로 가던 중 크라잉넛이라는 밴드 이름을 생각해 냈다고 한다. 알고 보니 호두가 운 게 아니었다. 스스로를 '땅콩'이라고 부르는 멤버들이 운 것이다. 호두과자로 허기를 달래고 집까지 걸어가야 하는 신세가 서러워서.

인디밴드 크라잉넛은 '진정한 프로'라고 할 수 있다. 그들은 하고 싶은 일을 제멋대로 하면서 돈도 번다. 그래서 자기네가 행복하다고 침을 튀기며 자랑한다. 음악에 대해서는 뭣도 모르는 내가 이 밴드에 관심을 가지게 된 것은 사실 노래가 아니라 책 때문이었다. 저 하고 싶은 대로 악기를 연주하고 저 좋아하는 노래를 자기네가 원하는 방식으로 불러대는 크라잉넛은 나름의 인생철학을 담은 책을 냈다. 『어떻게 살 것인가』라는 거창한 제목에 '좋아한다면 부딪쳐, 까짓 거 부딪쳐!'라는 부제가 딸려 있다. 나는 이 책을 낸 크라잉넛이 어떤 밴드인지 살펴보다가 '말 달리자'가 그들이 부른 노래라는 사실을 처음 알았다. 하도 유명한 노래라서 들어는 보았지만 그걸 부른 밴드가 크라잉넛인지 예전에는 몰랐다.

돌이켜보면 1998년 대한민국의 여름은 여름이 아니었다. 사람들은 IMF 외환 위기가 몰고 온 기업 파산과 대량 실업의 공포에 얼어붙어 있었다. 눈앞에 닥친 고통과 미래에 대한 불안 때문에 숨도 마음 놓고 쉬지 못했다. 바로 그때 크라잉넛이 소리를 질렀다. '닥쳐, 닥쳐! 닥치고 내 말 들어!' 그렇게 외치면서 신나게 '말 달렸다'. 돈이 없어서 호두과자로 배를 채우고 울면서 집에 갔던 이 청년들은 왜 주눅 들지 않았을까? 아마도 어떻게 살 것인지에 대해 나름의 답을 가지고 있었던 덕분일 것이다. 이제 막 중학생이 된 우리 집 꼬마의 노래방 애창곡 중 하나가 크라잉넛의 '룩셈부르크'인데, 나는 사실 그들의 노래를 그다지 좋아하지 않는다. 너무 시끄러워서 좋아하기가 어렵다. 섭섭하다고 해도 어쩔 수 없다. 노래로 말하자면 나는 송창식, 심수봉, 조용필, 김추자, 이선희, 강산에, 말로, 조관우를 좋아한다. 하지만 인간적인 면에서는 세상 눈치 보지 않고 소신껏 살아가는 크라잉넛 멤버들을 무척 좋아한다.

어떻게 살 것인가? 크라잉넛은 자기네 생각을 이야기했다. '좋아한다면 부딪쳐, 까짓 거 부딪쳐!' 훌륭한 대답이다. 그들은 자기네가 좋아하는 펑크록 음악을 들고 세상과 부딪쳐 나름 성공했다. 인생에서 성공은 매우 중요하다. 그러나 그보다 더 중요한 건 자기가 좋아하는 일을 하면서 소신껏 인생을 사는 것이다. 물론 그렇게 산다고 해서 다 성공하는 건 아니다. 성공이라고 할 만한 결과를 얻지 못할 수도 있다. 그러나 좋아하는 일이 아예 없거나 있어도 포기하고 산다면, 그 인생은 성공할 수도 실패할 수도 없다.

뜨기 전의 크라잉넛 멤버들은 시멘트벽에 래커로 마구 그린 그림이 있는 '드럭'이라는 지저분한 술집에 죽치고 살았다. 바닥에 침을 퉤퉤 뱉으면서 사이다와 소주를 섞고 크림을 얹은 괴상한 칵테일을 마셨다. 심심하면 구석에 쌓인 빈 맥주 캔 더미에 다이빙을 했고, 주인이 자리를 비운 때 손님이 오면 홀 서빙도 했다. 그렇게 살면서도 행복했다. 늙어서도 그렇게 샤우팅과 헤드뱅잉을 하면서 살고 싶다고 말한다. 자기네가 행복하고 성공적인 인생을 살고 있노라고 큰소리친다.[1]

어디 크라잉넛뿐이겠는가. 지금도 홍대 앞 클럽에서는 수많은 크라잉넛들이 저마다의 음악을 들고 온몸으로 세상과 부딪치고 있다. 어떤 밴드는 언젠가 한 번쯤 대중의 마음을 흔들어놓을 것이다. 어떤 밴드는 끝내 대중과 소통하지 못한 채 쓸쓸한 최후를 맞을 것이다. 그러나 어쨌든 인디밴드는 계속 생겨날 것이고, 그들이 세상과 부딪치는 시끄러운 소리도 끝나지 않을 것이다. 나는 그들이 부럽다. 노래를 좋아하는 만큼 잘할 수만 있다면, 나도 그렇게 살고 싶다. 노래만 그런 게 아니다. 무엇이든 좋아하는 일을 잘할 수 있는 사람은 그 일을 하면서 행복한 인생을 살 수 있다. 나는 그것이 품위 있는 인생, 존엄한 삶의 기본이라고 생각한다.

크라잉넛 멤버 가운데 키보드를 치는 김인수 씨가 1974년생이다. 나머지 넷은 두세 살 젊은, 초등학생 때부터 얽혀 살아온 동네 친구들이다. 스무 살 무렵에 밴드를 결성했던 그들은 마흔을 바라보는 지금도 여전히 펑크록을 들고 세상과 부딪치고 있다. 그들이 처음 밴드를 만들었던 그 나이에 나는 무엇을 했던가? 돌아보니 나도 그때 세상과 나름 격렬하게 부딪쳤다. 바람이 불면 사물이 각자 다른 소리를 내는 것처럼, 사람도 저마다의 방식으로 세상과 부딪쳐 제각기 색깔이 다른 삶을 산다. 그 나이에 나는, 아무도 요청하지 않은 '구국의 결단'을 제멋대로 내려 대통령 자리를 도적질한, 개성 있는 외모를 가진 무식한 장군한테 대들었다가 크게 혼이 나는 중이었다.

나는 스물두 살 대학 3학년생이었던 1980년 5월 17일 자정 가까운 시각, 학교에서 붙잡혀 계엄사령부 합동수사본부로 끌려갔다. 맡은 직책이 총학생회 대의원회 의장이라 검거 대상자 명단에 일찌감치 올라 있던 터였다.

전두환, 노태우, 정호용 등 육사 11기 정치군인들은 1979년 12월 12일 밤, 군사 반란을 일으켜 박정희 대통령이 죽은 후 비어 있던 권력의 중심으로 진입했다. 보안사령관이자 계엄사령부 합동수사본부장이었던 전두환은 정승화 육군 참모총장을 비롯한 군 지도부를 체포하고 군권을 장악한 다음 중앙정보부장 자리까지 독차지해버렸다. 다음 수순은 최규하 대통령 권한대행자를 몰아내고 정권을 빼앗는 것이었다. 대학생들은 5월 13일부터 서울 시내 전역에서 거리 시위를 벌인 다음, 5월 15일 저녁 서울역 광장에서 전두환 신군부의 퇴진과 즉각적인 계엄령 해제를 요구하는 대규모 집회를 열었다. 전국의 대학생 대표들은 휴교령이 내릴 경우 일제히 가두 투쟁을 벌이겠다고 선언하고 집회 해산을 결정했다. 이 결정은 나중 '서울역 회군'이라는 이름을 얻었다.

5월 17일 오후, 이화여대에서 향후 행동 방침을 논의하기 위한 전국대학생대표자회의가 열렸다. 계엄사령부는 여기에 경찰 병력을 전격 투입해 수십 명을 체포했다. 서울대 총학생회장 심재철의 체포 여부는 확인되지 않고 있었다. 나는 도청되고 있는 걸 뻔히 알면서도 총

---

1 크라잉넛 지음, 『어떻게 살 것인가』, 동아일보사, 2010, 30쪽.

학생회장실 전화기를 들고 전국의 대학 학생회에 상황을 전파하느라 바빴다. 밤이 제법 깊었을 때, 요사이 역사학자로서 현대사 관련 글을 많이 쓰는 한홍구가 와서 곧 계엄군이 들어올 것 같으니 그만 나가자고 했다. "다 도망가서 텅 빈 학교를 계엄군에 넘겨주기는 좀 그렇다." 그렇게 말하고, 얼굴에 수심이 가득한 친구의 등을 떠밀어 내보냈다. 마지막 받은 전화는 공주사대에서 온 것이었다. 그 전화를 끊기 직전 건장한 남자들이 문을 박차고 들이닥쳤다. 이단옆차기를 맞고 쓰러져 목이 졸리고 허벅지를 밟혔다. 이마에 닿는 권총 총구가 서늘했다. 그때서야 후회했다. '이런, 일단 도망치고 볼 것을! '하느님 빽'보다 더 좋은 게 '삼십육계'라고 한 선배들의 말이 옳았어.'

곧바로 계엄사령부 합동수사본부 산하 경찰청 특수수사대로 끌려가 그곳에서 두 달을 보냈다. 서울 관악경찰서, 수도군단 계엄보통군법회의, 안양교도소를 거쳐 논산훈련소와 강원도 화천의 백암산 소총중대, 철책선 소초, 서울 서빙고 보안사령부 대공분실까지 두 번은 절대 가고 싶지 않은 곳들을 전전했다. 크게 다치거나 죽지 않은 것은 때로 비겁하게 처신한 덕분이었다. 그때 어떤 상황에서도 정말 용감하게 행동했던 사람들은 광주의 전라남도청에서 목숨을 잃었다.

수천 명의 시민들을 총으로 쏘아 죽이고 다치게 했던 그 무식한 장군은 7년 동안 대통령을 한 후 '살아 있는 기적'이 되었다. 그는 내란과 살인, 부정부패 혐의로 유죄를 선고받아 감옥에 갔다 왔고, 가진 재산이 29만원 1천 원뿐이며, 돈벌이를 전혀 하지 않는다. 그런데도 골프와 양주 파티, 해외여행을 즐기면서 산다. 자기만의 '멋진 신세계'를 창조한 것이다.

나는 크라잉넛 멤버들이 나보다 훨씬 훌륭하게 살았다고 생각한다. 오해하지 마시라. 펑크록 밴드 멤버가 대학 총학생회 간부보다 더 훌륭하다는 게 아니다. 펑크록 공연이 민주화투쟁보다 아름답다는 이야기도 아니다. 빈 맥주 캔 더미에 다이빙을 하는 게 교도소 0.7평 독방에서 혼자 요가를 하는 것보다 숭고할 리도 없다. 문제는 무슨 일을 했느냐가 아니다. 왜, 어떤 생각으로 그 일을 했는지가 중요하다. 크라잉넛 멤버들은 자기가 원하는 인생을 스스로 설계했고 그 삶을 옳다고 생각하는 방식으로 살았다. 공연을 하면 행복했기에, 대학을 가지 않거나 대학 공부를 하는 둥 마는 둥 하면서 노래와 연주에 열정을 쏟아부었다. 학생운동과 노동운동, 시민운동을 한 청년들 중에도 그런 사람이 많을 것이다. 하지만 나는 그렇지 않았다. 스스로 인생을 설계하지도 않았고 내가 원하는 방식으로 살지도 못했다. 마음 가는 대로 살지 못했다. 죽을 때까지 이대로 살고 싶다는 생각을 하지도 않았다.

크라잉넛 멤버들은 대중의 사랑을 받기 전까지 많은 서러움을 겪었다. 시끄러운 록 음악을 듣고 불확실한 미래에 도전하는 자녀들을 마음 놓고 지켜보는 부모는 드물다. 좋은 대학, '사士'가 딸린 전문직 자격증, 연봉이 높은 대기업, 이런 것을 성공이라 믿으면서 열심히 스펙을 쌓던 이들은 크라잉넛 멤버들을 베짱이로 여겼을지 모른다.

그러나 크라잉넛 멤버들은 인생의 성패를 가르는 기준을 물질이나 지위, 사회 통념이나 타인의 시선, 어떤 이념이나 명분이 아니라 자신의 내면에 두었다. 마음이 내는 소리를 귀 기울여 들으면서 행복한 삶을 스스로 설계했다. 그리고 그 삶을 자기가 원하는 방식으로 밀고나갔다. 주눅 들지 않고 세상과 부딪쳤다. 인생이 성공했으며 삶이 행복하다고 생각한다. 계속 그렇게 마음이 이끄는 대로 살고 싶다고 한다.

그들은 좋아하는 놀이를 직업으로 삼았다. 이것만으로도 '절반' 성공한 인생이라고 말할 수 있다. 물론 그들의 인생이 완성된 것은 아니다. 일과 놀이가 인생의 절반이라면 나머지 절반은 사랑과 연대 solidarity라고 나는 믿는다. 나는 크라잉넛 멤버들이 이 나머지 '절반'의 문제에 대해 어떻게 생각하며 어떻게 임하고 있는지 모른다. 그래서 '절반' 성공했다고 하는 것이다. 나는 크라잉넛의 책을 읽으면서 인생에 대해 많은 생각을 했다. 그들에게 크게 빚졌다고 생각한다. 그 빚을 갚고 싶다. 그래서 그들도 이 책을 읽기를 바란다. 인생의 나머지 절반도 소신대로 하기를 기대한다.

내 인생은
나의 것

크라잉넛 멤버들에게 나는 삼촌뻘 되는 사람이다. 그들이 아장아장 걸으며 말을 배우던 시절, 나는 벌써 스무 살 청년이었다. 하지만 어느 사이 크라잉넛 멤버들도 대학 신입생들에게 삼촌뻘 되는 인물이 되고 말았다. 청년의 고민과 숙제는 예나 지금이나 크게 다르지 않다. 청년기의 핵심 과제는 평생 하고 싶은 일을 찾고 그 일을 잘할 수 있는 준비를 하는 것이라고 나는 생각한다.

벌써 35년 전 일이다. 봄비가 차분하게 내리는 토요일 오후였다. 나는 대학 기숙사 창가에 서서 관악산을 바라보며 정체를 알 수 없는 막막함과 씨름하고 있었다. 얼마나 막막했는지, 그때 그 느낌이 지금도 생생하다. 지금 스무 살이 된 젊은이들 중에도 틀림없이 막막한 미래 때문에 고민하는 사람이 있을 것이다. 제대로 깊게 그 문제를 고민해야 한다.

대학 교양과목 강의는 고등학교 수업과 마찬가지로 재미가 없었다. 교수들은 학생들의 정신을 깨우기는커녕 자극하지 않으려고 애썼다. 정치학 강의에는 한국정치가 없었고 경제학 강의에는 한국경제가 없었다. 사상과 표현의 자유를 빼앗긴 대학 강의실은 비판적 지성이 자라기에 적합한 곳이 아니었다. 강의를 듣느니 혼자 책을 읽는 게 차라리 나았다. 서울에는 아는 사람이 거의 없었다. 시간이 지천으로 남아돌았다. 그날 기숙사 룸메이트 셋은 모두 선배들이 주선한 미팅에 가버렸다. 나는 혼자 남아 헤르만 헤세의 소설 『싯다르타』를 읽었다. 삶의 의미를 알고 싶어서 읽었지만 그리 큰 도움이 되지는 않았다. 내 문제는, 꼭 하고 싶은 일이 없다는 것이었다. 그걸 하지 못한다면 삶이 깜깜해질 것 같은, 그렇게 간절하게 하고 싶은 일이 없었다.

생각을 해보지 않은 것은 아니었다. 어렸을 때 제사를 지내러 큰집에 가면 어른들이 아이들을 모아놓고 조상들 이야기를 들려주었다. 오늘 제사를 모신 할아버지는 이런 벼슬을 하셨고, 외가는 어떠했으며, 처가는 누구의 후손이다. 뭐 그런, 끝도 없이 가지를 쳐나가는 옛날이야기였다. '가문의 영광'에 대한 강의가 끝나면 어른들은 커서 '무엇'이 되고 싶으냐고 물었다. 모범 답안은 판사나 검사였다. 의사나 공무원도 대충 정답으로 통했다. 그와 다른 대답은 어른들을 실망하게 만든다는 것을 알았기에 나는 판사가 되겠다는 모범 답안을 말하곤 했다. 어른들은 매우 기꺼워하셨다. 그러나 '어떤 사람'이 되고 싶은지, 삶의 목표가 무엇인지는 아무도 묻지 않았다.

나는 공부가 좋았다. 초등학생 때는 구슬치기, 딱지치기 그리고 만화와 축구를 좋아했다. 중학생 때는 축구와 핸드볼, 추리소설에 빠졌다. 그런데 고등학교에서 국어와 고문古文을 배우면서 공부도 재미있다는 걸 처음 알게 되었다. 나는 신라 향가나 고려가요, 이육사 선생과 만해 선생의 시를 암송하는 것이 쉽고 재미있었다. 그때는 대입 본고사가 있어서 교과서 말고도 다른 책을 읽었다. 작문 시험에 대비하려고 읽은 문학평론이나 논설문이 재미가 있었다. 김소운 선생의 『목근통신木槿通信』이나 이어령 선생의 『흙 속에 저 바람 속에』와 같은 수필집을 읽으면서 언어라는 게 무척 신기하다고 느꼈다. 대학에 언어학과라는 것이 있다는 사실을 알았을 때, 거기 가서 공부하고 싶다는 생각을 했다.

대입 원서를 쓸 때 아버지가 영문과를 권하셨다. 영문학을 하라는 게 아니었다. 영문과에서 영어를 익히고 유럽이나 미국에 유학을 가 서양철학을 공부한 다음, 돌아와 동양철학을 더 공부하라는 것이었다. "서양 사람들은 오만해서 동양철학을 공부하지 않는다. 우리가 그들의 철학을 배우고 동양철학을 가르쳐주어야 한다." 아버지는 둘째 아들을 동서양 철학을 통합하는 학자로 만들고 싶었던 것이다. 나는 아버지의 권고를 외면했다. 그때는 인생도 세상도 잘 몰랐다. 나는 육남매 가운데 대학에 들어간 네 번째 아이였다. 바로 위 누이는 집안 살림이 어려워 나보다 늦게 대학 입시를 봤다. 아버지는 사립고등학교 역사 교사였다. 어머니는 채소와 생선, 생필품을 파는 동네 가게를 했다. 유학은 고사하고 자식들 등록금 대는 것도 버거운 살림이었다.

부모님에게 자식을 유학 보낼 만한 경제력이 없다는 사실을 나는 잘 알고 있었다. 그러나 공부를 아주 잘하면 장학금을 받아 미국 유학을 갈 수 있다는 것은 몰랐다. 나는 별 돈 들이지 않고 빨리 출세할 수 있는 길을 찾아 법학과가 포함되어 있던 사회계열을 선택했다. 시험을 잘 보는 고등학교 3학년 학생이 할 수 있는 가장 평범한 선택이었다. 환갑을 눈앞에 두었던 아버지는 이상주의를 추구했는데, 고작 열아홉 살이었던 나는 현실주의를 택한 것이다. 법학과에 가서 사법시험을 볼 작정이었다. 그때 아버지 말씀을 진지하게 받아들였다면 더 기쁜 삶을 살 수 있었을지도 모른다. 아버지가 나를 얼마나 잘 알고 깊게 사랑하셨는지, 그때는 미처 몰랐다.

열아홉 살의 나는 도전하지도 않고 좌절한 현실주의자였다. 대입 본고사 국어시험 작문 주제가 '내가 사랑하는 생활'이었다. 평범한 삶을 살고 싶다고 썼다. 무슨 일이 될지는 모르지만 열심히 해서 쌓아놓을 정도는 아니어도 꼭 필요한 데 쓸 수 있을 정도의 돈을 벌고, 그렇게 해서 고생하신 부모님을 편안하게 모시고, 사랑스런 여인을 만나 단란한 가정을 꾸리고, 마흔이 넘어 생활 기반이 잡히고 나면 공부 때문에 그만두었던 그림 그리기를 다시 시작하고, 아들 손을 잡고 일요일 새벽 동네 조기축구회에 함께 나가는, 그런 평범한 인생을 원한다고 적었다. 나름 멋져 보이는 문구로 마무리를 했다. '평범한 삶이 아름답다.' 점수는 잘 받았다. 그러나 진실을 말하자면 한심하기 짝이 없는 작문이었다.

평범한 삶이 아름답고 행복할 수 없다는 게 아니다. 평범해도 평범하지 않아도, 인생은 훌륭하거나 비천할 수 있다. 인생의 품격은 평범함이나 비범함과 상관없는 것이다. 내 문제는 꿈이 없다는 것이었다. 내게는 무엇인가 꼭 이루고 싶은 목표가 없었다. 인생을 어떤 색조로 꾸미고 싶다는 소망도 없었다. 그저 현실에 잘 적응했을 뿐이다.

그때 이후 지금까지 목표도 방향도 없이 '닥치는 대로' 살았다. 마구잡이로 살았다는 뜻이 아니다. 그때그때 눈앞에 닥쳐온 일을 나름 성실하게 열심히 하면서 살았다. 대학생 때는 정부와 언론이 '지하대학'이라고 불렀던 학회에 가입해 독재정권이 금서禁書로 지정한 책을 읽었다. 구로동 야학교사가 되어 또래 여성 노동자들의 학습을 도왔다. 반정부 시위를 하다가 잡혀가고 학교에서 쫓겨났다. '불법 유인물'과 화염병을 만들었다. 징역을 살았다. '범죄 조직'을 만든 증거로 악용된다고 해서 사진을 찍지도 않았고 일기를 쓰지도 않았다. 설렘과 환희로 빛나야 마땅한 청춘을 그렇게 아무 흔적 남기지 않고 보냈다.

최선을 다해 '닥치는 대로' 살았으니 후회는 없다. 생각해보면 그때가 내 인생에서 가장 순수하고 열정적인 시기가 아니었나 싶다. 시내 공중화장실이나 공중전화 박스에 독재정권을 비판하는 유인물 몇 장을 '살포'하는 데 성공한 것만으로도 온 세상을 다 얻은 것 같은 환희를 느끼곤 했다. 국회의원이나 장관이 되는 것과는 비교할 수 없을 정도로 짜릿한 희열이었다. 지금도 그것이 사회적으로 의미 있는 활동이었다고 생각한다. 그러나 훌륭한 삶은 아니었다. 내 자신이 설계한 인생, 내가 원한 삶의 방식은 아니었기 때문이다.

어떻게 살 것인가? 이 나이에 아직도 이런 질문을 껴안고 있는 내가 한심해 보인다. 그러나 이것이 여태껏 살아온 내 삶의 결과임을 인정한다. 만약 지금까지 살아온 그대로 계속해서 살면 좋겠다고 생각한다면, 그 사람의 인생은 이미 훌륭한 인생이다. 그대로 가면 된다. 그러나 계속해서 지금처럼 살 수는 없다고 느끼거나 다르게 살고 싶다고 생각한다면, 그 사람의 삶은 아직 충분히 훌륭하다고 할 수 없다. 더 훌륭한 삶을 원한다면 지금이라도 무언가를 바꾸어야 한다. 나는 내가 좋아하는 것을 들고 능동적으로 세상과 부딪치지 못했다. 번민하면서 주저하는 내게, 세상이 먼저 부딪쳐 왔다. 세상은 나더러 체념하거나 굴복하라고 했고, 나는 거절하고 저항했을 뿐이다. 부당한 강요에 굴복하면 삶이 너무나 비천해질 것 같았다. 그래서 최소한의 인간적 존엄과 품격을 지키려고 발버둥 쳤다. 성년이 된 이후 오랫동안 내 삶을 지배한 감정은 기쁨이나 즐거움이 아니었다. 수치심과 분노, 슬픔, 연민, 죄책감, 의무감 같은 것이었다.

나는 대학 교양과정이 끝나고 전공을 정할 때 경제학과를 선택했다. 다른 이유는 없었다. 법학과를 가지 않은 이유를 설명하기에 제일 편리한 학과였기 때문이다. 나와 비슷한 고민을 하는 친구들이 많아서 그런지 그때는 경제학과 합격선이 월등히 높았다. 졸업하면 취직도 잘되었다. 사법시험을 보지 않기로 결심한 터라 법대를 가야 할 이유가 없었다. 박정희 정권의 중앙정보부와 검찰은 죄 없는 사람들을 잡아다 고문해 간첩으로 범죄자로 만들었다. 판사들은 사형, 무기징역, 징역 10년을 예사로 때렸다. 고문을 당해서 허위 자백을 했다고 판사에게 말해봐야 아무 소용이 없었다. 5분짜리 교내 시위를 주동하면

징역 3년이 기본이었다. 법정은 정의를 세우는 곳이 아니었다. 판검사는 박정희 정권의 하수인 노릇을 하고 있었다. 나는 서클활동을 하면서 반정부 학생조직에 가담했다. 언젠가 '동을 뜰시위를 주동해야 할' 차례가 오면 감옥에 갈 게 뻔했다. 졸업할 일이 없으니 학점을 잘 따야 할 이유도 없었다.

법학과 대신 경제학과를 간 것은 내 인생 최초의 주체적 선택이었다. 그러나 유일하게 올바른 선택이었다고 생각하지는 않는다. 박정희 전두환 시대에 사법시험에 합격해 법조인이 된 사람들 중에는 독재정권의 하수인이 되어 시민의 인권을 짓밟은 이들이 많았다. 그러나 약하고 억울한 사람들의 곁을 지키면서 인권과 민주주의 발전에 기여한 훌륭한 인물도 적지 않았다. 폐암으로 너무 일찍 세상을 떠난 조영래 변호사, 고故 노무현 대통령, 문재인, 강금실, 김형태, 김선수 변호사 같은 분들도 모두 그 시대에 사법시험을 통과해 변호사가 되었다. 선을 실현하고 더 좋은 세상을 만드는 일에는 법률가도 필요하다. 의사, 공무원, 과학자도 마찬가지다. 박사학위나 전문직 면허를 취득해 제도 안에 참여하면서 훌륭한 삶을 살 수도 있다. 그렇게 산 사람이 많이 있었다.

그렇게 하려면 기득권과 더불어 살면서도 그 달콤함과 안일함에 젖지 말아야 한다. 어떤 경우에도 불의와 타협하거나 악에 가담하지 않고 살려면 강력한 내면의 힘이 있어야 한다. 그런데 나는 그럴 자신이 없었다. 그래서 그런 것 없이도 나를 지킬 수 있는, 고생은 되지만 마음은 편한 방법을 선택했다. 그것은 아예 기득권 근처에 가지 않는 것이다. 법학과 진학과 사법시험을 포기한 것은 악과 싸워 세상을 바꾸기 위한 결단이라기보다는 죄악으로 가득한 세상에서 내 자신을 확실하게 지키기 위한 선택이었다. '성인聖人은 못 되더라도 괴물은 되지 말자.' 그렇게 생각했다. 그것도 나름 의미 있는 선택이었다고 생각한다.

나는 반정부 시위에 열심히 참여했지만 학교 안에서 데모를 하는 것으로 세상을 바꿀 수 있다고 믿지는 않았다. 우리가 시위를 해도 신문에 기사 한 줄 나오지 않았다. 관련 보도라고는 어느 대학 학생 김아무개 등이 구속되었거나 징역 몇 년을 받았다는 단신 보도밖에 없었다. 대한민국 언론은 이미 정부의 탄압에 굴복했거나 자발적으로 권력의 나팔수 노릇을 하고 있었다. 독재정권의 부패와 인권유린을 아무리 비판해도 국민들에게는 알려지지 않았다. 그렇게 해서 세상을 어떻게 바꾼다는 말인가. 하지만 내 자신을 지킬 수는 있을 것 같았다. 독재자 밑에서 공무원을 하거나 독재자를 찬양하면서 돈을 가져다 바치고 그 대가로 특권을 받는 재벌의 일꾼이 되면 어쩔 수 없이 좋지 않은 일을 해야 할지도 모른다는 두려움을 느꼈다. 인간으로서의 자존自尊은 확실하게 지키고 싶었다.

이런 비뚤어진 세상을 향해 소리 한번 지르지 않은 채 대학을 졸업하고 취직하면 내 청춘이 너무나 비천하고 남루해질 것 같았다. 혹시라도 대한민국이 군부독재에서 민주주의로, 가파른 역사의 강을 건너가는 데 도움이 될 돌덩이 하나를 놓을 수 있을지 모른다는 생각은 했다. 내가 돌 하나를 놓고 가면 다음 사람이 또 하나를 놓고, 그렇게 하다 보면 언젠가 민중이 역사의 강을 건너 더 나은 세상으로 나아가는 데 도움이 될 징검다리가 만들어지지 않을까. 그런 막연한 희망으로 내 자신을 위로하며 고통과 두려움을 견뎠다.

'닥치는 대로' 산 것은 전적으로 내 책임이다. 다른 사람이나 세상을 원망할 수 없다. 세상은 제 갈 길을 가고, 사람들은 또 저마다 자기 삶을 살 뿐이다. 세상이, 다른 사람이 내 생각과 소망을 이해하고 존중하고 배려해준다면 고맙겠지만, 그렇지 않다고 해서 세상을 비난하고 남을 원망할 권리는 없다고 생각한다. 소극적 선택도 선택인 만큼, 성공이든 실패든 내 인생은 내 책임이다. 그 책임을 타인과 세상에 떠넘겨서는 안 된다. 삶의 존엄과 인생의 품격은 스스로 찾아야 한다. 죄악과 비천함에서 자기를 지키는 것만으로는 훌륭한 삶을 살 수 없다. 악당이나 괴물이 되지 않았다고 해서 훌륭한 것은 아니다. 무엇이 되든, 무엇을 이루든, '자기 결정권' 또는 '자유의지'를 적극적으로 행사해 기쁨과 자부심을 느끼는 인생을 살아야 훌륭하다고 할 수 있다. 나는 그렇게 믿는다.

인생에서 가장 중요한 것은 '자기 결정권'을 행사하는 일이다. '자기 결정권'이란 스스로 설계한 삶을 옳다고 믿는 방식으로 살아가려는 의지이며 권리이다. 철학자 존 스튜어트 밀J. S. Mill의 표현을 가져다 쓰자. "사람은 누구든지 자신의 삶을 자기 방식대로 살아가는 것이 바람직하다. 그 방식이 최선이어서가 아니라, 자기 방식대로 사는 길이기 때문에 바람직한 것이다."[2] 사람마다 인생을 다르게 산다. 평생 공부

---

2 존 스튜어트 밀 지음, 서병훈 옮김, 『자유론』, 책세상, 2010, 129쪽.

하는 사람, 노래하고 춤추는 사람, 돈을 버는 데 골몰하는 사람, 일만 하는 사람, 권력을 좇는 사람, 신을 섬기는 사람 등 백 사람이 있으면 백 가지의 삶이 있다. 어느 것이 더 훌륭한지 가늠하는 객관적 기준은 없다. 스스로 설계하고 선택한 것이라면 어떤 삶이든 훌륭할 수 있다. 그러나 아무리 화려해 보여도 자유의지로 만들어낸 삶이 아니면 훌륭할 수 없다.

나는 내 삶을 스스로 설계하지 않았다. '닥치는 대로' 열심히 살았지만 내가 원하는 삶을 내가 옳다고 생각하는 방식으로 산 것은 아니었다. 지금부터라도 내 삶에 대해 더 큰 자부심과 긍지를 느끼고 싶다. 살아가는 모든 순간마다, 내가 하는 모든 일에서 의미와 기쁨을 느끼고 싶다. 아직은 기회가 남아 있다고 생각한다. 그러려면 무엇인가 바뀌야 한다. 가장 먼저 바꿔야 할 것은 삶을 대하는 태도가 아닌가 싶다. 조금 늦은 감은 있지만 이제부터라도 내 마음이 가는 대로 살고 싶다. 내가 하고 싶은 일을 내가 옳다고 믿는 방식으로 하는 것이다. 다른 사람을 해치는 일은 절대 없어야 한다. 그리고 내가 하는 일이 세상을 더 훌륭하게 만드는 데 보탬이 되어야 하고, 그 과정에서 내 자신도 더 훌륭해져야 한다.

여태껏 오로지 남을 위해서 산 건 결코 아니었다. 세상을 위해 살았다고 주장할 생각도 없다. 그러나 나를 위해, 내 자신의 행복을 위해 사는 인생은 훌륭할 수 없다는 관념에 눌려서 산 것만은 사실이다. 그래서 내가 어떤 삶을 진정 원하는지 깊이 들여다보질 않았다. 무엇에선가 즐거움과 행복을 느낄 때마다 근원을 알 수 없는 죄의식에 사로잡히곤 했다. 행복을 느끼는 순간마다 누구에겐가 잘못을 저지르는 것 같았다. 생각해보면 꼭 그래야만 할 이유는 없었다. 누가 그렇게 살라고 하지도 않았다. 내가 괴로워한다고 해서 누군가 더 행복해지는 것도 아니었다. 도덕주의적으로 보든 실용주의적으로 보든 좋은 생각이 아닌 것이다. 내게는 내가 원하는 대로 살 권리가 있다. 이제부터라도 남의 시선을 의식하지 않고, 그 어떤 이념에도 얽매이지 않고, 내 마음이 내는 소리에 귀 기울이면서 떳떳하게 그 권리를 행사하고 싶다. 좋아하는 일을 하면서 기쁘게 살고 싶다. 스무 살의 크라잉넛 멤버들처럼.

왜 자살하지 않는가

나는 '먹물'이다. 좋은 뜻에서든 좋지 못한 뜻에서든 확실히 그렇다. '먹물 근성'이 있는 사람은 무슨 문제가 있으면 책이나 자료부터 찾아본다. 이것이 먹물의 약점이자 강점이다. 인터넷 포털 사이트 검색창에 '어떻게 살 것인가'를 입력하다 혼자 껄껄 웃었다. '그래, 난 천성이 어떻게 할 수가 없는 먹물인 게야.' 제목이 '어떻게 살 것인가'인 책이나 글이 예상했던 만큼 많지는 않았다. 그런데 흥미롭게도 죽음과 관련된 책이 함께 검색되었다. 『죽음을 어떻게 살 것인가』[3], 『인간답게 죽는다는 것』[4], 『늙는다는 것 죽는다는 것』[5], 『품위 있는 죽음의 조건』[6] 같은 것이다.

이 책들은 대체로 삶의 마지막 국면, 인생 막바지의 짧은 시간을 다룬다. 글쓴이는 의사나 호스피스 병동 자원봉사자들이다. 『우리는 언젠가 죽는다』[7]처럼 죽음을 소재로 삼아 삶의 양상과 의미를 유쾌하게 그려낸 에세이도 있고, 삶과 죽음의 문제를 순전히 논리적으로 검토한 철학서 『DEATH 죽음이란 무엇인가』[8]도 있지만 이런 것은 예외에 속한다. 글쓴이들은 죽음이 임박한 사람들을 만났고 그들의 마지막 모습을 들려준다. 하지만 실제로 말하려는 것은 죽음이 아니다. '어떻게 살 것인가? 행복한 삶은 어떤 것인가? 무엇이 인생을 훌륭하게 만드는가? 삶의 의미는 무엇인가?' 그런 것이다.

나는 심오한 인생론을 펼친 위대한 고전보다 이런 책이 좋다. 쉽게 읽히고, 재미있고, 감동을 받는다. 읽다 보면 나도 모르게 눈물이 나기도 한다. 아무리 이름난 철학자라 해도 너무 어렵게 이야기하면 좋아하지 않는다. '나도 배울 만큼 배운 사람인데, 그런 내가 읽어도 무슨 소리인지 알기 어려운 걸 누구보고 읽으라는 거야!' 그렇게 화가 난다. 여러 번 되풀이해 읽어도 이해가 되지 않는 책을 쓴 사람은 심지어 미워하기까지 한다. 심각한 열등감을 안겨주기 때문이다. '난 머리가 나쁜가 봐.' '지적 재능이 없나 봐.' '형이하학적形而下學的 인간인가 봐.' 그렇게 자학하도록 만든다. 그 때문에 실존주의existentialism, 實存主義 철학자들을 특별히 못마땅하게 여겼다.

오래전 우리나라 지식인 사회에 실존주의 사조가 크게 유행한 적

---

3 히노하라 시게아키 지음, 김옥라 옮김, 『죽음을 어떻게 살 것인가』, 궁리, 2005.
4 야마가타 켄지 지음, 김수호 외 옮김, 『인간답게 죽는다는 것』, 군자출판사, 2006.
5 홍사중 지음, 『늙는다는 것 죽는다는 것』, 로그인, 2008.
6 아이라 바이오크 지음, 김언조 옮김, 『품위 있는 죽음의 조건』, 물푸레, 2011.
7 데이비드 실즈 지음, 김명남 옮김, 『우리는 언젠가 죽는다』, 문학동네, 2010.
8 셸리 케이건 지음, 박세연 옮김, 『DEATH 죽음이란 무엇인가』, 엘도라도, 2012.

이 있다. 하이데거, 야스퍼스, 사르트르, 카뮈, 카프카…. 이런 사람들을 자유자재로 인용하지 못하면 지식인 행세를 하기 어려웠다. 그런데 그들이 쓴 책은 용어와 문장과 논리가 모두 난해하다. 되풀이해 읽어도 무슨 말인지 알기 어렵다. '감히 건방지게!' 이런 말을 듣더라도 솔직하게 말하자. 나는 알베르 카뮈Albert Camus가 쓴 유명한 에세이 『시지프의 신화』를 차원 높은 '철학적 횡설수설'로 간주한다. 프란츠 카프카Franz Kafka에게도 해묵은 '원한'이 있다. 소설 『성城』에 세 차례 도전했지만 한 번도 완독하지 못했다. 한글 번역본을 읽다가 두 번 포기했다. 번역이 엉터리라 그럴지 모른다며 유학생 시절 독일어판을 펼쳤다. 하지만 결과는 마찬가지였다. 독일어 실력이 문제가 아니었다. 슈테판 츠바이크Stefan Zweig의 '수준 높은' 소설을 잘만 읽는데 카프카라고 안 될 리는 없다. 그러나 소설의 주인공이 결국 성에 들어가지 못한 것처럼, 나도 카프카의 정신세계에 끝내 들어가지 못했다. 그래서 화가 났다. '제발 좀 알아들을 수 있게 말을 하란 말이야!'

열등감은 삶의 기쁨을 갉아먹는 부정적인 감정 중에서도 단연 고약한 것이다. 열등감에 깊이 빠지면 자기 자신을 비천한 존재로 느끼게 된다. 그래서는 기쁜 삶을 살지 못한다. 기쁘지 않은 삶은 훌륭하기 어렵다. 열등감과 자기 비하의 덫에 걸리지 않으려면 '정신승리법'이 필요하다. 완벽한 정신승리법이 있을 것이라고 생각하지는 않는다. 그러나 조금이라도 도움이 되는 방법은 여러 가지가 있다. 내가 즐겨 쓰는 방법은 『이솝Aesop 우화집』에 등장하는 여우의 '신 포도 논리'이다. '저 포도는 맛이 없고 시기만 할 게 분명해.' 너무 높이 있어서 아무리 해도 손이 닿지 않는다면 이렇게 생각하는 게 마음이 편하다. 세상에는 아무리 애를 써도 손에 넣지 못할 포도송이가 사방 널려 있다. 그때마다 열등감을 느끼고 자기를 비하한다면 제대로 살 수가 없을 것이다. 사람들은 흔히 여우가 교묘하게 자신의 무능을 합리화했다고 비웃는다. 하지만 나는 이것이 다소 진부해 보이지만, 삶을 긍정적인 태도로 살아나가는 데 도움이 된다고 생각한다.

세상에는 오르지 못할 나무가 너무나 많다. 곳곳에 '넘을 수 없는 4차원의 벽'이 서 있다. 도전하지도 않고 포기하는 것도 어리석지만, 오르지 못할 나무와 넘을 수 없는 벽에 매달려 인생을 소모하는 것 역시 어리석다. 모든 나무와 모든 벽을 오르고 넘어서야 행복한 삶, 성공하는 인생을 살 수 있는 게 아니다. 내게 적합한 나무, 노력하면 넘을 수 있고 넘는 게 즐거운 벽을 잘 골라야 한다. 그렇게 해야 인생이라는 '너무 짧은 여행'을 후회 없이 즐길 수 있다.

다시 크라잉넛 멤버들을 생각한다. 그들은 체계적인 음악 교육을 받지 못했다. 어렸을 때부터 록 음악이 좋아서 좋아하는 외국 록 밴드 흉내를 내면서 놀았다. 리드 보컬도 베이시스트도 없이 기타리스트 셋에 드러머 하나만 있는 '듣보잡 밴드'를 만들었다. 대학 전공 공부를 제대로 하지 않았으며, 졸업을 해서도 관련 산업에 취업하지 않았다.

재능의 본질은 즐기면서 집중할 수 있는 능력이다. 알아주는 사람이 별로 없었지만 그들은 재능이 있었다. 판검사, 의사, 회사원, 과학자, 장군이 되고 싶었지만 음악 말고는 재능이 없어서 음악을 한 것이 아니었다. 그랬다면 행복한 밴드가 될 수 없었을 것이다. 크라잉넛 멤버들은 자기네가 좋아하는 펑크록을 평생 올라야 할 나무로 선택했다. 다른 사람에게 열등감을 느낄 이유가 없다. 평생 펑크록을 하면서 살면 제일 행복할 것이라고 생각하는 그들의 마음에는 자기 비하의 감정이 들어설 공간이 없다.

나는 크라잉넛이 부럽다. 방송사마다 하는 오디션 프로그램에 나와서 멋지게 노래를 부르는 젊은이들도 부럽다. 그러나 그들에게 열등감을 느끼지는 않는다. 그것은 내가 오를 나무라고 생각하지 않기 때문이다. 나는 음악에 재능이 없다. 아무리 노력해도 인생을 허비하고 열정만 낭비할 뿐 크라잉넛처럼 될 수는 없다. 나는 악기로는 사용할 수 없는 성대를 가지고 태어났다. 국제 가수 싸이, 은반의 여왕 김연아, 백신 박사 안철수, 밀리언셀러 작가 혜민 스님, 국민 미남 장동건도 부럽지만 열등감은 없다. 그들은 각자 자기의 나무를 오르고 있을 뿐이다. 나도 적당한 나무를 골라 오르면 된다. 그게 세상에서 제일 큰 나무가 아니면 어떤가. 내게 맞고 오르는 것이 즐거운 나무라면 된 것 아니겠는가.

예전에는 실존주의 철학이 넘지 못할 벽으로 보였다. 그런 것에 시간과 열정을 소모하고 싶지 않았다. 그래서 실존주의를 무시함으로써 정신적 승리를 얻었다. '삶은 불안하고 허무하며 세상은 부조리不條理로 가득하다고? 그거야 다 아는 이야기 아닌가. 그러니까 어쩌라고? 세상의 부조리는 바로잡아야지. 그러면 삶이 안정되고 세상이 합리적으로 될 것 아닌가. 할 일이 없어서 그런 고민이나 하고 사는 유럽 지식인들은 팔자가 좋기도 하지. 한국 지식인 사회의 실존주의 바람은 겉멋이 들어 유럽 지식인 흉내를 내는 '문화 기지촌 현상'에 불과한 거야. 실존주의는 보기에만 그럴듯할 뿐 건질 게 없는 철학이라고.'

그런데 지금은 그렇지 않다. 문장과 논리가 난해한 건 여전히 마음에 들지 않지만, 인간 존재의 근원적 부조리와 한계에 천착한 문제의식에는 크게 공감한다. 나이가 들면서 내 생각이 사란 것인시 모르겠다. 어쨌든 실존주의가 아예 접근할 수 없는 철학으로 보이지는 않는다. 특별히 맛나지는 않아도 건강해지려면 조금은 먹어야 하는 음식이라고 생각한다. 사실 사람들은 너나없이 잘 사는well-being 데 관심이 있다. 그런데 아무리 잘 살아도 죽지 않을 도리는 없다. 사형 집행일과 집행 방법이 정해져 있지 않을 뿐, 살아 있는 인간은 모두 사형수라고 할 수 있다. 그러니 잘 사는 것뿐만 아니라 잘 죽는well-dying 문제도 생각하고 준비해야 한다. 실존주의 철학은 어떻게 살고 어떻게 죽을지 고민하라고 권한다. 잘 죽으려면 잘 살아야 하겠기에, 실존주의는 공부할 만한 가치가 있다. 이것이 내가 실존주의에 접근하는 실용주의적 방법이다.

삶은 곧 죽음이다. 살아 있는 것은 다 죽는다. 지금 책을 쓰는 나도 이 책을 읽는 독자도 모두 죽는다. 생각할 능력이 아직 부족한 어린 아이들, 어떤 이유에서 생각하는 능력을 잃어버린 사람들만 이 사실을 모른다. 실존주의자를 흉내내서 말하면, 이것이 바로 인간 존재의 근원적인 부조리이다. 인간은 태어난 바로 그 순간부터 숨을 한 번 들이마시고 내쉴 때마다 한 걸음씩 죽음을 향해 나아간다. 다 살면 그때 죽는 게 아니다. 살아 있는 모든 순간, 우리는 조금씩 죽어 간다. 죽음은 단지 삶의 이면裏面일 뿐이다. 삶과 죽음은 처음부터 끝까지 동행하며 함께 완성된다. 쉰다섯 해를 산 나는 이미 쉰다섯 해 죽은 것이다. 어차피 죽을 것이기 때문에 삶은 허무하다고 말하지 말자. 그것은 틀린 말이다. 그 역逆이 옳다. 죽을 수밖에 없기 때문에 삶은 아름다울 수 있다.

죽지 않고 영원히 산다고 상상해보았다. 과연 행복할까? 그런 사람도 있을지 모르겠지만, 나는 그렇지 않았다. 영생永生은 축복이 아니다. 그것은 존재의 의미를 말살한다. 영원히 산다면 오늘 만난 사람들, 그들과 나눈 대화와 교감, 함께한 일들이 의미가 없어질 것만 같다. 그 모든 것이 다 굳이 오늘 하지 않았어도 좋았을 일이 된다. 어디에도 굳이 열정을 쏟아야 할 필요가 없다. 오늘 다하지 못하는 일은 내일 하면 그만이다. 오늘 무엇인가 잘못해도 상관없다. 다음에 다르게 하면 된다. 영생은 삶을 시간의 제약에서 해방시킨다. 그런데 시간이 희소성稀少性을 잃으면 삶도 의미를 상실한다. 유한성有限性의 속박에서 풀려나는 순간, 가슴을 설레게 하는 모든 것들이 무한 반복의 쳇바퀴를 도는 지루한 일상으로 변해버리는 것이다.

삶이 영원히 계속된다면 언젠가는 죽고 싶어질지 모른다. 바위를 굴려 언덕 꼭대기까지 올리고, 그 바위가 아래로 굴러떨어지고, 처음으로 돌아가 다시 바위를 굴려 올리는 행위의 무한 반복, 이것은 시시포스가 신들을 골탕 먹였다가 받은 형벌이었다. 죽을 수 없다면 삶은 형벌이 될 것이다. 너무나 간절하게 영생을 원한 나머지 그것을 구하는 일에 몰두하느라 유한한 인생에서 맛볼 수 있는 모든 환희와 행복을 포기하는 사람들을 보면 안타까운 마음이 든다. 나는 영생을 원하지 않는다. 단 한 번만, 즐겁고 행복하게 그리고 의미 있게 살고 싶을 뿐이다.

하루의 삶은 하루만큼의 죽음이다. 어떻게 생각하든 이 사실은 바뀌지 않는다. 새날이 밝으면 한 걸음 더 죽음에 다가선다. 그런데도 우리는 때로 그 무엇엔가 가슴 설레어 잠들지 못한 채 새벽이 쉬이 밝지 않음을 한탄한다. 결코 영원할 수 없음을 알면서도 누군가에게 영원한 사랑과 충성을 서약한다. 죽음을 원해서가 아니다. 의미 있는 삶을 원해서다. 인생은 그런 것이다. 하루가 모여 인생이 된다. 인생 전체가 의미 있으려면 살아 있는 모든 순간들이 기쁨과 즐거움, 보람과 황홀감으로 충만해야 한다.

그런데도 때로 그것을 잊는다. 오늘의 삶을 누군가를 향한 미움과 원한으로 채운다. 가진 돈이 많은데도 더 많은 돈을 얻으려고 발버둥치면서 얼마 남지 않은 삶의 시간을 탕진한다. 이미 높은 곳에 있으면서도 더 높은 곳으로 오르기 위해 오늘 누릴 수 있는 행복을 내일로 미루어둔다. 그 모든 것이 나의 삶에 어떤 의미를 가지는지 묻지 않는다. 그리하여 운명의 마지막 페이지를 넘길 때쯤에야 비로소, 자신이 의미 없는 인생을 살았음을 허무하게 깨닫는다. 그러나 한 번 살아버린 인생은 되돌릴 수 없으며, 놓쳐버린 삶의 환희는 되찾을 수 없다.

다른 한편에는 어차피 찾아들 죽음을 서둘러 맞아들이는 사람들이 있다. 언젠가 반드시 건너야만 할 죽음의 강을 바삐 건너간다. 삶을 견디기 힘들어서, 더 살아야 할 이유를 찾을 수 없어서, 또는 죽음이 아니고는 표현할 수 없는 소망이나 분노 때문에 사람들은 스스로 목숨을 끊는다. 이런 죽음 가운데 극소수만이 세인의 관심을 끈다. 죽음으로 말하려고 했던 것을 사람들에게 들려준다. 자살 그 자체를 불행이나 죄악이라고 단정할 수는 없다. 때로 자살은 고통에서 벗어나 자유와 존엄을 찾는 수단이 되며 삶의 의미를 완성하는 행위가 되기도 한다. 구한말 지식인 매천梅泉 황현黃玹의 자결, 청년 노동자 전태일의 분신焚身, 노무현 대통령의 투신投身이 그런 것이라고 생각한다. 그들은 죽었으나 그냥 사라지거나 망각되지 않았다. 그들의 죽음은 살아 있는 사람들에게 던진 질문이다. 들을 준비가 된 사람들은 그 질문을 듣고 생각하면서 죽은 이들과 속 깊은 이야기를 나눈다.

인간의 삶과 죽음은 비대칭非對稱이다. 생명은 자신의 의지와 무관하게 주어진다. 언제, 어디에서, 어떤 부모에게서, 어떤 모습으로, 어떤 재능을 안고 태어날지 누구도 선택할 수 없다. 사람은 모두 '던져진 존재'로 이 세상에 온다. 먼저 태어나고, 그 다음에 자신의 존재와 삶의 환경을 인식한다. 다른 동물도 그렇다. 그런데 특별한 사정이 없다면, 인간은 자기가 원하는 때 원하는 방법으로 죽을 능력이 있다. 인간만의 특징이다. 다른 종種은 삶도 죽음도 모두 우연 또는 운명에 의해 주어진다. 삶과 죽음을 비대칭으로 만드는 것은 인간이 지닌 이성 또는 지성의 힘이다.

우리는 내가 누구이며 어디에서 왔는지, 나와 물질세계가 어떻게 연결되어 있는지를 안다. 삶의 의미가 무엇인지 탐색한다. 삶의 가치를 잃었다고 느낄 때 스스로 죽음을 선택하기도 한다. 카뮈는 이 능력

의 사용에 관한 의사 결정이 유일하게 중대한 철학적 문제라고 주장했다.[9]

> 참으로 중대한 철학적 문제는 단 하나뿐이다. 그것은 자살이다. 인생이 살 만한 가치가 있는가 없는가를 판단하는 것, 이것이 철학의 근본적인 질문에 대답하는 것이다. 그 이외의 것, 세계는 삼차원을 가지고 있는가, 정신은 아홉 개 또는 열두 개의 범주를 가지고 있는가 하는 문제는 그 이후의 일이다. 그것들은 장난이다.

왜 자살하지 않느냐고 카뮈는 물었다. 그냥 살기만 할 것이 아니라 사는 이유를 찾으라는 것이다. 이 질문에 대답하려면 삶이 나에게 어떤 의미가 있는지를 알아야 한다. 오늘 하루 그 의미를 충족하는 삶을 살았는지 판단해야 한다. 정답은 없다. 우리는 각자 정체성이 다른 자아自我들이다. 누구도 타인에게 삶이 어떤 의미를 가져야 한다고 대신 결정해줄 수 없다. 삶의 의미는 사람마다 다를 수 있다. 중요한 건 나름의 답을 가지고 사는 것이다. 스스로 의미를 부여하지 못하는 삶은 훌륭할 수 없다. 아무리 많은 돈과 큰 권력을 가지고 있어도, 아무리 유명한 사람이라고 해도, 의미를 모르는 삶은 비천하고 허무할 뿐이다. 숱한 고난을 받고 살다가 모진 핍박을 받아 죽을지라도, 스스로 뚜렷한 가치와 의미를 부여하며 살았다면 훌륭한 인생이다.

---

9 알베르 카뮈 지음, 이가림 옮김, 『시지프의 신화』, 문예출판사, 1999, 11쪽.

위로가 힘이 될까?

삶의 의미를 찾는 것은 인생의 품격과 성패를 결정짓는 중대사이다. 그저 자살하지 않는 이유를 발견하려는 관념의 유희가 아니다. 부조리 가득한 세상에서 존엄한 인간으로서 품격 있게 살아가려면 나름의 답을 찾아야만 한다. 세상은 냉혹하다. 발 딛는 곳마다 예측하기 어려운 위험이 도사리고 있다. 나를 위해 존재하는 사람은 없다. 늙고 병드는 것을 막지 못한다. 삶은 언제나 불안하다. 우리는 늘 어디엔가 부딪치고 누구에겐가 상처받으며 살아간다. 욕망을 제어하지 못해 실수와 잘못을 저지른다. 남들은 다 잘 해나가는데 나만 헤매고 있다는 자괴감에 빠진다. 아무도 나를 이해해주지 않는 것 같아 깊은 외로움을 느낀다. 마음이 온통 폐허가 되어, 차라리 죽어버리면 좋겠다는 충동에 휩쓸리기도 한다. 누구에게나 인생은 그런 것이다. 그러나 내 삶의 의미가 무엇인지 분명하게 아는 사람은 아무리 큰 상처를 받아도 다시 일어나 스스로를 치유한다. 반면 삶의 의미를 찾지 못한 사람은 작은 불운에도 쓰러지고 만다.

종종 대학 학생회나 청년단체로부터 강연을 요청받는다. 그럴 때 초대를 한 젊은이들에게 무슨 이야기를 듣기 원하는지 미리 물어본다. 어려움에 처한 청년들에게 위로와 격려가 되는 강연을 원한다고 할 때가 많다. 위로는 좋은 일이다. 상처를 아물게 하고 아픔을 덜어준다. 아프고 지친 사람이 많아서 그런지, 요즘은 책도 신문 방송도 모두 '힐링healing'이 대세다. 그런데 나는 그런 말을 잘 하지 않는다. 어떤 이야기가 위로와 치유의 효과를 내는지 몰라서 그러는 게 아니다. 자기의 삶이 어떤 의미가 있는지 치열하게 고민하지 않는 사람에게는 타인의 위로가 별 도움이 되지 않는다고 보기 때문이다. 청년은 아기가 아니다. 넘어져 무릎이 깨지는 것을 두려워하지 말아야 하고, 상처를 입어도 혼자 힘으로 일어나야 한다. 그런 사람이라야 비로소 타인의 위로를 받아 상처를 치유할 수 있다. 그렇게 생각하다 보니 말이 냉정해진다. 그래도 어쩔 수 없다. 나 말고도 위로하는 사람이 많은데, 나까지 그럴 필요는 없지 않겠는가.

삶의 의미는 사회나 국가가 찾아주지 않는다. 찾아줄 수도 없고, 찾아주어서도 안 된다. 각자 알아서 찾아야 한다. 찾지 못할 경우 그 책임은 전적으로 그 사람 자신에게 있다. 이것은 어린아이가 아니라면 누구나 할 수 있다. '가방끈'이 길지 않아도 된다. 재산이 적어도 상관없다. 나이도 관계없다. 나는 '힐링' 열풍이 조금 불편하고 불안하다. 각자 남들을 조금 더 배려하고 제도를 더 합리적으로 바꾸기만 하면 모두가 존엄하고 의미 있는 삶을 살 수 있다는 착각을 일으키지 않나 걱정이 된다. 정직하게 말하면, 스스로 삶의 의미를 찾지 못한 사람에게 타인의 위로는 별 도움이 되지 않는다. 제도 개선도 마찬가지다. 그것은 단지 삶의 환경을 조금 덜 냉혹하게 만들 뿐, 그 자체가 내 삶을 행복하게 하지는 못한다.

'88만원세대'라는 말이 한때 크게 유행했다. 이 말을 만든 원래 의도는 '고용창출을 위한 노동시장 유연화'를 명분 삼아 최저임금 수준의 비정규 일자리를 양산量產하는 신자유주의 경제정책을 비판하는 것이었다. 이 신조어 창안자들은 청년들에게 희망을 주기 위해 부모세대인 소위 '유신세대'와 '386세대'가 배려하고 양보하라고 촉구했다.[10] 이것은 열심히 '스펙'을 쌓고 비싼 등록금을 내면서 대학을 졸업해도 '괜찮은 일자리'를 찾지 못하는 젊은이들을 위로하는 효과가 있다. '네가 겪는 고통은 네 책임이 아니다.' 그렇게 들린다. 사실이다. 취업난은 청년들 자신만의 책임이 아니다. 국가와 사회에 문제가 있는 것이다. 이렇게 위로를 받으면 열패감이 덜어진다. 그렇지만 위로의 힘은 거기까지다. 그러니 어쩌란 말인가?

자기가 원인을 제공하지 않은 문제 때문에 고통을 받는 것은 부당하다. 이렇게 주장할 수 있다. 그러나 그렇다고 해서 그 고통을 피할 수 있는 것은 아니다. 내 책임이든 사회의 책임이든, 닥쳐온 고통은 일단 내가 견디고 이겨내야 한다. 세상을 원망해본들 달라질 것은 없다. 누구도 그 짐을 대신 져주지 않는다. '88만원세대'를 만들어낸 신자유주의 세계화와 그것을 받아들인 정부를 비판하는 일은 정당하고 필요하다. 그러나 이 시련을 견뎌야 하는 것은 '세대'가 아니다. 청년들 각자 이겨내야 한다. 한편으로는 신자유주의 경제정책 철폐를 요구하는 사회정치적 연대에 참여하면서, 다른 한편으로는 자기 나름의 삶의 목표를 세우고 그 목표를 이룰 방법을 찾아야 한다. 만약 이런 의지가 없다면 '88만원세대'라는 말은 청년들이 세상을 원망하면서 자신을 비하하게 만드는 부작용을 낳을 뿐이다.

'88만원세대' 가설은 본질적으로 시장만능주의가 불러들인 사회악에 대한 비판이다. 그러나 이것을 개인의 악덕을 합리화하는 알리바이로 오용誤用해서는 안 될 것이다. 사회악과 개인적 악덕은 연관되어 있지만 둘 사이에 필연적 인과관계가 있는 것은 아니라고 생각한다. 충남 아산시에 있는 유성기업과 경기도 안산시에 있는 SJM 경영진은 노동조합이 합법적 파업을 준비하는 상황에서 공격적 직장 폐쇄에 들어갔다. 이것은 노동관계법을 위반한 불법 행위였다. 그 회사들은 '창조컨설팅'이라는 노조 파괴 전문 용역업체를 동원해 직장 폐쇄에 항의하는 노동조합원들을 폭행했다. 이것 역시 형법을 위반한 범죄 행위였다. 정부 당국과 경찰은 이 모든 것을 방관 또는 방조했다. '국가 폭력의 민영화'라는 비판이 쏟아졌지만 꿈쩍하지 않았다.

노동자들을 폭행한 용역들이 다 팔뚝에 문신을 한 조폭들일 것이라고 생각한다면 오산이다. 거기에는 대학생도 섞여 있었다. 그들은 돈을 벌기 위해 거기 있었다. 일당 7만 원짜리 대학생 아르바이트는

---

10 우석훈, 박권일 지음, 『88만원세대』, 레디앙, 2007.

흔하지 않다. 거기 있었던 청년은 등록금을 벌기 위해 용역업체 일을 계속하겠다고 말했다.[11] 도덕적 평가는 차치하더라도, 용역 폭력은 명백한 범죄다. 하지만 그는 아무런 죄책감을 보이지 않았다. 무엇 때문일까? 비싼 대학등록금, 한 시간에 5천 원도 되지 않는 최저임금, 이른바 '88만원세대'의 고통이 심리적 알리바이를 제공한 것은 아닐까? 경제적으로 넉넉하지 않은 부모를 만난 것은 그가 책임질 이유가 없는 불운이다. 대학을 꼭 다녀야겠다는 의지도 나무랄 수 없다. 사람을 패는 일 말고도 등록금을 마련할 다른 일거리가 있다면 그렇게 했을 것이다. 나쁜 사람이라고 단정할 근거가 없다. 그러나 어쨌든 그는 범죄에 가담했다.

그 대학생이 그런 일을 한 데는 사회의 책임이 있다. 사회의 잘못을 비판하고 고쳐야 한다. 그러나 그렇다고 해서 그 대학생의 행위가 훌륭하다거나, 옳다거나 이해할 만하다고 말할 수는 없다. 돈을 받고 타인을 폭행한 것은 형법상의 범죄일 뿐만 아니라 타인과 자신의 존엄을 동시에 해친다. 물론 그 배후에는 개인의 악덕을 부추기는 사회악이 있다. 그러나 그것이 개인의 악덕을 정당화하는 논거가 될 수는 없다. '먹고사니즘'이 그 대학생의 인생철학일 수 있다. 누구나 나름의 인생철학을 가질 수 있다. 그러나 그것이 다 옳거나 훌륭한 것은 아니다. 생존권이라 하든 '먹고사니즘'이라 하든, 생계 유지를 위해서 하는 모든 일을 정당하다고 한다면 일제 강점기 독립운동가를 고문한 특고 특별고등경찰 형사나 유대인 학살을 집행한 나치 돌격대 대원들의 행위도 그것이 '먹고사니즘'에 입각한 것인 한 비난할 수 없게 될 것이다.

삶의 목표와 그것을 실현하는 방법을 선택하는 것은 자유의지를 가진 존엄한 개인의 고유한 권리이지만, 그 자유의지를 발현하는 데는 어떤 상황에서도 지키려고 노력해야 마땅한 이성의 원리 또는 도덕법이 있다. 이 문제는 뒤에서 다루기로 하자. 그러나 '그것은 네 책임이 아니다.'라고 용역 폭력에 가담한 대학생을 위로할 수 없다는 것, 그렇게 위로함으로써 그가 자신과 남에게 준 상처를 치유하거나 인간적 존엄을 회복하게 할 수 없다는 것만큼은 분명히 해두자.

'아프니까 청춘이다.' 이 말도 위로를 준다. 우리 현대사에서 아프지 않은 청춘은 없었다. 내 할아버지 세대는 청춘기에 나라를 빼앗겼다. 아버지 세대는 일제의 징용 징병과 한국전쟁을 겪었다. 내 세대는 박정희 전두환의 독재와 혹심한 노동 착취에 시달리면서 청춘을 보냈다. 어느 세대의 청년들도 망국과 전쟁과 독재에 대해 책임질 일을 한 적이 없었지만, 어떻게든 그 고통을 견디면서 의미 있고 존엄한 삶을 찾으려 분투했다.

오늘의 청년들 역시 자기 책임이 아닌 고통을 겪고 있다. 그들을 위로하고 격려할 필요가 있다. 평생이 하루라면 20대 청년의 인생 시계는 이제 겨우 오전 9시에 왔을 뿐이다. 아직 시간이 많이 남아 있고 노력하면 반드시 기회가 올 것이다. 그러니 절대 좌절하거나 포기하지 마라.[12] 아버지가 이렇게 말하면 아들에게 따뜻한 위로가 될 것이

---

11 노조 파괴 전문 용역업체에 대해서는 SBS TV 『그것이 알고 싶다』에서 2012년 8월 18일자로 방영한 「야만의 새벽」을 참조했다.

12 김난도 지음, 『아프니까 청춘이다』, 쌤앤파커스, 2010.

다. 그러나 위로의 힘은 거기까지다. 아버지가 아들의 아픔을 대신해 줄 수는 없다. 아픔을 견디는 능력을 상속해줄 방법도 없다.

상처받지 않는 삶은 없다. 상처받지 않고 살아야 행복한 것도 아니다. 누구나 다치면서 살아간다. 우리가 할 수 있고 해야 하는 일은 세상의 그 어떤 날카로운 모서리에 부딪쳐도 치명상을 입지 않을 내면의 힘, 상처받아도 스스로 치유할 수 있는 정신적 정서적 능력을 기르는 것이다. 그 힘과 능력은 인생이 살 만한 가치가 있다는 확신, 사는 방법을 스스로 찾으려는 의지에서 나온다. 그렇게 자신의 인격적 존엄과 인생의 품격을 지켜나가려고 분투하는 사람만이 타인의 위로를 받아 상처를 치유할 수 있으며 타인의 아픔을 위로할 수 있다.

'왜 자살하지 않는가?' 카뮈의 질문에 나는 대답한다. 가슴이 설레어 잠을 이루지 못하는 밤이 있다. 이루어지기만 한다면 너무 좋아서 두 주먹을 불끈 쥐고 뛰어오를 것 같은 일이 있다. 누군가 못 견디게 그리워지는 시간이 있다. 더 많은 것을 주고 싶지만 그렇게 할 수가 없어 미안한 사람들이 있다. 설렘과 황홀, 그리움, 사랑의 느낌…. 이런 것들이 살아 있음을 기쁘게 만든다. 나는 더 즐겁게 일하고, 더 열심히 놀고, 더 많이 더 깊게 사랑하고 싶다. 더 많은 사람들과 손잡고 더 아름다운 것을 더 많이 만들고 싶다. 미래의 어느 날이나 피안彼岸의 세상에서가 아니라, '지금' 바로 '여기'에서 그렇게 살고 싶다. 떠나는 것이야 서두를 필요가 없다. 더 일할 수도 더 놀 수도 누군가를 더 사랑할 수도 타인과 손잡을 수도 없게 되었을 때, 그때 조금 아쉬움을 남긴 채 떠나면 된다.

놀고 일하고
사랑하고 연대하라

카뮈는 왜 자살하지 않았을까? 마흔일곱 살에 자동차 사고로 세상을 떠난 그 순간까지 카뮈는 행동으로 대답했다.[13] 그는 세상과 삶 그 자체가 부조리라고, 죽음이 예정되어 있다는 점에서 살아 있는 사람은 모두 사형수나 마찬가지라고 생각했다. 자살은 이 부조리를 알고 체념하는 것이다. 살아가려면 체념하지 말고 반항해야 한다. 있는 힘을 다해 모든 것을 소모하면서 살고, 이 해결할 수 없는 부조리와 끝내 화해하지 않은 채 죽는 것이다.[14] 카뮈가 주장한 바는 명확하다. 지금 이 순간 자유로운 존재로서 있는 힘을 다해 살라는 것이다. 나는 이 말을 전적으로 지지한다. 그런데 카뮈는 최선을 다해 무엇을 했을까? 그는

---

13 카뮈의 생애는 브리태니커 백과사전과 위키백과를 참조했다.
14 알베르 카뮈 지음, 이가림 옮김, 『시지프의 신화』, 문예출판사, 1999, 82~83쪽.

있는 힘을 다해 열정적으로 일했다. 놀았다. 사랑하고 연대했다.

카뮈는 시련과 모험으로 점철된 인생을 실로 자유분방하게 살았다. 시련은 출생과 더불어 찾아왔다. 출생이라는 제비뽑기에서 그는 운이 없었다. 북아프리카 알제리에서 가난한 프랑스 출신 노동자의 둘째 아들로 태어난 것이다. 스페인 태생의 어머니는 평생 글 읽는 법을 배울 기회조차 없이 살았다. 불운은 혼자 오지 않는다. 카뮈가 태어난 바로 다음 해, 제1차 세계대전에 참전한 아버지가 전사했다. 홀로 된 어머니는 빈민가에 살면서 남의 집 일을 해 두 아들을 키웠다. 유년기 성장 환경을 보면 무엇 하나도 특별하지 않았다. '우월한 유전자', '지적知的인 가풍家風', '훌륭한 가정 교육', 위대한 인물의 탄생과 관련해 흔히 거론되는 요소는 하나도 없다. 카뮈의 유년기는 스스로 책임질 이유도 방법도 없는 불행과 고통의 연속이었다.

문맹인 홀어머니를 만나 알제리 빈민가에서 자란 소년에게는 부조리한 세상을 원망하고 삶을 비관적으로 대할 충분한 이유가 있었다. 하지만 카뮈는 낭만적이고 열정적인 삶을 찾아나갔다. 이 길을 열어준 것은 소년의 몸에 깃든 재능이었다. 행운도 한몫을 했다. 초등학교에서 인연을 맺은 교사 루이 제르맹이 소년의 재능을 알아본 것이다. 모든 아이들에게 교육받을 기회를 제공하는 '보통교육'은 위대한 제도이다. 그것은 처음에는 과격한 혁명가들의 몽상으로 여겨졌지만 결국은 모든 문명국가의 보편적 제도가 되었다. 루이 제르맹은 불운에 짓눌린 어린 제자를 세심하게 보살피고 격려했다. 장학금을 주선하여 상급 학교에 진학하도록 도왔다. 카뮈는 1957년 노벨문학상 수

락 연설을 루이 제르맹에게 헌정함으로써 교사가 얼마나 위대한 직업일 수 있는지를 보여주었다.

가난은 가난한 아이의 책임이 아니다. 그렇지만 가난한 아이들은 흔히 가난을 부끄럽게 여긴다. 가난은 부끄러운 것이 아니라 불편한 것일 뿐이라는 명언은 어디까지나 명언에 지나지 않는다. 카뮈도 가난을 부끄럽게 여겼다. 그런데 가난은 단지 부끄러운 일로 끝나지 않았다. 유년기의 영양 결핍과 비위생적 생활환경은 질병을 불러들인다. 소년 카뮈는 결핵에 걸렸다. 이 병은 그를 평생 따라다니면서 인생에 깊고 큰 영향을 주었다. 청년기도 그야말로 '고난의 행군'이었다. 카뮈는 가정교사, 자동차 정비공, 기상청 인턴을 비롯해 온갖 아르바이트를 하면서 대학을 마쳤다. 그러나 결핵이 재발한 탓에 교수 자격시험은 포기해야 했다. 하지만 결핵이 오로지 인생을 해친 것만은 아니었다. 그는 결핵 치료를 위해서 유럽에 처음 발을 들여놓았고 결국 거기에서 인생을 꽃피웠다. 카뮈는 '창백한 철학자'가 아니라 당대의 사회악에 격렬하게 맞서 싸운 사상의 전사戰士이자 연극 연출에 심취한 예술가였다. 그리고 끝없는 사랑 행각으로 세인의 부러움과 비난을 한 몸에 받은 '돈 후안Don Juan'이기도 했다.

모험은 알제리 공산당에 가입하면서 시작되었다. 청년 공산주의자 카뮈는 노동자 극단을 만들어 각본을 쓰고 연출을 했으며 배우로도 출연했다. 그러나 그는 공산당과 궁합이 맞지 않았다. 당시 알제리 공산당은 다른 나라에서도 대개 그랬던 것처럼, '사회주의 조국' 소련 공산당의 사상적 정치적 지도를 받았다. 자유의 정신과 예술적 열정으로 충만했던 카뮈는 전체주의와 교조주의에 개인숭배까지 판치는 스탈린주의 정당에 적응할 수 없었다. 알제리 공산당은 교조주의에 끊임없이 반항한 카뮈를 제명해버렸다. 카뮈는 히틀러의 손아귀에 놓여 있던 프랑스로 건너가 레지스탕스 기관지 편집장을 맡아 나치와 싸웠다. 그리고 그런 와중에 『이방인』을 비롯한 단편소설과 에세이를 썼다. 제2차 세계대전이 끝나고 평화가 찾아들자 카뮈는 본격적인 작가 활동을 시작해 인생의 절정을 맞았다. 수필, 소설, 평론, 희곡 등 여러 장르의 작품을 잇달아 발표해 세계적 명성을 얻은 것이다.

일을 잘하는 사람은 놀듯이 한다. 좋아하는 일을 잘하면 일이 놀이만큼이나 즐거울 수 있다. 정치투쟁, 글쓰기, 연극 연출 이 모든 것들이 카뮈에게는 일이자 놀이였다. 그는 또한 '여자들'을 사랑했다. 스물두 살에 한 첫 결혼은 둘 모두의 거듭된 혼외정사와 아내의 마약중독 때문에 오래 가지 않아 파경을 맞았다. 카뮈는 곧바로 수학자이자 피아니스트였던 프랑신느 포르Francine Faure와 결혼했다. 하지만 다른 여인들을 사랑하는 일을 멈추지 않았다. 아내를 사랑하지만 결혼이라는 제도에는 단연코 반대한다고 공공연히 주장했다. 포르가 쌍둥이를 낳는 와중에도 다른 여자들을 사랑했다. 그가 사랑한 여인 목록에는 유명한 스페인 여배우도 있었다. 왜 두 번씩이나 결혼을 했는지 모르겠지만, 어쨌든 카뮈는 많은 여자들을 사랑했다.

카뮈가 한 일, 그가 즐긴 놀이 그리고 그가 사랑한 방식에 대해서는 사람마다 다른 평가를 할 것이다. 세상에는 다른 일, 다른 놀이, 다른 방식의 사랑이 얼마든지 있다. 그러나 어쨌든 카뮈는 자신이 하고 싶은 일에 최선을 다했고, 자기가 가치 있다고 여기는 놀이와 사랑에 열정적으로 임했다. 사회의 공동선을 이루기 위해 위험을 감수하면서 많은 사람과 손을 잡고 협력했다. 그런 것에서 삶의 의미를 찾았기에 자살하지 않았다. 카뮈만 그런 게 아니다. 누구나 그렇다. 이것은 마틴 셀리그만Martin Seligman이라는 임상심리학자가 수많은 관찰과 상담 사례에서 얻은 결론과 일치한다. 삶의 '위대한 세 영역'은 사랑, 일, 놀이이다.[15] 이것은 당위가 아니다. 이 셋을 위해 살아야 한다는 게 아니다. 사람들이 실제 이 셋으로 삶을 채우며, 여기에서 살아가는 의미를 찾는다는 이야기다. 그래서 '위대한 세 영역'이라고 하는 것이다.

나는 셀리그만의 견해를 보완할 필요가 있다고 생각한다. 사람들은 이 셋 말고도 '연대solidarity, 連帶'에서 삶의 의미를 찾는다. 넓은 의미에서 보면 이것도 사랑의 표현 형식 가운데 하나라고 할 수도 있지만 일반적으로 쓰는 사랑과는 의미가 다르다. 좁게 보면 연대란 동일한 가치관과 목표를 가진 누군가와 손잡는 것이다. 넓게 보면 기쁨과 슬픔, 환희와 고통에 대한 공감을 바탕으로 삼아 어디엔가 함께 속해 있다는 느낌을 나누면서 서로 돕는 것을 의미한다.

연대는 일과 놀이를 함께하고 사랑을 나누는 사람들과의 관계 속에서도 구현되지만 또한 그것을 넘어선다. 세금을 납부하고, 병역의무를 이행하고, 투표를 하고, 정당을 만들고, 이웃을 돕고, 시위를 하

---

15 폴 새가드 지음, 김미선 옮김, 『뇌와 삶의 의미』, 필로소픽, 2011, 21쪽.

고, 유기동물을 보살피고, 아프리카 어린이의 교육을 후원하고, 멸종 위기에 처한 동식물을 구하고, 온실가스 배출과 에너지 소비를 자제하는 행위들은 모두 사회에, 국가에, 인류에, 생명에, 지구 행성에 대한 귀속감을 느끼고 표현하는 일이다. 연대에 참여하는 것은 일, 놀이, 사랑과 함께 의미 있고 기쁜 삶을 구성하는 본질적인 요소이다. 이것 없이는 삶을 완성할 수도 최고의 행복을 누릴 수도 없다고 나는 믿는다.

알베르 카뮈의 인생을 생각하며 자문해본다. '나는 어떤 일을 하고 있는가? 그 일은 내 삶에 충분한 의미를 부여하는가? 나는 어떤 놀이에서 즐거움을 얻고 살았으며 어떤 놀이를 더 하고 싶은가? 누군가를 깊이 사랑하며 뜨겁게 사랑받고 있는가? 지금 사랑하고 사랑받는 방식이 만족스러운가? 누구와 함께 어디엔가 속해 있으면서 서로 공감하고 손잡으려는 의지를 충분히 표현하면서 살고 있는가? 그래야만 할 이유도 없이 지레 무엇인가를 포기하고 산 것은 아니었던가?' 자신 있게 대답할 수가 없다. 그래서 주기적으로 삶에 대한 번민과 회의가 찾아드는 것이리라. 나는 나를 행복하게 만드는 일을 하고 싶다. 몰두할 수 있는 놀이에 빠져들고 싶다. 더 뜨겁게 사랑하고 더 깊게 사랑받고 싶다. 그렇게 일하고 놀고 사랑하면서, 지금 여기에서의 행복을 누리고 싶다. 그래야 인생의 마지막 날에도 내 삶에 대해 황홀한 자부심을 느낄 수 있을 것 같다.

다른 사람들이 그런 것과 마찬가지로, 나 역시 숱한 판단 착오와 잘못을 저지르면서 살았다. 가장 큰 잘못은 스무 살 무렵 내가 정말 원하는 삶이 어떤 것인지 깊이 생각하지 않았다는 것이다. 크라잉넛과 달리 나는 스무 살이 되기 전에 벌써 현실에 굴복하고 순응할 준비를 했다. 내가 하고 싶고 내게 기쁨을 주는 일을 찾고, 그 일을 잘하기 위한 준비를 하는 데 써야 할 청춘의 시간을 다른 곳에 써버렸다. 때로는 합리적 의심과 깊은 사유를 통해 확신에 이르지 못한 가운데 어떤 이념이나 명분을 받아들였다.

누군가 이렇게 물을지 모르겠다. "그래, 당신 자신을 위해 살고 싶은 마음을 알겠다. 그러면 당신은 구체적으로 무얼 하면서 어떻게 살고 싶은 건가?" 특별한 것은 없다. 무엇보다 먼저 내가 즐거운 일을 하고 싶다. 그 일이란, 배우고 깨닫고 다른 사람과 나누는 작업이다. 아내와 아이들, 어머니와 형제자매들, 삶과 세상에 대해 깊은 공감을 나눌 수 있는 적은 수의 사람들과 더 많은 시간을 함께 보내고 싶다.

세상과 민중에 대한 추상적 사랑보다는 눈을 마주치고 손을 잡고 몸으로 껴안는 실체적인 사랑을 더 많이 나누고 싶다. 놀고 싶다. 다시 그림을 그리고, 요가를 배우고 싶다. 북한산 둘레길을 걷고, 추자도에서 감성돔을 낚고, 남의 눈치를 살피지 않고 주말 저녁 축구장과 야구장에서 소리를 지르고 싶다. 내면에서 솟아나는 욕망을 긍정적으로 표출하면서 살고 싶다. 사실 누가 그걸 하지 못하게 막은 것은 아니다. 그렇게 할 수 없도록 내 스스로를 가두어버려서 그렇게 되었다.

나는 또한 세상 속에서 사람들과 더 넓게 연대하면서 살고 싶다. 사명감과 의무감에 이끌려서가 아니라 내가 기꺼이 하고 싶고 내가 자연스럽게 느낄 수 있는 방식으로 하고 싶다. 거리에 나갈 수 없었던 2008년 촛불집회가 생각난다. 그 싸움은 광우병 쇠고기가 수입될 위험에 대한 두려움과 국민의 의견을 무시한 대통령에 대한 분노에서 시작되었다. 시민들은 대통령이 국민의 요구에 귀 기울여 주기를 소망했다. 나는 똑같은 두려움과 분노를 느꼈고 똑같은 소망을 품었지만 거기 나가지 못했다. 인터넷 생중계를 보면서 마음을 보탰을 뿐이다. 정치를 잘못해서 정권을 빼앗긴 세력이라고 비난받는 것이 아팠다. 자칫 사진이라도 찍혔다가는 촛불시위를 배후에서 조종한다는 논란을 일으켜 시민들에게 폐를 끼칠지 모른다는 두려움도 느꼈다.

그러나 가장 무거웠던 것은 직업정치인이라는 객관적으로 규정되는 나의 '정체성'이었다. 나는 현실정치의 맥락에 포획당한 사람이었다. 나의 모든 행위가 정치적 이해타산에 따른 것으로 규정당하고 해석되는 한 떳떳하고 기쁜 마음으로 사회적 연대에 참여하기는 어려웠다. 계속 이렇게 산다면 온전하게 행복한 인생을 살 수 없을 것 같다.

제2장

어떻게 죽을 것인가

죽음은 삶의 완성이다.

소설도, 영화도, 연극도 모두 마지막이 있다.

마지막 장면을 어떻게 설계하느냐에 따라

스토리가 크게 달라진다.

어떤 죽음을 준비하느냐에 따라

삶의 내용과 의미, 품격이 달라진다.

죽음이라는 운명

"사람은 누구든지 자신의 삶을 자기 방식대로 살아가는 것이 바람직하다. 그 방식이 최선이어서가 아니라, 자기 방식대로 사는 길이기 때문에 바람직한 것이다." 앞에서 인용한 바 있는 철학자 밀의 주장이다. 그냥 이 구절을 읽으면 그저 옳은 말로 보인다. 하지만 인생은 너무 짧은 여행이라는 생각을 하면서 읽으면 그 느낌이 사뭇 달라진다. 그렇다. 내 방식대로 살아야 한다. 누가 시키는 대로 또는 무엇인가에 얽매어 살기에는 인생이 너무 짧다. 그런 생각이 든다.

삶의 모든 순간은 죽음이라는 운명과 대비할 때 제대로 의미를 드러낸다. 사람은 다 죽는다는 것, 나도 언젠가 죽는다는 것을 처음으로 인지한 때가 언제였는지는, 그때 어떤 감정을 느꼈는지는 기억나지 않는다. 다만 죽음에 대해서 처음으로 긴 시간 진지하게 생각했던 상황은 분명하게 기억한다. 외할머니 장례식이다. 그때 나는 고등학생이었다. 친할아버지와 친할머니, 외할아버지는 모두 너무 일찍, 심지어 내가 세상에 나오기도 전에 돌아가셔서 아는 바가 전혀 없었다. 나에게 할머니는 외할머니 한 분뿐이었다. 누군가의 죽음에서 상실감을 느낀 것은 그때가 처음이었다.

외가는 축대가 높은 오래된 기와집이었다. 외가에선 동네가 다 내려다보였다. 외할머니는 언제나 앉아 계셨다. 류머티스 관절염을 제때 치료하지 못한 탓에 일어서질 못했으며 손가락을 쓰는 것도 불편했다. 그때는 국민건강보험이 없었다. 관절염을 잘 치료하는 의사와 병원도 드물었다. 그런데도 외할머니는 안방 여닫이문으로 밖을 내다보거나 찾아오는 동네 사람들한테 이야기를 듣는 것만으로 동네에서 벌어지는 모든 일들을 훤히 꿰뚫고 있으셨다. 초등학생 시절 여름방학 절반을 외가에서 보내곤 했는데, 외할머니는 종종 다른 사촌들 모르게 나를 불러 벽장에 숨겨둔 곶감이나 사탕을 꺼내 먹게 하셨다. 위엄, 질서, 사랑…. 내게 외할머니는 그런 것을 떠올리게 하는 사람이었다.

이천 서徐 씨의 집성촌 종가 맏며느리로 살면서 아이 열둘을 낳아 여덟을 키워냈던 외할머니 장례식은 사람으로 붐볐다. 빨갛고 하얀 종이꽃으로 장식한 애기 가마가 앞서 나갔고, 장정들이 맨 상여가 뒤따라 집을 나섰다. 대나무 지팡이를 든 이모들과 삼베옷을 입은 외삼촌들이 곡을 하며 뒤따랐다. 외할머니는 들판 건너 야산 중턱에 묻히셨다. 햇볕이 내리쬐는 논두렁길을 따라 봄바람에 날리는 만장이 구불구불 줄을 지어 따라갔고 상엿소리가 끊어질듯 이어졌다. 처량하면서도 흥겨운 소리였다. 대청마루 끝에 엉덩이를 걸치고 앉아 양손으로 턱을 괴고 생각했다. '외할머니가 돌아가셨다. 그냥 다 살고 가셨다고 한다. 우리 어머니 아버지도 오래 살면 돌아가시겠지. 나도 어른이 될 텐데 결국은 죽을 것 아닌가. 그런데 나는 왜 태어난 것일까? 내가 세상에 온 데에는 무슨 특별한 목적이나 이유가 있는 걸까? 어른이 되면 무슨 일을 하면서 살게 될까?' 두서없이 생각을 이어가는데 팔뚝에 소름이 돋았다. 집 뒤 대나무 숲을 쓸어가는 바람소리가 무서워졌다. 정체 모를 두려움과 슬픔이 밀려왔다.

요즘 내 휴대전화에는 부고訃告 메시지가 자주 뜬다. 그 메시지들은 내가 중년이 되었다는 사실을 거듭 확인해준다. 인생은 의전儀典의 연속이다. 누구나 의전을 받고 의전을 베푼다. 백일과 돌잔치는 기억에 없지만 사진으로 확인할 수 있다. 가슴에 손수건을 달고 간 초등학교 입학식 풍경은 지금도 선명하게 떠오른다. 요즘 젊은이들은 대부분 대학을 가는 만큼, 대학 입학식과 졸업식도 기본 의전이다. 취직을 하면 신입사원 환영회를 한다. 창업을 하면 개업 축하 행사를 한다. 남을 위한 의전을 게을리하면 사회생활을 제대로 할 수 없다. 학교 동창, 고향 친구, 직장 동료들끼리 서로의 결혼식 하객이 된다. 조금 더 지나면 아이 돌잔치 초대를 주고받는다. 이때까지는 아직 청년이라고 할 수 있다.

시간이 더 흐르면 지인들의 부친상 모친상 조문이 잦아진다. 친구가 며느리나 사위를 맞는 행사가 뒤섞인다. 내가 지금 딱 그 나이가 되었다. 더 시간이 흐르면 선배들이 세상을 떠나기 시작하고, 그다음은 동년배 친구의 사망 소식이 들릴 것이다. 그리고 그렇게 하나둘 가까운 친구들을 보내다 보면 내 차례가 올 것이다.

'피할 수 없다면 즐겨라'라는 광고 카피가 유행한 적이 있다. 인생의 좌우명으로 삼아도 손색이 없을 만큼 좋은 말이다. 그러나 예외가 있다. 죽음이다. 죽음은 피할 수도 즐길 수도 없다. 이성적으로는 죽을 수밖에 없다는 것을 잘 알지만, 죽을 일을 생각하면 누구나 두려움을 느낀다. 죽는 것을 좋아하는 사람은 없다. 자살하는 사람도 좋아서 그러는 것이 아니다. "살 만큼 살았으니 어서 가야지." 노인들은 이렇게 말하지만 속마음까지 그런 건 아니다. 오래 산 사람에게도 죽음은 겁이 나는 일이다. 그런데도 노인들은 자식이 주는 용돈을 모아 마지막 여행을 떠날 때 입을 수의壽衣를 손수 장만하고, 장례식에 쓸 영정影幀 사진을 미리 찍어둔다. 남은 재산이 있을 경우 자식들이 다투지 않도록 미리 유언장을 작성한다. 피할 수도 즐길 수도 없기에 의연하게 받아들이는 것이다.

젊은이들에게는 죽음이 멀리 있는 것처럼 보인다. 예기치 못한 사고나 급성 질병에 걸려 갑자기 죽는 불운이 자신을 덮칠 것이라고 생각하지 않는다. 삶이 유한하다는 것은 알지만 아직은 살날이 무한정 남아 있는 것만 같다. 사실 청년들에게 시간은 아직 '희소한 자원'이 아니다. 조금쯤은 낭비해도 괜찮다. 방황과 시행착오를 겪어도 될 만큼의 여유가 있다. 이것을 가리켜 '청춘의 특권'이라고 한다.

청년들은 죽음을 일반적이고 추상적인 문제로 취급한다. 아직은 자기 문제가 아닌 것이다. 그러나 임박한 문제가 아니라고 해서 내팽

개쳐두어도 좋은 것은 아니다. 원하는 인생을 스스로 설계하고 옳다고 믿는 방식으로 살아가려면 훌륭한 삶, 품격 있는 인생이 어떤 것인지 나름의 견해를 세워야 한다. 그러려면 삶과 함께 죽음도 알아야 한다. 죽음을 모르거나 오해하면 삶을 망칠 수 있다.

그런데도 사람들은 죽음에 대해 생각하지 않으려고 한다. 본능적 공포감 때문이다. 죽음에 대한 상념은 불안과 두려움을 부른다. 그래서 특별한 계기가 있을 때만 잠깐씩 의식의 표면으로 올라온다. 그런 때가 아니면 죽음은 잠재의식 깊은 곳에 보이지 않게 웅크리고 지낸다. 감수성이 특별히 예민한 사람만이 어머니가 언젠가 죽을 것임을 처음 인지한 순간 받았던 어린 시절의 충격을 오래 기억한다. 우리는 나를 남과 구분하는 자아 발견의 초기 국면에 벌써 죽음이라는 보편적 숙명을 인지하지만 곧바로 잊어버린다. 두려움 때문이다. 인간은 기억하는 능력과 더불어 망각하는 능력도 가지고 있다. 큰 축복이다. 아프고 불쾌한 경험은 잊거나 적당히 윤색해서 기억한다. 남자들이 실제로는 무척 참혹했던 군대 경험담을 즐거운 추억처럼 회고할 수 있는 것은 바로 이런 능력 덕분이다.

나는 요즈음 죽음에 대해서 예전보다 자주 생각한다. 앞으로 어떻게 살아야 할지 고민하다 보니 그렇게 된 것인지, 아니면 자꾸 죽음이 생각나서 더 깊게 삶을 고민하게 된 것인지 선후를 알 수는 없다. 어떻게 죽는 것이 좋을까. 죽음을 어떻게 받아들여야 할까. 그런 고민이다. 여기서 죽음이란 일반적 추상적 개념으로서의 죽음이 아니다. 개별적 주체적 사건으로서의 죽음, 즉 내 자신의 죽음이다. 사실 나는 죽어가고 있다. 열정적으로 일하고, 즐겁게 놀고, 깊게 사랑하고, 뜨겁게 연대하는 모든 순간마다 조금씩 죽는다. 나는 언제, 어디서, 어떤 방식으로 삶과 죽음의 마지막 순간을 맞게 될까….

'죽음 다음에 무엇이 있을까? 만약 내일 죽는다면 오늘 무엇을 할까? 잘 죽으려면 어떻게 준비해야 하는 것일까?' 혼자 이런저런 대답을 생각해본다. 답을 꼭 찾아야 할까? 아무래도 그런 것 같다. 이 질문에 어떻게 대답하느냐에 따라 남은 삶이 달라질 수 있다는 생각이 든다. 죽음은 단순히 삶의 끝을 의미하는 게 아니다. 죽음은 삶의 완성이다. 소설도, 영화도, 연극도 모두 마지막이 있다. 마지막 장면을 어떻게 설계하느냐에 따라 스토리가 크게 달라진다. 어떤 죽음을 준비하느냐에 따라 삶의 내용과 의미, 품격이 달라진다. 남아 있는 삶의 시간이 길수록 죽음에 대한 생각은 더 큰 가치가 있다. 아직 젊은 사람일수록 더 깊이 있게 죽음의 의미를 사유할 필요가 있는 것이다.

남자의 마흔 살

마흔 살이 되던 새해 첫날 아침이었다. 눈을 뜨자마자 그 생각이 났는지, 아니면 그 생각 때문에 잠을 깼는지 분명하지 않다. 하필이면 왜 그때였는지 모르겠다. 꼭 그때였어야 할 이유는 없다. 어쨌든 그날 아침 인생의 끝을 얼핏 보았다. 무엇인가 내게 속삭였다. "질풍노도疾風怒濤 같았던 네 청춘의 열정은 바닥이 드러났다. 인생열차의 엔진은 식어버렸다. 이젠 오르막을 달릴 수 없다. 네게 남은 길은 평지와 내리막뿐이다." 그렇게 이야기했다. 그렇다. 사람은 누구나 늙고 병들고 죽는다. 그런데 일반적 명제에 불과했던 이 말이 그날 아침 문득 존재의 자각으로 바뀌었다. 시간이 더는 지천으로 남아돌지 않았다. 삶이 무겁게 다가와, 오래 잊고 지냈던 질문을 다시 던졌다. 왜 사느냐? 남은 삶을 어떻게 살려 하느냐?

여자들은 어떠한지 모르겠으나, 남자는 보통 마흔 살에 불편한 진실과 알몸으로 마주서는 것 같다. 그날 욕실 거울에 비친 내가 어쩐지 낯설었다. 아직 귀밑머리에 서리가 내리지는 않았다. 그러나 뱃살은 이미 예전의 탄력을 잃었다. 거울 위 벽에 달린 조명등이 양쪽 눈 바로 아래 눈물주머니를 비추어 전에 없었던 초승달 모양의 그늘을 흐릿하게 드리워놓았다. 어깨에서 가벼운 통증이 일었다. 그것은 분명 노화老化의 징후였다. 네모난 거울 안에서 어색한 미소를 짓는 남자가 조금 안돼 보였다. 오래 알고 지냈던, 눈빛 반짝이던 그 청년은 사라지고 없었다. 산물도 세게 얼굴을 문질렀다. 마흔이다. '저게 나란 말이군. 그런데 얼마나 남았지? 그래, 25년!'

젊은 사람들은 아직 공감하기 어렵겠지만 예외는 없다. 나이가 들면 젊은 그대들에게도 인생의 마지막 페이지를 예감하는 각성의 시간이 반드시 찾아들 것이다. 25년은 마흔 살 먹은 사람에게 남은 사회활동 시간이다. 그것도 넉넉하게 잡아 그렇다. 예순다섯 살까지 정년을 보장하는 조직은 그리 많지 않다. 따져보니 25년은 중학교 졸업반이었던 때부터 마흔까지 산 날과 같았다. 그 25년 동안 나는 무엇을 했나.

입시 공부를 했다. 대학에 갔다. 학교 공부를 뒤로 하고 서클활동과 학생운동에 몰두했다. 군 복무를 했다. 제적과 복학을 거듭한 끝에 대학을 졸업했다. 두 차례 짧게 감옥 구경을 했다. 잠깐 동안 출판사 편집사원을 했다. '불법 유인물'을 원 없이 만들었다. 노동운동을 하는 사람들과 어울려 '지하조직'이란 것도 잠시 해보았다. 두어 해 정도 국회의원 보좌관과 정당의 지구당 교육부장을 했다. 오래 사랑한 여인과 혼인을 했다. 딸을 낳았다. 책을 몇 권 썼다. 독일에서 경제학 석사학위를 받았다. 많은 일들이 있었지만, 돌아보니 그저 한 토막 꿈을 꾼 것 같았다. 꿈을 한 번 더 꾸고 나면 예순다섯 살이 된다! 머리카락이 일어서는 것 같았다.

예순다섯은 특별한 나이이다. 예순다섯 살이 되면 국민연금을 받는다. 도시철도 요금이 면제된다. 공공시설 사용료가 할인된다. 건강이 나빠지면 노인장기요양보험 혜택을 받을 수 있다. 특별한 보호와 배려를 받아야 하는 고령자임을 공인받는 것이다. 물론 예순다섯 살이 넘어도 건강한 사람이 많다. 그러나 아무리 건강해도 노화를 막지는 못한다. 특히 문제가 되는 것은 뇌조직의 쇠락이다. 나이가 들면 뇌신경세포인 뉴런neuron의 수가 줄어든다. 뉴런 사이의 정보 전달을 돕는 화학 물질 분비도 원활하지 않게 된다. 뇌의 정보처리 능력이 떨어지면 새로운 지식과 정보를 받아들이는 데 둔감해진다. 익숙한 것에 집착한다. 고집을 부리거나 화를 잘 내게 된다. 환경이 빠르게 변하고 새로운 문제가 등장하면 합리적인 의사 결정을 하기가 어려워진다. 스스로 여전히 건강하다고 생각하지만 사실은 그렇지가 않은 것이다.

노인 헤겔은 청년 헤겔과 달랐다. 공리주의 철학의 원조 벤담도 과학적 사회주의를 창안한 마르크스도 마찬가지였다. 젊은 마오쩌둥이라면 대약진운동과 문화대혁명을 일으키지 않았을지 모른다. 소설 『이반 데니소비치의 하루』에서 어떤 압제에도 굴복하지 않는 자유의 열정과 건강한 생명력을 찬미했던 '젊은 솔제니친'과 달리 만년의 솔제니친은 러시아 민족주의와 신비주의로 과도하게 빠져들었다.

대통령 후보 시절의 박근혜를 '칠푼이'라고 불렀던 김영삼 전前 대통령도 하룻밤에 수십 명의 하나회 소속 정치군인들을 '숙청'하고, 대통령 긴급 명령으로 금융실명제를 전격 도입했던 현직 시절에는 '근육보다 사상이 울퉁불퉁한 사나이'였다. 무소속 대통령 후보 안철수를 가리켜 '빈 깡통'이라고 하면서 박근혜 후보를 지지한 김지하 시인은 불후의 명작 「오적五賊」을 썼던 청년 김지하와는 크게 다른 정체성을 지닌 사람이다.

나이가 많이 들어서도 사회활동을 적극적으로 하는 사람이 젊은 시절의 정체성과 이미지를 그대로 유지하기는 매우 어렵다. 요절夭折한 천재들이 유독 아름다운 모습으로 오래 기억되는 데는 그럴 만한 이유가 있다. 진보든 보수든, 사상적 성향이 어떠하든 사람은 누구나 생물학적 성장과 퇴행을 겪는다. 그리고 그 바탕 위에서 자아 정체성이 형성되고 발전하며 변화하고 퇴행한다. 진보진영을 떠나 보수진영으로 건너간 유명한 정치인 중에는 내가 개인적으로 아는 사람이 많다. 이재오, 김문수, 심재철 같은 정치인들은 젊은 나이에 그렇게 했다. 나는 이것이 '사상적 전향' 또는 '정치적 변신'이었다고 본다. 그것은 정치적 손익 계산을 내포한 의도적 선택이었다. 그러나 김지하, 김동길 같은 노지식인이나 한광옥, 한화갑 같은 노정치인들에 대해서는 달리 생각한다. 그분들이 젊은 시절과 다르게 말하고 행동하는 것은 의도된 변신이 아니다. 이미 생각이 달라졌고, 그 달라진 생각이 뒤늦게 말과 행동으로 나타났을 뿐이다. 그분들을 변절자라고 비난하는 것은 적절치 않다. 그것은 변절이 아니라 변화일 뿐이다. 솔직하게 말해서 그 나이가 되면 나도 어떻게 될지 모른다.

사회의 모든 영역에서 주기적으로 일어나는 리더십 세대교체는 사회적 정치적 현상이지만 그 배후에는 생물학적 필연성이 놓여 있다. 조용하고 순조로운 교체든 시끄럽고 폭력적인 변화든 어쨌든 세대교체는 반드시 일어난다. 물론 꼭 예순다섯 살이어야 하는 것은 아니다. 사람에 따라 약간은 다를 수 있다. 그러니 나이가 너무 많이 들면 남의 삶에 큰 영향을 줄 수 있는 일과 자리는 피하는 게 현명하다. 대통령이 되는 것은 물론이요, 국회의원이나 장관, 기업의 최고 경영자도 사양하는 게 좋다. 좋은 일 하자고 나섰다가 외려 큰 민폐를 끼칠지 모른다. 잘못하면 나라가 흔들리고, 국민의 생활이 꼬이고, 노동자들이 거리에 나앉고, 사람이 죽고, 강과 바다 뭇 생명의 숨이 막히게 된다. 나는 이명박 대통령 시대에 대한민국이 겪었던 사회적 비극도 어느 정도 그런 면이 있었다고 생각한다.

물론 예외가 없는 것은 아니다. 김대중 대통령이나 넬슨 만델라 남아공 대통령이 바로 그런 예외적인 인물이다. 돌아가신 문익환 목사와 리영희 선생도 그런 분이었다. 보수지식인으로 알려진 윤여준, 남재희 같은 분들도 그렇다. 하지만 아무나 다 그렇게 할 수 있는 것은 아니다. 나이가 많이 든 후에도 철학적 문화적 정체성을 유지 발전시킨 예외적 인물들은 공통점이 있다. 권위를 내세우지 않고 젊은 사람들과 수평적으로 대화한다는 것이다. 이런 분들은 나이가 많이 들어도 변함없이 개방적으로 생각하며 유연하게 행동한다. 나도 그렇게 품위 있게 나이를 먹을 수 있도록 노력할 것이다.

하지만 내가 예외적인 노인이 된다고 해도 젊은 세대에 나보다 더 능력 있는 사람이 많을 것이다. 연장자를 공경하는 문화가 있고, 나이 많은 사람들이 의사 결정권을 쥐고 있는 경우가 많아서 말을 하지 못할 뿐, 젊은이들은 언제나 세대교체의 순간이 찾아오기를 기다린다. 그러니 나이가 많이 들면 한 걸음 뒤로 물러나 있으면서 후배들이 지혜를 구하러 오면 조심스럽게 조언을 하는 선에 머무르는 게 바람직할 것 같다. 조언을 할 때도 꼭 옳은 생각은 아닐지 모른다는 단서를 붙이면 더 좋을 것이다. 예전에 이런 생각을 부적절하고 과격하게 표현했다가 '노인 폄하'라는 비판을 받기도 했지만, 마흔 살이었을 때도 쉰다섯 살이 된 지금도 내 생각은 변함이 없다. 적어도 나는 그렇게 하고 싶다.

마흔 살 새 아침에 찾아든 자각 때문에 독일 유학을 중단했다. 막 시작한 경제학 박사학위 논문 집필을 그만두었다. 외환 위기 이후 한국에서 오는 인세 수입을 독일 마르크로 바꾸자 반 토막이 된 현실도 한몫을 했지만 그게 결정적인 이유였던 것은 아니다. 아직 어디에도 삶의 뿌리를 깊이 내리지 못했기에 크게 어려운 결정은 아니었다. 어디선가 오래 한 우물을 팠다면 그럴 수 없었을 것이다. 서울로 가는 편도 탑승권을 끊어 프랑크푸르트 공항을 떠났다. 내 석사학위 논문 주제는 무역론이었고 박사학위 논문 주제도 마찬가지였다. 만약 박사학위를 땄더라면 나는 요즘 자유무역협정 문제를 다루는 전문가 토론회에 불려나가고 있을지도 모른다. 공부보다는 넓은 세상을 보고 싶어서 서른네 살에 떠난 유학이었다. 석사학위를 받고 나자 금세 마흔이 되어버렸다. 경제학 박사학위를 받으면 마흔다섯 살이 될 것이다. 무역론 전문가로 사는 것이 매력적인지 생각해보았다. 나름 의미는 있겠다 싶었지만 가슴이 두근거리지는 않았다. 설렘이 없으니 열정이 솟을 리 없었다. 마음의 설렘이 없는 일에 인생을 쓰고 싶지 않았다.

나도 남들처럼 훌륭한 인생을 살고 싶었다. 어떻게 사는 인생이 훌륭할까. 일단 잠정적인 결론을 내렸다. '하고 싶어서 마음이 설레는 일을 하자. 그 일을 열정적으로 남보다 잘하자. 그리고 그걸로 밥도 먹자. 이것이 성공하는 인생 아니겠는가.' 내가 하고 싶은 일이 무엇인지 생각해보았다. 책을 읽고 글을 쓰는 것이었다. 나는 '먹물'인 게 확실했다. 글쓰기는 유익한 지식, 감동을 주는 정보를 남들과 나누는 일이다. 그런대로 잘해왔고 앞으로도 잘할 수 있을 것 같았다. '학교에서 배우는 공부는 이 정도로 끝내자. 지금껏 배운 것도 적지는 않았다. 이것을 밑천 삼아 죽을 때까지 책 읽고 글 쓰면서 살자.' 그렇게 생각하니 마음에 설렘이 일었다. 잘한 결정이었다고 생각한다. 그러나 나는 그 결정을 그대로 밀고 나가지 못했다. 그래서 또다시 흔들리는 삶 앞에서 번민하게 되었다.

나도 죽고 싶었던 때가 있었다

사는 게 늘 즐거울 수는 없다. 비바람 눈보라를 맞으면서 걸어야 할 때도 있다. 내 인생의 혹한기는 스물두 살 군대에 있으면서 맞았던 1980년 겨울이 아니었나 싶다. 유난히 추웠고 눈이 많이 내렸다. 그해 늦여름, 입대 전날 밤 논산 연무읍 이발소에서 머리를 밀었다. 그곳까지 따라와 여인숙에서 함께 밤을 지새운 벗들이 바닥으로 떨어지는 내 머리카락을 보면서 울었다. 안양교도소를 나온 지 겨우 보름이 지난 때였다. 계엄군법회의 재판에서 군검찰이 계엄법 위반죄 공소를 취하했다. 그러자 재판관 자리에 앉은 대령이 공소를 기각한다고 말했다. 학생과 조직폭력배를 너무 많이 잡아들인 탓에 구치소 수용 공간이 모자라게 되자 전두환 일당이 병역 미필 남자들을 감옥 대신 군대에 보내기로 한 것이다.

집에는 이미 신체검사 통지서가 와 있었다. 신체검사를 받으러 갔더니 따로 불러 먼저 엑스레이를 찍으라 했다. 그 사진이 나오기도 전에 '정상' 도장을 줄줄이 찍고 '1급 갑'이라고 적은 병역 수첩과 소집 통지서를 주었다. 서른여섯 시간이 남아 있었다. 가고 싶지 않았지만 병역 기피자라는 낙인이 싫어서 가족과 친지들에게 대충 인사를 하고 입대했다.

신병 훈련을 마치고 강원도 화천 사단보충대에서 다시 머리를 깎았다. 잊어버리지도 않는다. 10월 24일, '유엔데이UN-day'였다. 앞이 보이지 않을 정도로 쏟아지는 첫눈을 맞으며 연병장을 가로질러 뛰어가 살얼음이 끼기 시작한 개울물에 머리를 헹궜다. 소총중대에 배치되어 해발 1,000미터 산꼭대기 막사에서 한 달을 지낸 다음 철책선 근무에 투입되었다. 그 무렵 땔나무를 하고, 물을 져 나르고, 대대본부에 가서 부식을 수령하느라 날마다 눈 덮인 계곡의 낭떠러지를 지나다녔다. 종종 뛰어내리고 싶은 충동을 느꼈다.

1981년 새해 첫날은 서울 서빙고동에 있던 국군보안사 대공對共분실에서 맞았다. 낮에 철책선 초소에서 대공對空 근무를 서다가 영문도 모른 채 그곳으로 끌려갔다. 지하실에서 맞고 밟히면서, 죽어버리지 않은 것을 후회했다. 그때 내 손등은 눈밭 얼차려를 받다가 난 상처가 동상으로 번져 진물이 흘렀다. 발도 동상과 무좀으로 엉망이었고, 몸에는 옴이 잔뜩 올라 있었다. 당시 철책선 부대의 근무 환경은 대개 다 그랬다. 그때 천사가 나타났다. '피의자 검진'을 하러 온 국군통합병원의 젊은 의사였다. 그가 말했다. "가벼운 신체 접촉만 해도 재수가 없으면 옴이 옮겨 붙을 수 있다고 직원들한테 경고해두었어요." 먹는 약과 바르는 약을 받아들고 욕실이 딸린 조사실로 옮겼다. 그때부터는 맞지 않았다. 반경 1미터 안에 접근하는 사람이 없었다. '간첩 잡는 전문가'들도 옴은 무서웠는지, 마치 더러운 물건 대하듯 멀찍이 떨어진 곳에 의자를 놓고 앉아 심문했다. 그들은 나를 '자생적 마르크스 레닌주의자'로 판정했다. 그러나 간첩은 아니라고 선심 베풀듯 말했다. 나는 병영으로 되돌아갔다.

왜 사나 싶었다. 휴교령이 내리면 모든 도시에서 동시에 민중 봉기를 일으키자고 한 약속을 지키지 못했다. 오직 광주의 대학생들만 그 약속을 지켰다. 그래서 그곳에서만 그렇게 많은 사람이 죽었다. 그런데도 나는 살아 있었다. 학살을 저지른 자들의 훈계를 들으면서 구차하게 살고 있었다. 견디기 힘든 것은 절망감이었다. 1980년 5월, 전두환 신군부의 정권 장악 음모를 규탄하고 계엄령 해제와 조속한 헌법 개정을 요구하면서 거리로 나섰던 학생들을 서울 시민들은 크게 반기지 않았다. 오히려 당황한 표정이었다. 정치군인들의 쿠데타에 대한 두려움 때문이었는지도 모른다. 시위를 주동한 사람 가운데 하나였던 나는 그렇게 느꼈다. 우리가 옳다고 생각하는 것과 시민들이 원하는 것 사이에는 큰 격차가 있었던 것이다. 학생회장들이 5월 15일 서울역 집회 해산을 결정한 것도 시민들이 학생들의 시위에 적극 호응하거나 참여하지 않아 불안했기 때문이었을 것이라고 짐작한다.

5월 18일부터 열흘에 걸쳐 광주 일원에서 대학살을 저지른 전두환은 그 피가 다 마르기도 전에 최규하 씨를 대통령직에서 쫓아내고 유신헌법의 절차에 따라 '체육관 선거'를 해서 대한민국 제11대 대통령이 되었다. 국회를 해산하고 '국가보위입법회의'라는 불법 단체를 그 자리에 세웠다. 전두환의 하수인들은 김대중 씨에게 내란 혐의를 씌워 사형을 선고했다. 유신헌법의 포장지만 바꾼 제5공화국 헌법을 발의해 국민투표를 했다. 훈련병이던 나는 논산훈련소 투표소에서 반대표를 찍었다. 그러나 국민 96퍼센트가 국민투표에 참가했고, 투표자의 92퍼센트가 찬성표를 던졌다. 전두환은 새 헌법에 따라 또다시 체육관에서 임기 7년의 제12대 대통령이 되었다.

솔직히 믿기 어려운 결과였다. 신군부가 강압적 분위기를 조성했고 신문 방송으로 하여금 '인간 전두환'과 헌법개정안을 찬양하게 하기는 했지만 옳고 그름을 판단하기가 그리 어려운 일은 아니었다. 투표를 하지 않거나 반대표를 던지는 것이 아주 힘들거나 위험한 것도 아니었다. 그런데도 대다수 국민이 투표소에 와서 압도적으로 찬성표를 던졌다. 나는 실망했다. 앞이 보이지 않았다. 국민들이 민주주의를 하고 싶은 생각도 의지도 없는 건 아닌지 의심이 들었다. 그때 나를 붙잡아준 것은 희망이나 용기가 아니었다. 억울함과 분노, 복수심이었다. 그러나 그보다 더 강력한 것은 죽음에 대한 두려움이었다. 그것이 눈 덮인 낭떠러지 아래로 뛰어내리지 못하게 했다. 수치심과 절망감보다 두려움이 더 컸다.

삶은 좋다. 죽음은 좋지 않다. 옳은 말이다. 그러나 반드시 그런 것만은 아니다. 모든 사람에게 언제나 삶이 죽음보다 좋은 건 아니다. 삶이 더 견디기 힘들어서, 또는 계속해서 살아야 할 의미를 찾을 수 없어서 스스로 목숨을 끊는 사람이 숱하게 많다. 그럴 때 흔히들 이렇게 말한다. "죽을 용기가 있다면 그걸로 살아볼 일이지!" 그러나 자살을 용기로만 하는 것이 아닌 것처럼, 삶도 용기만 있다고 해서 마냥 잘 살아지는 것이 아니다. 사는 데도 죽는 데도 다른 것이 있어야 한다. 삶의 그리고 죽음의 의미에 대한 확신이다. 그것이 없으면 삶도 죽음도 주체적 선택일 수 없다. 삶은 습관이고 죽음은 패배일 뿐이다.

그대, 자살을 생각해본 적이 있는가? 혹시 지금 자살을 생각하고 있는가? 만약 그렇더라도 자신을 지나치게 책망할 필요는 없다. 그건 그리 특별한 일이 아니다. 죽어버리는 게 낫겠다는 생각을 평생 한 번도 해보지 않고 사는 사람은 많지 않다. 대한민국 국민 여섯 가운데 하나가 1년에 한 번쯤은 죽고 싶다는 생각을 한다. 60대는 넷 중 하나, 70세가 넘은 노인들은 셋 중 하나가 그렇다. 생각으로만 끝나지 않는다. 자살을 생각한 사람의 다섯 가운데 하나는 실제로 자살을 시도한다.[16] 자살은 인간이기 때문에 할 수 있는 철학적 실존적 선택이다. 특별히 못나서 자살을 생각하는 게 아니다.

청소년의 자살 충동은 대부분 성적과 진학 문제로 인한 열등감과 번민에서 비롯된다. 인생을 잘 살려면 평생 공부해야 한다. 공부는 사람에 따라서 즐거운 놀이가 될 수도 있고, 하고 싶은 직업이 될 수도 있다. 그런데 많은 아이들이 공부 때문에 차라리 죽어버렸으면 좋겠

---

16 자살 충동과 동기에 대해서는 한국자살예방협회 사이트에 게재한 홍진표, 최순호의 「대한민국 자살현황 연간보고서 2011」, 「2011 자살예방 조사연구보고서」를 참조했다.

다고 생각한다. 심지어는 부모가 보는 앞에서 아파트 창을 열고 뛰어내린다. 극복할 수 있는 시련과 고통, 스트레스는 해롭지 않다. 사람을 단련한다. 그러나 의미를 이해하기 어렵고 도저히 이겨낼 수 없다고 느끼게 만드는 시련은 아이들을 죽인다. 세상이, 학교가, 부모가, 국가가 아이들을 학대해 죽이고 있는 것이다.

20대부터 50대까지 삶의 중심 무대에 선 청장년들에게는 경제적 실패가 자살 충동의 진앙震央이 된다. 가난이 그저 불편한 문제일 뿐이라는 말은 진실이 아니다. 가난은 그저 돈이 없다는 것을 의미하지 않는다. 실직, 고금리 사채, 일하고 또 일해도 벗어나지 못하는 가난, 사업 실패…. 이런 것들은 때로 마지막 자존감까지 무너뜨린다. 삶을 욕되게 느끼도록 만든다. 동물은 먹을 것을 구하지 못하면 최후까지 버티다 굶어 죽는다. 그러나 사람은 최소한의 인간적 존엄조차 지킬 수 없을 때 스스로 목숨을 끊기도 한다.

경기도 평택시에 있는 쌍용자동차는 2,646명의 노동자를 정리해고했다. 채 3년이 가기도 전에 그 노동자와 가족들 가운데 스물세 명이 죽었다. 몇몇은 돌연사突然死 또는 병사病死였고, 다수는 자살이었다. 사람들은 목을 매었고, 아파트에서 뛰어내렸고, 승용차 안에서 연탄을 피웠다. 아무도 유서를 남기지 않았다.[17] 제18대 대통령 선거에서 박근혜 후보가 당선되고 한 주일이 지나기도 전에 한진중공업과 현대중공업 등의 젊은 노동조합원과 활동가들 여럿이 목을 매거나 아파트에서 뛰어내려 목숨을 끊었다. 세상과 삶에 대한 절망이 불러들인 죽음이었다. 앞으로 얼마나 많은 사람들이 그런 선택을 할지 알 수 없다.

고령에 접어들면 질병이 자살 충동을 불러들인다. 혹독한 질병에 걸리면 삶은 전쟁이 된다. 의미와 가치를 추구하고 환희와 즐거움을 누리기 위한 전쟁이라면 어떤 고통도 감내하면서 싸울 수 있다. 그러나 질병과 싸워 살아남는 것 자체가 삶이 되고, 더욱이 그 싸움에서 이길 가능성이 전혀 없거나 이겨도 단지 일시적인 승리에 불과하다는 것이 명백해지면 이야기가 달라진다.

어차피 의미가 없고 이길 수도 없는 싸움이라면 순순히 받아들이면서 조용하게 물러서는 편이 더 낫다고 판단할 수도 있는 것이다. 2012년 칸국제영화제에서 황금종려상을 받은 미카엘 하네케 감독의 영화 「아무르Amour」에서 노환에 쓰러진 여주인공은 아직 정신이 남아 있을 때 남편에게 말한다. "사는 이유를 모르겠어." 먹지 않으려고 이를 앙다문 아내에게 억지로 물을 마시게 하던 남편은 결국 베개로 아내를 눌러 죽인다. 강풀의 웹툰 「그대를 사랑합니다」에도 비슷한 이야기가 나온다.

자살은 단순한 충동의 표출이 아니다. 누구도 가벼운 마음으로 자살하지 않는다. 겉보기에는 마치 한 순간의 분노나 충동을 억제하지 못해 목숨을 끊은 것처럼 보이지만, 실제로는 죽음이 직접 동반하는 것보다 더 혹심한 몸과 마음의 고통을 겪은 끝에 자살을 감행한다. 학업 성적, 경제적 궁핍, 질병의 고통, 가족 간의 불화, 명예 실추, 타인의

---

17 공지영 지음, 『의자놀이』, 휴머니스트, 2012, 37쪽.

비난, 풀 길 없는 억울함…. 그 동기가 무엇이든 다르지 않다. 그런 것들이 자존감을 회복할 수 없는 양상으로 파괴할 때, 인간적 존엄성을 회복할 수단이 남아 있지 않다고 느낄 때 자살은 탈출구가 된다.

나는 스물두 살 겨울에 제법 심한 우울증을 앓았던 것 같다. 좌절감과 죄책감, 절망이 낳은 병이었을 것이다. 그때 나는 우울증이라는 병이 있는지도 몰랐다. 우울증은 감기와 비슷하다. 누구에게나 찾아들 수 있고 저절로 낫기도 하지만 사람에 따라서는 병증이 깊어져 죽음을 부르기도 한다. 그런데 우울증은 감기와 달리 열이나 통증이 없다. 그래서 병에 걸린 사실을 알지 못하는 경우도 있다. 근자에 나는 다시 우울증의 방문을 받은 게 아닌지 의심하면서 내 마음을 들여다보는 데 많은 시간을 썼다.

세상도 인생도 다 굴곡이 있음을 우리는 안다. 평화로운 번영의 시대가 있는가 하면 포연 자욱한 전쟁의 시대도 있다. 국민경제에도 호경기와 불경기가 있는 것처럼 개인의 삶에도 내리막과 오르막이 있다. 사업은 성공하기도 하고 실패하기도 한다. 선거는 이기기도 하고 지기도 한다. 사랑의 황홀함이 실연失戀의 쓰라림으로 변하기도 한다. 그것이 인생과 세상의 이치이다. '지금이 오르막인 게야. 그래서 힘이 든 것이야. 이 시간을 견디고 나면 다시 앞이 보일 거야.' 그렇게 내 자신을 위로한다.

큰 시련과 고난을 당해도 씩씩하게 살아가는 사람이 있는 반면, 남들이 보기에는 그리 크지 않은 어려움 앞에서 주저앉는 사람도 있다. 아예 우울증에 걸리지 않거나 걸려도 수월하게 극복하는 사람이 있는가 하면, 끝내 무력감을 벗어던지지 못하고 자살하는 사람도 있다. 우리 모두는 우울증을 부르는 사회적 개인적 생활 스트레스에 노출되어 있다. 쌍용자동차 해고 노동자와 그 가족들의 죽음에서 보듯, 강력한 사회적 스트레스는 심각한 우울증을 유발해 사람을 자살로 몰아간다. 성적 부진이나 실직과 같이 우울증을 부르는 심각한 부정적 생활 스트레스는 대부분 제도와 관습, 문화 등 사회적 원인이 있다. 여기에 가정불화나 실연 같은 개인적 문제와 관련된 스트레스가 겹치면 문제가 더욱 심각해진다.

많은 사람들에게 견디기 어려운 스트레스를 주는 제도와 관습, 문화는 바로잡아야 한다. 이것은 모두에게 매우 중요한 일이다. 고치지 않으면 누구나 피해자가 될 수 있기 때문이다. 그런데 제도와 관습, 문화를 바꾸려면 '투쟁'해야 한다. '투쟁'하는 데는 비용이 든다. '투쟁'하면서 즐거울 수도 있지만 스트레스를 받을 수도 있다. 그 '투쟁'이 성공하면 혜택은 모두가 함께 누리지만, 드는 비용과 스트레스는 내가 감당해야 한다는 문제도 있다.

그러나 어쨌든 모두의 과제를 해결하려면 모두가 힘을 보태야 한다. 많은 사람들이 함께 노력하면 언젠가는 해결할 수 있을 것이다. 하지만 문제가 해결되기 전에는 그것과 더불어 살면서 나쁜 제도와 문화가 주는 스트레스에 잘 대처해야 한다. 게다가 사회가 맡아줄 수 없는 개인적 생활 스트레스가 또 있다. 우리들 각자는 사회적인 것이든 개인적인 것이든 부정적인 생활 사건이 주는 스트레스를 관리하고 극복할 수 있는 능력을 길러야 한다. 사회가 내 인생을 책임지는 일은 없기 때문이다. 그런 능력을 가지려면 어떻게 해야 할까?

나도 정답은 모른다. 그저 내 나름의 답을 가지고 살 뿐이다. 스스로 생각해보면 나는 부정적 사건이 주는 스트레스에 그런대로 잘 대처하면서 살아온 것 같다. 그런 나를 두고 손아래 누이가 별명을 지어주었다. '유쾌한 남자'란다. 지나치게 심각해지는 일 없이 그럭저럭 세상의 변화에 적응하면서 잘 살아간다는 것이다. 나는 20대에 학생운동과 민주화운동을 하면서 사회주의 사상과 이론에 탐닉했다. 그러나 소련과 동유럽 사회주의가 무너졌을 때 그다지 큰 심리적 충격을 받지 않았다. 사회주의 사상 이론을 공부하기는 했지만 사회주의자는 아니었기 때문이다.

공부의 출발은 호기심이지만 그 과정은 의심이다. 공부한 모든 사상을 다 받아들인다면 누구도 특정한 '주의자'가 될 수 없을 것이다. 김정일의 「주체사상에 대하여」를 읽었지만 '주사파'가 되지 않은 것도 같은 이치였다. 인류 역사에서 가장 거대하고 열정적인 이상주의 운동이었던 사회주의가 실패로 끝난 것은 애석했지만, 그렇다고 해서 내가 할 일이 달라질 것은 없다고 생각했다. 그리고 남들은 어떻게 사는지 보고 싶어서 유학을 떠났다. 이게 아니다 싶은 생각이 들어서 그만두고 돌아왔다. 글쓰기와 방송활동, 정치를 하는 동안 칭찬도 들었지만 욕도 참 많이 먹었다. 그렇지만 감당할 수 없을 정도로 괴롭지는 않았다. 욕먹는다고 뭐 죽는 건 아니지 않은가. 그렇게 생각하며 지냈다.

내 나름의 '비법秘法'이 있기는 있다. 한마디로 표현하면 '거리감'이다. 세상에 대해서, 타인에 대해서, 내가 하는 일에 대해서, 그리고 내 자신에 대해서도 일정한 거리감을 유지하는 것이다. 나는 좋은 세상을 원하지만 그 소망이 이루어지지 않는다고 해서 세상을 저주하지는 않는다. 좋은 사람들을 사랑하지만 부조건적이고 절대적인 사랑을 믿지는 않는다. 내 생각이 옳다고 확신하는 경우에도 모두가 그것을 받아들여야 한다고 주장하지는 않는다. 내가 하는 일들은 의미가 있다고 믿지만 그건 어디까지나 내 생각일 뿐임을 인정한다. 삶이 사랑과 환희와 성취감으로 채워져야 마땅하다고 생각하지만 좌절과 슬픔, 상실과 이별 역시 피할 수 없는 삶의 한 요소임을 받아들인다.[18]

이렇게 하면 좌절감, 패배 의식, 상실감, 절망감, 외로움, 자기 비하와 같은 부정적 감정을 통제하고 조절하는 데 어느 정도는 도움이 된다. 이것은 검증된 이론이 아니다. 남들도 효과를 볼 수 있을지도 모르겠다. 그저 내 경험을 이야기하는 것이다. 거리감을 가지고 대해야 하는 것이 삶만은 아닐 것이다. 죽음에 대해서도 그렇게 하는 것이 맞다. 나는 어차피 죽는다. 관 뚜껑에 못이 박히기 전에는 사람을 평가할 수 없다고들 하지만, 사람에 대한 평가는 관 뚜껑이 닫히고 한참 지난 뒤에도 달라질 수 있다. 그러나 그렇다고 한들, 내가 이미 죽고 없는데 내게 무슨 의미가 있다는 말인가.

내 삶에 대한 평가는 살아 있는 동안만 내게 의미가 있는 것이다.

---

18 부정적 생활 사건을 만났을 때 위로와 힘을 주는 책으로는 심각한 우울증을 극복한 소설가 김형경의 심리에세이 『좋은 이별』(푸른숲, 2009)을 권한다. 노무현 대통령 서거 이후 누구를 향한 것인지도 모를 원망과 분노와 냉소에 휩싸였던 때 나는 이 책을 읽고 따뜻한 위로와 격려를 받았다.

그러니 먼 훗날, 또는 긴 역사 속에서가 아니라 지금 바로 여기에서 내 스스로 의미를 느낄 수 있는 활동으로 내 삶을 채우는 것이 옳다. 그러니 내가 기쁨을 느낄 수 있는 방식으로 살자. 타인의 시선이나 평가에 얽매이지 말자. 내 스스로 삶에 가치를 부여하는 꼭 그만큼만 내 죽음도 의미를 가질 것이다. 나는 이렇게 생각하며 산다.

찬 이성
더운 가슴

내가 초등학교 6학년이었을 때, 대한민국의 한 해 수출액이 10억 달러를 '돌파突破'했다. 요즘은 그보다 6백 배 많이 수출한다. 군대가 전선戰線을 무너뜨린 것도 아닌데 '돌파'라니, 우스운 말이다. 그러나 박정희 시대에는 '수출입국輸出立國'이 나라를 지배하는 이데올로기였다. 수출은 승리요, 수입은 곧 패배였다. 수출 기업 사장은 애국자로 칭송받았고, 양담배를 피우거나 외제 차를 타면 매국노로 지탄받았다. 학교 담벼락에 10억 달러 수출이라는 '기적'을 예찬하는 대형 그림판이 붙었다. 수입이 그보다 훨씬 많았지만 그걸 아는 사람은 별로 없었다. 3천 명 가까운 전교생이 모두 운동장에 도열한 가운데 교장선생님이 대한민국의 밝은 미래를 예언하는 '정신 훈화' 말씀을 하셨다. 국어 시간에는 수출입국을 주제로 표어 짓기를 했다. 미술 시간에는 포스터를 그렸다.

수출 제일주의와 더불어 박정희 독재의 이념적인 기둥이 된 것은 반공주의였다. 반공주의는 단순히 북한 정권과 공산주의 정치 이념을 배척하는 데 그치지 않았다. 공산주의 사상의 철학적 기초인 유물론唯物論도 부정하고 금지했다. 유물론이라는 말을 처음 들은 건 중학교 '반공도덕' 시간이었다. '공산당은 유물론 철학을 신봉한다. 유물론자는 사람의 몸이 물질로 이루어져 있으며 정신은 따로 존재하지 않는다고 주장한다. 사람이 죽으면 물질로 분해되어 아무것도 남지 않는다고 한다. 공산당은 종교를 부정하며 윤리 도덕도 없는 패륜 집단이다.' 대충 그런 내용이었다. 그 교과서를 만든 사람들이 유물론을 제대로 알지 못했을 수 있다. 알면서도 거짓말을 썼을 수도 있다. 그러나 권력을 잡은 사람들만 말을 하는 시대여서, 누구도 이런 헛소리를 공개적으로 반박할 수 없었다. 딴소리를 하다가는 요즘 유행어로 '종북從北세력'이나 '친북좌빨'로 몰려 중앙정보부 지하실에 거꾸로 매달릴 위험이 있었다.

나는 유물론이 공부할 가치가 있는 철학이라고 생각한다. 유물론은 인간 정신의 존재를 부정하지 않는다. 다만 인간의 정신과는 무관하게 물질세계가 존재하며, 정신 역시 물질의 운동이 만들어낸 것이라고 주장할 뿐이다. 또 유물론자라고 해서 반드시 종교를 거부해야 하는 것도 아니다. 유물론은 자연과 사회와 인간을 있는 그대로 보고 이해하는 데 다른 어떤 철학 못지않게 유익하다. 내가 관념론보다 유물론을 선호하는 것은 삶의 의미를 찾아나가는 데 유물론이 더 큰 도움을 준다고 보기 때문이다. 특히 큰 문제가 되는 것은 죽음에 대한 관념이다. 죽음을 유물론적으로 이해하고 받아들이지 않으면 삶이 크게 일그러질 수 있다.

죽음은 무엇인가? 생물학적으로는 신비로울 게 하나도 없다. 죽음은 곧 세포의 소멸이다. 단세포 생물인 아메바는 그 하나뿐인 세포가 소멸하면 죽는 것이다. 그러나 다세포 생물은 몸을 구성하는 모든 세포의 기능이 전체적으로 멈추어야 죽는다. 인간은 약 100조 개의 세포를 가진 다세포 생물이다. 개별 세포가 죽어도 사람은 죽지 않는다. 팔이나 다리, 눈, 신장 등 신체 장기의 세포 일부가 통째로 사라지거나 죽어도 사람은 살 수 있다. 심장박동과 호흡, 두뇌활동이 정지되어 모든 세포들의 기능이 총체적으로 다시는 회복할 수 없는 상태에 빠져야 사망한 것으로 인정한다.

의학적 법률적인 면에서는 몇 가지 논쟁거리가 있다. 심장과 폐, 뇌의 활동이 시차를 두고 멈출 수 있기 때문이다. 대뇌와 소뇌의 활동이 모두 정지되면 의식이 없어진다. 그러나 뇌간腦幹, brain stem이 살아 있으면 때로 심장이 뛰고 호흡을 이어간다. 심지어 뇌간마저 죽어도 첨단 기기를 동원해 호흡과 심장박동이 멈추지 않게 할 수 있다. 의식이 전혀 없어도 심장이 뛰고 숨을 쉬면 살아 있는 것일까? 만약 그렇다고 한다면 심장 이식술은 불법이 된다. 오늘날의 기술로는 멈추어버린 심장을 타인에게 이식하지 못한다. 심장을 이식하려면 뛰고 있는 심장을 떼어내야 한다. 산 사람의 심장을 떼어내는 것은 살인 행위가 된다. 이런 문제를 피하기 위해 의사와 법률가들은 심장사와 더불어 뇌사도 죽음으로 판정한다.[19]

다세포 생물의 죽음은 몸을 이루는 세포 전체가 유기적으로 협력해 벌이는 생명활동이 끝나는 것을 가리킨다. 그런데 인간은 단순한 다세포 생물이 아니다. 정신 또는 지성을 가진 특별한 종種이다. 모든 개인은 나름의 자아自我, ego 정체성을 지닌 삶의 주체이다. 생물학과 의학, 법학만으로는 죽음을 다 설명하지 못한다. 철학적 해명이 필요하다.

철학적 관점에서 볼 때 인간의 죽음은 고유한 정체성을 지닌 지성적 자아의 소멸을 의미한다. 일반적으로 철학적 죽음은 생물학적 죽음과 동시에 일어난다. 사고나 중증 질병으로 사망하는 경우, 둘을 분리하기 어렵다. 그런데 자아 정체성을 상실한 중증 치매 환자의 경우처럼 철학적으로는 사망하였지만, 생물학적 의학적 법률적으로는 살아 있는 사람도 있다. 철학적 죽음이 생물학적 죽음보다 선행先行한 것이다. 하지만 그 역逆은 성립하지 않는다. 뇌가 죽으면 지성적 자아가 기거할 수 있는 물리적 공간도 사라져버린다. 과학은 유물론 위에 서 있다. 뇌와 의식의 관계를 보아도 물질이 의식에 선행先行한다는 것은 확실하다.

인간의 몸과 마음에 대해서 아는 것이 적었던 시절, 사람들은 마음이 심장에 있다고 믿었다. 알프레드 마셜 이래 경제학자들이 애용한 '냉철한 두뇌 뜨거운 가슴' 또는 '찬 이성 더운 가슴'[20]이라는 표현은 그런 믿음을 멋지게 표현한다. 세상사를 냉정하게 관찰하고 추론하고 계산하는 일은 두뇌가 한다. 그러나 그것을 어떤 목적에 사용할지 결정하는 것은 심장의 몫이다. 타인에 대한 공감과 배려, 사랑과 연민, 나눔의 정신, 정의를 향한 열정. 이런 것들은 심장에 있다. 그런 이야기이다.

1990년대 중반 토니 블레어는 '신노동당New Labor' 노선을 들고 나와 영국 보수당의 18년 장기 집권을 종식하고 노동당 정권을 수립했다. 게르하르트 슈뢰더는 신중도新中道, Neue Mitte 노선을 표방하여 헬무트 콜이 이끈 보수 기민연CDU, 독일 기독교민주연합의 16년 장기 집권을 마감하고 녹색당과 독일 사회민주당SPD의 '신구新舊 좌파연립정부'를 세웠다. 이 두 사람은 세계화와 정보통신혁명의 시대를 맞아 좌파정당을 '제3의 길'로 이끌었다. 그러자 독일 사회민주당 좌파 리더였던 오스카 라퐁텐은 이것을 신자유주의 정책에 투항하는 노선이라고 비판하는 책을 내고 탈당해 '좌파당'을 만들었다. 그는 '심장은 왼쪽에서 뛴다.'고 말했다.[21] 나눔과 정의를 실현하는 것이 좌파정당의 사명임을 일깨우는 이 수사修辭는 마음이 심장에 있다는 전통적 관념을 강력하게 대변한다.

공감과 열정을 느끼는 것이 심장이 아님을 우리는 안다. 태아를 초음파로 촬영하면 심장이 밝게 반짝인다. 심장은 처음부터 끝까지

---

19 전세일 지음, 『새로운 의학 새로운 삶』, 창비, 2000, 76~77쪽.

20 찬 이성 더운 가슴(with cool heads but warm hearts). 이것은 고전파 경제학자 알프레드 마셜(Alfred Marshall, 1842~1924)이 1885년 영국 케임브리지대학 경제학부 창설 기념 강연에서 쓴 표현이다. 그는 찬 이성 더운 가슴으로 동시대인이 겪는 사회적 고통을 덜어주기 위해 분투하는 인재를 양성하는 것을 경제학부의 사명이자 개인적인 야심이라고 말했다. 연설문 가운데 이 문구가 포함된 단락은 http://neozea.egloos.com/3494207에서 볼 수 있다.

21 오스카 라퐁텐 지음, 진중권 옮김, 『심장은 왼쪽에서 뛴다』, 더불어숲, 2000.

오로지 뛸 뿐이다. 심장이 멈추어 서면 사람은 몇 분 안에 죽는다. 심장은 느끼거나 생각하지 못한다. 차가운 계산도 뜨거운 헌신도 모두 두뇌가 하는 일이다. 이성도 마음도 모두 거기에 있다. '찬 이성 더운 가슴'은 좋은 사람이 갖추어야 할 덕목이다. 그러나 그 둘이 기거하는 공간은 다르지 않다. 단단한 두개골의 보호를 받는 1.4킬로그램의 회백색 세포 덩어리, 뇌가 바로 그것이다. 뇌가 죽으면 '찬 이성'과 '더운 가슴'이 함께 사라진다.

사람의 뇌는 거대한 신경망 덩어리이다. 세포의 생태계, 또는 작은 우주라고 해도 무방하다. 뇌에는 뉴런이 수천억 개나 있다. 뉴런은 수많은 돌기를 만들어 다른 뉴런과 전기적 화학적 신호를 주고받는다. 뉴런의 돌기들이 연결되는 구조를 시냅스synapse라고 한다. 하나의 뉴런이 많게는 1만 개의 시냅스 연결을 가진다. 시냅스를 통한 교신을 촉진하고 통제하는 데 작용하는 화학 물질은 지금까지 확인된 것만 해도 50가지가 넘는다. 뇌세포의 교체 주기는 인체의 모든 세포 중에 가장 길다. 부위에 따라서는 한 번 죽으면 다시 생기지 않는 것도 있다.[22] 보고 듣고 느끼고 말하고 선택하고 결정하고 행동하는 인간의 모든 신체활동과 정신활동을 이 세포 덩어리가 관장한다. 인간 정신은 물질이 아니다. 그러나 그것은 물질인 뇌세포 활동의 산물이다. 물질을 떠나서는 존재할 수 없다. 인간 정신의 본질을 이해하려면 유물론에 기대지 않을 수 없다.

---

22 존 레이티 지음, 김소희 옮김, 『뇌, 1.4킬로그램의 사용법』, 21세기북스, 2010, 19~20쪽.

타인의 죽음과
나의 죽음

인간의 죽음은 생물학적으로 모두 동일한 현상이다. 아인슈타인의 죽음과 무연고 노숙자의 죽음, 나의 죽음과 내가 미워하는 어떤 사람의 죽음은 아무런 차이가 없다. 그러나 철학적 관점에서 보면 그렇지 않다. 죽음에는 근본적으로 다른 두 종류가 있다. 하나는 타인의 죽음이다. 다른 하나는 자기 자신의 죽음이다. 사람들은 이 둘에 대해 크게 다른 태도를 보인다. 타인의 죽음은 객관적 이성적으로 받아들이지만 자기 자신의 죽음에는 주관적 감정적으로 대응한다.

타인의 죽음에 대해서 우리는 다양한 표현을 쓴다. 이 표현들은 죽은 사람의 이력, 살아 있을 때의 지위, 죽음의 경위나 원인, 죽은 장소, 자신과의 관계, 그 죽음이 살아 있는 다른 사람들의 마음에 일으키는 감정을 반영한다. 예컨대 봉건왕조 시대에는 황제나 황후의 죽음을 높여서 붕어崩御라고 했다. 왕이 없는 대한민국에서는 가장 큰 권력을 가진 대통령 또는 전직 대통령의 죽음을 서거逝去라고 한다. 높은 지위에 있었던 사람이 죽으면 별세別世 또는 타계他界라는 말을 쓴다. 웃어른의 죽음을 높여서 작고作故라 한다. 순교殉教, 순국殉國, 순직殉職은 죽음에 이르는 경위가 종교나 신념, 직무 수행과 관련된 경우에 쓰는 말이다. 경위가 분명하지 않은 죽음은 의문사疑問死, 변사變死라고 한다. 거리를 떠돌다 죽으면 객사客死가 된다.

죽음을 표현하는 저자거리의 말도 매우 다채롭다. 가장 중립적인 표현은 '죽었다'이다. 존중과 존경의 마음을 실어 말하고 싶을 때는 '돌아가셨다' '떠나셨다' '하늘나라로 가셨다'고 한다. 반면 죽은 사람이 나쁜 짓을 많이 한 경우에는 비속어를 쓰기도 한다. 별 가치가 없는 일에 목숨을 걸었다가 죽으면 '개죽음'이 된다. 이처럼 사람들은 타인의 죽음을 객관적으로 평가하고 자연스럽게 받아들인다. 그러나 자기 자신의 죽음은 그렇게 대하지 못한다. 어떤 지위를 누렸든, 무슨 일을 하고 살았든 상관없이 나는 그저 '죽을' 뿐이다. 내 자신의 죽음은 그렇게 표현할 수밖에 없다. 그가 누구이든, 타인의 죽음은 내가 사는 세상의 한 조각이 사라지는 것이다. 그러나 나의 죽음은 나의 삶과 내 자신, 내가 인식하고 상호작용하는 세상 그 자체가 통째로 사라지는 것을 의미한다. 내가 없으면 내가 인식하는 세계 자체도 없다.

우리는 각자 자기 자신을 '나'로 인식하면서 살아가는 지성적 '자아'이다. 누구도 다른 사람과 완전히 똑같지는 않다. '나'는 이 세상에 하나뿐이며 단 한 번만 살 수 있다. '나'는 욕망에 끌린다. 먹고, 마시고, 자고, 놀고, 일하고, 사랑하고 싶어한다. '나'는 감정을 느낀다. 기뻠, 슬픔, 질투, 황홀감, 경쟁심, 동정심, 그리움, 적개심, 외로움, 두려움에 사로잡히고 휘둘린다. '나'는 과거를 기억한다. '나'를 행복하게 또는 고통스럽게 했던 사람과 사건과 관계를 비판적으로 기억하면서 성찰한다. '나'는 소망과 지향을 지니고 있다. 무엇인가를 이루고 싶어서 혼자 또는 남들과 함께 어디론가 나아간다. 사람은 지문이나 염색체만 서로 다른 것이 아니다. 각자 다르게 배합되어 상호작용하는 욕망과 감정, 기억과 지향이 사람을 서로 다른 철학적 자아로 만든다.

'나'는 무엇인가. '나'는 욕망과 감정, 기억과 소망의 덩어리이다. 심리학자 지그문트 프로이트Sigmund Freud는 이것을 '에고ego'라 불렀다. 에고는 이드id와 슈퍼에고super-ego의 통일이다. 이드는 오로지 욕망을 따르고 고통을 피하려고 한다. 반면 슈퍼에고는 양심과 이상理想을 좇는다. 에고는 과거의 사건과 행위를 비판적으로 기억하고 평가하면서 미래를 기대하고 상상하는 가운데 현재의 행위를 설계하고 실행한다. 에고는 지속적으로 일관성 있는 행동을 하는 데 필요한 개인적 기준과 원칙을 만들어내며, 그 기준과 원칙에 의거하여 외부 세계와 관계를 맺고 상호작용한다. 이 기준과 원칙이 자아 정체성의 핵심이다. 자아 정체성은 고정된 것이 아니다. 외부의 위협이나 질병, 생활환경의 변화를 겪으면서 생애 전반에 걸쳐 변화한다.[23] 살아가면서 사람은 좋은 쪽으로든 나쁜 쪽으로든 변할 수 있다는 말이다.

그 사람이 누구든 죽음은 고유한 정체성을 가진 자아의 소멸이다.

---

23 자아(ego)에 대한 개념은 브리태니커 백과사전을 참조하여 정리했다.

그러나 '나'의 죽음은 특별하다. 타인의 죽음이 '나'에게 어떤 감정을 느끼게 하는 사건에 지나지 않는 반면, '나'의 죽음은 그런 감정을 느끼는 주체 그 자체의 소멸이다. 그리고 우리는 그러한 사실을 알고 있다. 세상은 그대로 있는데 '나'의 존재만 무無로 바뀐다는 것, 이것보다 더 처절한 상실이 있을까. 죽음에 대한 공포감은 바로 여기에서 시작된다. 그러나 아무리 두려워도 의미 있는 삶을 후회 없이 살아가려면 이 숙명을 받아들여야 한다. 쉬운 일은 아니다. 그러나 피할 수 없다면 의연하게 받아들이는 게 낫다. 자기 자신의 죽음까지도 냉정하게, 있는 그대로 바라보자는 것이다.

현대의 평범한 교양인들은 물질세계와 인간에 대해서 지난 시대 최고의 과학자였던 코페르니쿠스, 갈릴레이, 뉴턴, 다윈, 아인슈타인이 몰랐던 것도 많이 안다. 우주, 은하, 태양, 달, 지구 위에서 일어나는 모든 물리적 현상이 동일한 법칙을 따른다는 것, 인간의 몸과 우주는 같은 물질로 이루어져 있다는 것, 지구 행성에서 살아가는 모든 생명체의 몸은 세포로 이루어져 있다는 것 그리고 그 세포들은 종을 불문하고 동일한 생물학적 구조를 가지고 있으며 모두 동일한 조상에서 유래하였다는 것을 안다.

아기는 황새가 물어다 주거나 삼신할미가 선사하는 게 아니다. 부모 몸에서 염색체의 감수분열이 일어나고, 정자 난자가 결합하고, 수정란 세포가 분열하여 100조 개의 세포가 됨으로써 세상에 없었던 새 생명이 태어난다. 고유한 유전자 조합을 가진 그 아기가 환경과 상호

작용하는 가운데 자기만의 정체성을 형성하며, 어른이 되어 다시 아기를 낳아 기르고, 그런 다음 늙고 병들어 죽는다.

하지만 아직 모르는 것이 너무나 많다. 우리는 우주와 심해深海를 다 알지 못한다. 특히 사람의 정신에 대해서는 아는 것이 적다. 그러나 지금보다 아는 것이 더 빈약했던 시절에도 사람들은 용감하게 인간의 생각과 행동, 사회구조와 삶의 양식을 바꾸려고 시도했다. 더러는 성과를 남겼지만 더러는 참혹한 실패로 끝났다. 예컨대 카를 마르크스Karl Heinrich Marx는 유물론 철학의 기반 위에서 공산주의 사상 이론을 창안하여 사회를 변혁하고 인간의 삶을 바꾸려 했다. 그는 사회적 환경과 계급적 귀속이 사람의 의식과 행동에 미치는 영향을 주의 깊게 관찰한 끝에, 사회의 물질적 토대를 바꾸면 의식과 문화가 모두 달라질 것이라고 판단했다. 그 시대는 찰스 다윈Charles Robert Darwin이 인간의 유래를 밝히는 이론을 막 제출한 때였다. 어떤 천재도 자기 시대를 완전히 초월하지는 못한다. 마르크스는 인간의 의식과 행동 밑바닥에 깊고 넓게 자리 잡은, 역사의 시간에서는 바꿀 수 없는 생물학적 진화적 요인을 고려하지 않았다.

사회와 문명의 역사는 길게 잡아도 1만 년에 지나지 않는다. 자본주의 역사는 고작 수백 년에 불과하다. 본격적인 정보통신혁명은 수십 년 전에야 시작되었다. 스마트폰과 아이패드가 보급된 것은 겨우 몇 년 전이다. 그런데 호모 사피엔스가 나타나는 데는 수십억 년이 걸렸다. 인간은 영장류뿐만 아니라 포유류 일반, 심지어 파충류와도 생물학적으로 무엇인가를 공유한다. 인간의 의식과 행동의 밑바닥에는 현실의 사회제도나 문화양식과 무관하게 존재하는 생물학적 본능이 도사리고 있다. 제도를 바꾸어도 이것은 바뀌거나 사라지지 않는다. 이기심, 독점욕, 질투심, 복수심과 같은 공격적 충동은 그 본능의 일부이다. 한때 지구 표면의 절반을 붉은 깃발로 뒤덮었던 마르크스의 후예들이 인간을 해방하기는커녕 오히려 인간의 존엄을 파괴하는 결과를 남기고 몰락한 것은 바로 그 때문이었다고 생각한다. 만약 마르크스가 무덤에서 살아 돌아와 현대의 뇌 연구자들이 발견한 것을 본다면 자기의 이론을 기꺼이 수정할 것이라고 나는 믿는다.

마르크스가 인간의 의식에 영향을 주는 사회적 조건에 집중한 것과 달리 프로이트는 개인의 심리를 곧바로 들여다보았다. 그는 꿈과 무의식에 대해서 혁명적인 이론을 제출했으며 불안, 콤플렉스, 히스테리, 강박증, 정신분열증 등의 심리적 억압과 혼란을 성적 충동의 발달과 관련지어 설명했다. 그리고 이드와 에고, 슈퍼에고라는 의식의 범주를 설정했다. 지난 세기 프로이트의 이론은 정신의학이나 심리학뿐만 아니라 인간을 연구하는 인문학 전반에 막강한 영향력을 행사했다. 그러나 그도 인간 심리와 행동을 전면적으로 해명하지는 못했다. 심리와 행동은 뇌 활동의 산물이다. 프로이트의 시대에는 뇌가 어떻게 만들어지고 어떤 방식으로 일하는지, 외부의 자극과 환경의 변화에 어떻게 반응하는지, 호르몬과 신경전달물질의 과부족이 어떤 문제를 일으키는지에 대한 신경생리학 지식이 매우 부족했다.

반면 다윈은 개인과 계급, 민족과 국가, 인류 그 자체를 넘어 모든 생명 종種의 특성과 다양성에 주목했다. 그는 인간은 무엇이며 어디에서 온 존재인지 말이 되게 설명하는 데 최초로 성공한 사람이다. 다윈은 모든 종이 동일한 조상에서 유래했다는 것을 알아냈다. 그가 사용한 수단은 세심한 관찰과 정교한 추론뿐이었다. 다윈은 또한 인간이 단지 이기적 욕망만을 따르는 존재가 아니며, 진화 과정에서 이타利他 행동을 하는 사회적 재능을 획득했다고 보았다. 현대의 진화생물학 학자들은 이타 행동의 메커니즘을 다윈보다 훨씬 더 정교하게 설명한다. 그것은 단순한 사회적 재능이 아니라 생물학적으로 주어진 본능 가운데 하나이다. 인간의 대뇌피질에는 타인의 고통과 기쁨을 인지하고 공감하게 만드는 신경세포인 '거울뉴런mirror neuron'이 있다. 우리가 이런 사실을 알게 된 것은 20세기 막바지에 MRI자기공명영상와 PET양전자단층촬영 등 첨단 의료 장비로 무장하고, 과학의 무대 위로 올라와 '두뇌지도brain mapping'를 보여준 과학자들 덕분이다.

인간은 단순한 세포 덩어리가 아니다. 몸은 세포로 분해할 수 있지만 자아는 분해되지 않기 때문이다. 사람은 욕망과 충동에 끌리고 휘둘리면서도 아직 실현되지 않은 선善과 미美를 추구한다. 자아는 과거를 비판적으로 기억하면서 더 좋은 미래를 향해 나아간다. 그리고 그 자아는 반드시 죽어 소멸한다. 그래도 남는 것이 있다. 유전자는 살아남는다. 유전자는 딸 아들에서 손자로, 다시 그 딸의 아들과 손자로, 인류가 존재하는 한 끝까지 죽지 않는 '불멸의 코일'이다. 그러나 유전자의 영생은 생물학적으로 의미가 있을 뿐 철학적 가치는 없다. 유전자는 기억하지 않으며 사유하지 않는다. 유전자가 영생한다고 해도 자기 자신을 '나'로 인식하면서 살아가는 삶의 주체, 지성을 가진 자아는 언제나 단 한 번만 존재한다. 유전자는 유전자일 뿐 '나'가 아니다.

언젠가는 죽어야 하고 잊혀질 수밖에 없는 것이 숙명이라면, 우리가 해야 할 것은 오직 하나이다. 살아 있는 동안, 지금 바로 여기에서, 나를 '나'로 인식하는 철학적 자아가 삶의 기쁨을 누리는 것이다. '나는 왜 자살하지 않는가? 무엇을 할 때 살아 있음을 황홀하게 느끼는가? 지금 하고 있는 이 일이 내가 진정 하고 싶은 것인가? 내 삶은 나에게 충분한 의미가 있는가?' 스스로 이렇게 물어야 한다. 이 질문에 대답할 수 없다면 인생의 의미도 삶의 존엄도 없는 것이다.

나는 무엇인가

노을빛이 흐릿하게 시들어가는 시간, 논산 신병 훈련소의 긴 담벼락 너머 서산 위에 여인의 눈썹 같다고들 하는 초승달이 떴다. 초승달 가까운 곳에 큰 별도 하나 걸렸다. 그때 나는 그게 별인 줄 알았지만 사실은 별이 아니라 금성金星, venus이었다. 태양계 두 번째 행성인 금성은 지구에서 보이는 천체 중에 해와 달 다음으로 밝다. 가을바람이 담장을 따라 도열한 은사시나무 잎을 흔들었다. 멀리 큰길에 시외버스가 달려가는 것이 보였다. 어디론가 무작정 도망치고 싶었다. 하지만 도망칠 방법이 없었다. 훈련병 시절 일이다.

사는 게 버겁게 느껴질 때가 있다. 앞날이 막막해 보이고, 어디에서 시작되었는지 모를 불안감이 피어오르고, 닥친 일이 감당하기 어려워도 하소연하거나 도움을 청할 사람이 없을 때, 그럴 때는 도망치고 싶은 마음이 생긴다. 좋다는 대학을 나오고 높은 자리를 지내고 이름이 제법 알려진 당신 같은 사람도 그럴 때가 있느냐고 물을지도 모르겠다. 그렇다. 사실을 말하자면 도망치고 싶은 순간을 만난 것이 한두 번이 아니었다.

그렇지만 도망가지 못했다. 서른네 살에 독일 유학을 떠난 일을 제외하면 그렇다. 그때는 청년단체 간부였고 지금은 국회의원을 하고 있는 선배 유기홍이 바다 건너로 도망치려는 내게 말했다. "이렇게 할 일이 많은데 혼자 가버리면 어떻게 해?" 제2야당을 끌고 집권 세력에 투항한 김영삼 씨가 권력을 잡은 1992년 대통령 선거를 석 달 앞둔 때였다. "형, 나도 살고 싶은 대로 살아보고 싶어요. 한 번 사는 인생인데 이대로 이렇게만 살기는 억울하잖아요. 넓은 세상을 보고 싶어요." 그도 더는 말하지 않았다.

'운동movement'에서 도망치고 싶었다. 학생운동에서 청년운동, 노동운동, 시민운동, 정치운동까지 몸과 마음이 자연스럽고 자유로운 때가 없었다. '하고 싶다'는 욕망보다 '해야 한다'는 의무감에 이끌려 사는 인생은, 몸에 맞지 않는 옷을 걸치고 나들이를 가는 것과 비슷했다. 어떻게 걸어도 어색했다. 내 몸에 맞고 내 마음에 드는 옷을 입고, 내가 원하는 곳에 가고 싶었다. 마흔 넘어 정치를 시작한 다음에도 그랬다. 장관을 할 때도 다르지 않았다. 마음이 전혀 없이 억지로 한 건 아니었다. 하지만 하고 싶다기보다는 해야 한다는 생각이 더 컸다. 공익근무라고 생각하면서 했다. '제대'할 날을 손꼽아 기다리면서. 그때는 쓰나미처럼 쏟아지는 '정당하지만 절제되지 않은 요구'에서 도망치고 싶었다. 옳지 않은 요구에 대해서는 맞서 싸우면 된다. 그러나 정당하지만 최선을 다해도 당장 들어줄 능력이 없는 요구와는 싸울 수가 없다. 네이스, 공무원노조, 화물연대, 천성산, 평택 대추리, 철도노조…. 이런 단어들이 떠오른다. 정당한 요구인데도 다 들어주지 못하는 것이 미안하고 괴로웠다. 다 놓고 어디론가 도망쳐 숨어버리고 싶었다.

이래서는 정치를 제대로 할 수가 없겠다 싶어, 잘 아는 정신과 전문의와 상담을 하려고 했다. 그때는 내가 정치적으로 조금 '중요한 인물'로 통했다. 그런데 정치인이 괜히 정신과에 출입했다가 나중에 무슨 말이 날지 모른다고 주변에서 말리는 바람에 가지를 못했다. 정치를 하면서 훌쩍 떠나버리고 싶은 충동과 마주쳤던 사람이 나만은 아닐 것이다. 정치인 노무현도 초선의원 시절 우편으로 국회의장에게 의원직 사퇴서를 보내고 도망 다닌 적이 있었다. 온실 안의 화초가 아니라면 꽃도 나무도 다 바람을 맞으며 자란다. 타인의 자비에 기대지 않고 자기 힘으로 살아가는 사람이라면 누구나 종종 흔들릴 수밖에 없다고 생각한다.

'나는 어떤 사람일까? 도대체 왜 이렇게 살아온 것일까? 계속 이렇게 살아가도 괜찮은 걸까?' 긴 시간 내 자신을 들여다보았다. 나는 내가 무엇을 좋아하고 누구를 사랑하는지 잘 안다. 내 삶에서 중요한 의미를 지닌 것과 그렇지 않은 것을 구별할 수 있다. 주어진 환경 속에서 나름 최선을 다해 열심히 살았다. 그런데 그 모든 것을 스스로 결정하고 선택한 것이 아니었을지도 모른다는 의심이 든다. 내 스스로 선택했다고 생각하지만, 사실은 내 선택이 아니었던 것이 있을까 생각해본다. 분명하지가 않다. 나는 종종 내가 나를 마음대로 하지 못한다는 느낌을 받는다. 무엇인가 해야 한다고 생각하지만 몸이 거부할 때가 있고, 다르게 해야 한다고 생각하면서도 그렇게 할 수 없을 때가 있다.

생물학자 리처드 도킨스Richard Dawkins는 바이러스와 박테리아에서 사람까지, 동물이든 식물이든 모든 생물은 유전자가 만든 '생존 기계'라고 주장했다.[24] 도킨스의 견해가 옳을지도 모른다. '내 몸의 유전자가 생존하려면 내가 살아야 하고 건강한 자식을 낳아야 한다. 우수한 '생존 기계'를 배우자로 선택해 자식을 낳고, 그 아이를 우수한 '생존 기계'로 키워내야 한다. 내가 아내와 아이들에 대해서 느끼는 사랑의 느낌은 이 일을 잘 할 수 있도록 유전자가 만들어낸 감정에 지나지 않는다.' 이런 해석이다. 논리적으로 그럴듯하다. 그런데 이걸 인정하려니 왠지 슬퍼진다. 이것이 도킨스의 이론에 대한 천박한 해석임을 잘 알지만 그런 느낌이 드는 건 어쩔 수 없다.

유전자 또는 본능이 삶을 지배한다는 것을 전면 부정하기는 어려운 것 같다. 사람은 환경의 영향을 받는다. 그러나 같은 환경에서도 아이들은 다르게 자란다. 사람은 스스로 자신의 성격이나 인생관, 행동양식을 바꿀 수 있다. 그러나 노력한다고 해서 무한정 다 바꿀 수 있는 것은 아니다. '성격이 팔자'라는 말이 괜히 나왔겠는가. 사람은 무엇인가를 가지고 태어나며 그것을 가지고 살아간다. 「개그콘서트」의 '희극여배우' 를 흉내내서 말해 본다. "저는 원래 사나운 사람이 아닙니다. 저는 사실 조용하고 수줍은 편입니다." 미디어에서만 나를 본 사람들은 아마 비웃을 것이다. 당신이 사납지 않다고? 그렇다. 나는 사납지 않다. 그런데 어떤 상황에서는 나도 모르게 분노가 치민다. 그 분노를 감추어야 한다고 생각하지만 실패할 때가 많다. 분노를 억누르는 데 겨우 성공하는 경우에는 나도 모르게 냉소적으로 변한다. 내 안에 내가 아닌 누군가 있는 것만 같다. 이게 뭐지?

'나는 누구인가?' 자신의 정체성을 알고 싶다면 마땅히 던져야 할 질문이다. 그런데 도킨스의 견해를 진지하게 받아들인다면 먼저 다른 질문부터 할 필요가 있다. '나는 무엇인가?' 마르크스의 주장처럼 사회적 존재가 사회적 의식을 규정한다면 억압당하고 착취당하는 피지배계급만이 현실을 변혁하려는 진보적 의식을 가질 수 있다. 지배계급은 당연히 현상 유지를 바라는 보수적 의식을 가지게 된다. 과연 그럴까? 대학생 시절 『공산당 선언』을 읽으면서 품었던 의문이다. 중산층 출신에 공부도 잘했던 청년 마르크스는 왜 공산주의자가 되었을까? 맨체스터 방직공장 자본가의 아들로서 그 자신도 자본가였던 프리드리히 엥겔스는 왜 마르크스의 사상적 동지이자 후원자가 되었을까? 그들의 의식은 어떻게 계급의 제약을 넘어설 수 있었을까? 똑같은 의문을 다르게 표현해 보자. 소득수준이 낮은 유권자들이 부자를 섬기는 보수정당에 투표하는 이유는 무엇일까?

제18대 대통령 선거에서 월 소득 2백만 원 이하 소득계층의 유권자 셋 가운데 둘이 박근혜 후보를 찍었다고 한다. 킬힐을 신고 명품 핸드백을 들고 다니는 서울 강남 청담동의 젊은 여성 유권자가 왜 촛불

---

24 리처드 도킨스 지음, 홍영남 옮김, 『이기적 유전자』, 을유문화사, 2008(30쇄 기념판), 72쪽.

집회에 가담하고 진보정당을 지지하는 것일까? 같은 선거에서 월 소득 7백만 원 이상 최고소득계층 유권자 열 명 가운데 넷 이상이 문재인 후보를 지지했다.[25] 비정규직 노동자가 1천만 명이라는데 그들은 왜 진보정당에 표를 주지 않을까?

나는 계급적 귀속이 사회적 의식을 결정하는 유일한 요소가 아니며 가장 결정적인 요소 역시 아니라고 생각한다. 의식의 주체는 계급이 아니라 개인이다. 계급적 귀속과 같은 사회적 환경이 곧바로 의식을 형성하는 것이 아니다. 의식은 뇌 활동의 산물이고, 뇌는 유전자가 만든다. 환경의 영향도 물론 있다. 그런데 계급적 귀속은 뇌의 형성과 활동에 영향을 주는 환경 요인 가운데 중요한 한 가지에 지나지 않는다. 환경 요인 중에는 그와는 직접 관련되지 않은 것이 더 많다. 예컨대 유아기에 부모의 적절한 보호와 자극과 사랑을 받은 경우와 그렇지 않은 경우, 사람의 뇌는 계급적 귀속과 상관없이 크게 달라질 수 있다. 뇌가 달라지면 의식과 행동 방식도 달라진다.

나는 무엇인가? 여기서 '나'는 과거를 비판적으로 기억하면서 미래를 꿈꾸고 현재를 살아가는 '철학적 자아'를 가리킨다. 거칠게 대답하면 '나는 뇌'이다. 내 자아는 뇌에 기거한다. 내가 하는 모든 행동은 뇌가 시키는 것이다. 그렇다면 내 뇌는 어떻게 생겼으며 어떤 방식으로 일하는 것일까? 모르면 자료를 조사하는 '먹물'의 습관에 따라 근자에 대유행하고 있는 뇌과학 관련 진화심리학 책들을 손에 잡히는 대로 읽었다. 놀랍게도 인간 일반과 내 자신을 이해하는 데 철학서를 비롯한 인문학 책보다 훨씬 더 큰 도움이 되었다.

수박 겉 핥기로 공부한 것을 대충 정리해 보자. 인간의 뇌는 짧게는 수백만 년, 길게 보면 40억 년 가까운 진화적 시간에 걸쳐 만들어졌다. 도시로 치면 매우 오래 된, 크고 복잡한 대도시와 같다. 파리나 베를린, 서울이나 베이징을 생각하면 된다. 이 도시들은 전체를 합리적으로 설계해서 만든 신도시가 아니다. 음침한 뒷골목에는 술집과 홍등가, 조폭의 소굴이 즐비하다. 구시가에는 중세기 권력자들의 부귀영화를 보여주는 거대한 왕궁과 사원, 오래된 석조 건물이 서 있다.

신시가지에는 권력과 지식, 현대 문명의 상징인 마천루 숲과 정부청사 단지, 호화 주택과 문화예술센터, 도서관과 공원이 있다. 이 도시에는 야만과 문명이, 욕망과 이성이, 과거와 현재와 미래가 혼재한다. 도마뱀과 매, 토끼와 사슴, 침팬지와 고래, 진시황과 미켈란젤로, 히틀러와 테레사 수녀, 이완용과 안중근이 뒤엉켜 산다. 겉으로는 질서 정연해 보이지만 곳곳에서 격렬한 쟁투가 벌어지고 있다. 탐욕, 연민, 복수심, 질투심, 동정심, 정의감, 절망, 희망, 고통, 환희…. 내가 느끼는 모든 감정은 그 쟁투가 빚어낸 것이다.

뇌의 구조는 오래된 도시와 닮았지만 그 작동 방식을 이해하려면 지하실이 딸린 2층집을 생각하는 편이 나을 듯하다. 지하실은 뇌간이다. 척수 바로 위 대뇌 아래에 있는 뇌간은 파충류의 뇌와 비슷하다고 한다. 뇌간은 의식하지 않아도 되는 생명활동을 담당한다. '위가 비면

---

25 「대선 박근혜 지지율 저소득층서 최고… 3명 중 2명」, 『연합뉴스』, 2013년 1월 23일자.

배가 고파진다. 땀을 흘리면 목이 마르다. 배우지 않아도 음식을 씹고 물을 마실 수 있다. 소화는 위장이 알아서 한다. 마음먹지 않아도 숨을 쉰다. 가시에 찔리면 아프다. 돌이 날아오면 나도 모르게 몸을 움츠린다.' 이런 일들은 도마뱀도 다 한다. 그러나 도마뱀이 하지 못하는 일이 있다. 도마뱀은 새끼를 다정하게 껴안아 핥아주지 않는다. 먹이를 다른 도마뱀과 나누어 먹지 않는다. 뇌의 지하실에는 살아가는 데는 꼭 필요하지만 남에게 내놓고 자랑하기는 좀 곤란한 것들이 들어있다고 보면 되겠다.

뇌의 1층은 변연계邊緣系, limbic system이다. 변연계는 대뇌피질 아래에서 뇌간을 둘러싸고 있다. 여기에는 방이 여럿 있다. '편도'는 감정을 조절한다. '해마'는 기억을 저장한다. '시상하부'는 호르몬 분비를 조절한다. '기저핵'은 운동을 제어한다. 변연계는 오리너구리 같은 원시 포유류 단계에서 만들어진 것으로 보인다. 파충류 시절에 지은 지하실 위에 한 층을 더 올린 것이다. 변연계는 특히 짝짓기를 할 때 맹활약을 한다. 사랑에 빠진 연인들의 뇌에서 강한 활성도를 나타낸다.[26] 나로서는 이름과 얼굴을 구별하는 게 불가능한 걸그룹 멤버들이 춤추면서 노래할 때 텔레비전 화면에서 눈을 떼지 못하는 것도 변연계의 활약 때문이다.

뇌의 2층은 대뇌피질大腦皮質, cerebral cortex이다. 대뇌피질은 교양 있는 지식인의 거실이라고 생각하면 적당할 것이다. 서가에는 세계문학전집이나 최신 베스트셀러 교양서가 꽂혀 있다. 개인용 컴퓨터와 홈시어터, 전화기, 안락한 소파, 해가 잘 드는 커다란 창이 있고 벽에는 렘브란트의 그림이 걸렸다. 실내에는 감미로운 음악이 흐르고 커피 향이 은은하게 감돈다. 대뇌피질은 가장 높이 진화한 고등 포유류의 것이다. 포유류 중에도 침팬지를 비롯한 영장류가 가장 발달한 대뇌피질을 보유하고 있다.

인간은 포유류 중에서도 단연 비대한 대뇌피질을 자랑한다. 인간 뇌의 무게는 약 1.4킬로그램 정도 되는데, 80퍼센트가 대뇌피질이다. 회백색인 피질은 대뇌를 밖에서 둘러싸고 있다. 가장 중요한 부위이기 때문에 단단한 두개골의 보호를 받는다. 단어를 물건과 연관 짓고, 타인과의 관계를 형성하며, 과거를 비판적으로 성찰하고 미래를 전망하면서 현재의 삶을 설계하는 고도의 지적知的 기능을 담당하는 곳이 바로 대뇌피질이다.[27]

스캔 장비가 없었지만 프로이트는 뇌의 구조와 작동 방식을 대충 짐작했던 것 같다. 무의식 속에서 오로지 욕망을 따르고 고통을 피하려고만 하는 '이드'는 뇌의 지하실과 1층을 오르내리며 산다. 양심과 이상을 추구하는 '슈퍼에고'는 2층 거실에 기거한다. '에고'는 서로 대립하면서 공존하는 '이드'와 '슈퍼에고'의 변증법적 통일이다. '이드'는 호시탐탐 '슈퍼에고'의 통제에서 벗어날 기회를 노린다. '이드'가 탈출에 성공하면 사람은 앞뒤를 가리지 않는 욕망과 충동에 휩쓸린다. 그

---

26 김재진 지음, 『뇌를 경청하라』, 21세기북스, 2010, 78~80쪽 참조.

27 존 레이티 지음, 김소희 옮김, 『뇌, 1.4킬로그램의 사용법』, 21세기북스, 2010, 38쪽.

리고 강간, 폭행, 살인과 같은 범죄를 저지른다. '슈퍼에고'가 제 기능을 하지 못하면 타인과 공감하지 못하는 자폐 증세가 생기거나 사이코패스가 탄생한다. 이런 현상이 어떤 이유에서 대중에게 전염되면 히틀러의 홀로코스트, 스탈린의 대숙청, 마오쩌둥의 문화대혁명, 크메르 루즈의 킬링필드와 같은 참사가 벌어져 죽음이 강처럼 흐르고 문명이 잿더미가 된다. 생물학적 견지에서 보면 문명은 인간의 대뇌피질이 만든 것이다. 문명은 대뇌피질이 변연계와 뇌간에 대한 관리 통제를 강화하는 데 성공하는 만큼 발전했다. 문명이 억압이라는 말에는 분명 일리가 있다.

삶은 욕망色과 규범戒의 충돌이라는 말에도 나는 공감한다.[28] 나는 주로 규범의 세계에서 살면서 남들한테 욕을 먹지 않을 만큼만 욕망의 세계를 넘나들었다. 이러면 안될 텐데, 늘 자책하면서. 그렇게 산 것을 후회하지는 않는다. 그러나 남은 삶을 어떻게 사느냐는 것은 또 다른 문제이다. 최선을 다해 살았다고 해서 계속 지금까지 살았던 것처럼 살아야 하는 건 아니다.

내게는 매순간 미래의 삶을 새로 설계하고 새로운 도전을 할 권리가 있다. 물론 욕망을 충족하는 것보다는 규범을 따르는 삶이 더 훌륭할 수 있다. 개인을 중심에 놓고 생각할 때 최고의 도덕적 이상은 이타성unselfishness이라는 라인홀드 니버의 말이 옳다고도 본다.[29] 그러나 이타성이라는 이상을 추구하는 것도 스스로 세운 준칙에 따른 행위일 때 기쁨이 되지 않겠는가. 욕망을 억압하면서 규범을 따르는 일이 참기 어려울 만큼 어색하고 불편하고 고통스럽게 느껴진다면 욕망을 표출

할 수 있는 문을 더 넓게 열어주는 것도 나쁘지 않다고 생각한다. 규범은 자기 자신이 기쁜 마음으로 자연스럽게 감당할 수 있는 만큼만 따르면 된다.

---

28 김두식 지음, 『욕망해도 괜찮아』, 창비, 2012, 4쪽.

29 라인홀드 니버 지음, 이한우 옮김, 『도덕적 인간과 비도덕적 사회』, 문예출판사, 2000, 35쪽.

레이건의 작별 인사

오래 앓다가 죽는 사람이 있는가 하면, 사고나 심장마비로 말 한 마디 남기지 못한 채 떠나는 사람도 있다. 생의 마지막 순간을 어떻게 맞게 될지 선택할 수 있다면 어느 쪽이 더 나을까? 주변 사람들한테 물어보니 제일 좋은 건 건강하게 살 만큼 산 다음에 어느 날 잠을 자다가 그대로 깨어나지 않는 것이라고들 말한다. 아마도 죽을 때 겪는 육체적 고통이 겁이 나서 그런 것 같다. 오래 중병을 앓다가 죽으면 자식들한테 짐이 될까 걱정하는 마음도 있을 것이다. 하지만 일반적으로 어느 것이 낫다고 말하기는 어렵다. 생의 마지막 시간을 누구와 어떻게 보내는가에 따라 달라질 수 있기 때문이다. 나는 그 문제보다는 다른 게 겁이 난다. 몸보다 정신이 먼저, 생물학적으로 사망하기 전에 철학적으로 먼저 죽는 것이 두렵다.

어느 식사 모임에 갔더니 누가 노모를 모시고 나왔다. 핵 발전 중단과 환경보호운동을 활발하게 하는 분인데, 노모에게 치매가 와서 집에 혼자 계시게 할 수 없다고 했다. 모임이 끝날 때까지 어머니는 아들 옆에 얌전히 앉아 차분하게 밥을 드셨다. 누가 말을 걸면 수줍은 표정과 몸짓으로 다소곳이 대답했다.

아드님은 일곱 살 여자아이를 대하듯 어머니를 모신다고 했다. 그 어머니는 아들을 어떤 때는 오빠로, 다른 때는 남편으로 여겼다. 집을 방문해 목욕을 도와주는 요양보호사가 깨끗이 목욕을 하고 나니 얼마나 예쁜지 모르겠다고 칭찬을 했단다. 그러자 어머니는 심드렁한 어조로 되받았다. "그러면 뭐해. 남편이 안아주지도 않는데." 힘든 농사일을 하고 시부모를 봉양하면서 아이들을 길렀던 이 어머니는 원래의 자아를 잃어버린 것이다. 노모를 정말 어린 여동생인 것처럼 보살피는 그 아드님은 어머니를 잃은 대신 수시로 웃음을 주는 어린 여동생을 얻었다. 원래의 어머니는 그의 기억 속에만 남아 있다.

남의 일이 아니다. 예순다섯 살 넘은 대한민국 국민 가운데 52만 명이 치매를 앓고 있다. 더 젊은 환자도 적지 않다. 환자의 딸 아들, 며느리 사위에 손녀 손자까지 합치면 수백만 명의 국민들이 생물학적 죽음보다 먼저 찾아온 철학적 죽음을 고통스럽게 경험하는 중이다. 고령의 치매 환자 수는 앞으로 10년 안에 1백만 명을 넘어설 전망이다.[30] 나는 2024년에 만으로 예순다섯이 된다. 그런데 벌써부터 사람 이름을

---

30 치매 환자에 대한 전망은 2012년 4월 18일, 보건복지부에서 보도 자료로 발표한 「치매, 일찍 발견하면 치료 관리 가능」을 참조했다.

떠올리지 못할 때가 있다. 종종 영화관 주차장에서 차를 찾지 못해 헤맨다. 눈비가 모든 사람에게 골고루 떨어지듯, 치매도 빈부귀천을 가리지 않고 찾아온다. 비 오는 날 우산을 쓰면 흠뻑 젖는 일은 피할 수 있는 것처럼 뇌의 노화를 늦추는 데 도움이 되는 활동을 열심히 하면 어느 정도 치매를 막을 수 있다. 특히 정신을 집중해서 쓰는 일을 지속적으로 하면 큰 도움이 된다. 그러나 우산을 쓰고 비옷을 입어도 폭우가 쏟아지면 바지 자락 젖는 것까지 피할 수는 없다. 최대한 노력하되, 그래도 옷이 젖으면 현실로 인정하고 받아들여야 할 것이다.

나이를 먹는 게 나쁘기만 한 건 아니다. 청년기에 들끓던 욕망과 충동, 번민이 다소 잦아드는 게 무엇보다 좋다. '슈퍼에고'는 아직 멀쩡한 반면 '이드'가 힘이 좀 빠진 것이다. 예전보다 평온한 마음으로 아침을 맞을 수 있다. 여유 있게 사람을 대할 수 있다. 나쁜 건 여기저기 몸이 고장 난다는 점이다. 뱃살이 찌고 원시遠視가 오는 정도는 괜찮다. 운동을 좀 하고, 그래도 안 되면 세탁소에 맡겨 바지허리를 늘리고 돋보기를 끼면 그럭저럭 지낼 만하다. 치주염이 와서 어금니를 하나 잃었다. 원래 있던 무엇이 없어지는 것은 조금 서글픈 일이다. 관절이 삐걱거려서 좋아하는 축구를 하기가 겁이 난다. 다행히 콜레스테롤 수치나 혈압에는 큰 문제가 없다. 다들 그런 것처럼 암이란 놈도 걱정이다. 암세포도 내 몸의 일부인 만큼 비위를 잘 맞춰서 저 혼자 성을 내 자라나지 않도록 달래는 수밖에 없다.

나이를 먹고 죽는 것도 삶의 과정이다. 그런데 중증 치매에 걸리면 자기 주도적으로 죽을 수 없다. 중증 치매 환자는 자신의 죽음을 인지하거나 이해하지 못한다. 생물학적 사망의 축복이 내릴 때까지 그냥 살아야 한다. 만약 내가 치매 진단을 받는다면 어떻게 해야 할까? 병이 더 깊어지면 수십 년을 사랑하고 다투며 살아온 아내와 목숨처럼 소중한 딸 아들을 알아보지 못하게 된다. 때로는 절망감을, 때로는 환희를 안겨주었던 과거의 경험을 비판적으로 기억하지 못한다. 미래에 대한 이상을 잃어버리고 현재의 행위를 스스로 설계하지 못하게 된다. 이와 같은 자아의 점진적이고 예정된 소멸에 대해서 어떻게 대처해야 할까?

로널드 레이건Ronald Wilson Reagan은 아흔네 살 나이로 2004년 세상을 떠났다. 그는 미국 대통령을 두 번 지냈으며 죽기 전 십 년 동안 알츠하이머병을 앓았다. 알츠하이머병은 치매를 유발하는 질병 중에 가장 흔한 것이다. 여든넷의 아직 건강한 노인에게 알츠하이머병이 찾아드는 것은 드문 일이 아니다. 그런데 그는 보기 드문 방식으로 이 병을 맞아들였다. 알츠하이머병 확진을 받은 사실을 미국 국민들에게 알린 것이다. 이 담화문에서 레이건은 병을 공개하는 것이 치매에 대한, 그리고 환자와 가족이 겪는 고통에 대한 사회의 관심을 높이는 데 도움이 되기 바란다고 했다. 그리고 자신은 조국에 대한 사랑을 간직한 채 죽음으로 가는 마지막 여행길에 나섰으며 나라의 앞길에 밝은 아침이 올 것임을 믿는다는 희망을 피력했다.[31]

---

31 레이건 대통령 담화문 한글 번역본은 블로그 http://blog.daum.net/94795759/7355315를 참고했다.

나는 레이건이 훌륭한 정치가는 아니었지만 훌륭한 인간이었다고 생각한다. 그는 '개천에서 난 용'이었다. 일리노이 주에서 가난한 구두 판매원의 아들로 태어나 대통령이 되었다. 대학에서 경제학을 공부했고 영화판에 뛰어들었지만 결국 정치인으로서만 성공했다.

레이건은 강력한 신자유주의 경제정책을 추진했다. 대규모 부자 감세정책을 폈고 복지 예산을 줄였으며 노동조합을 적대시했다. 최저 임금을 대폭 깎았다. 리비아 폭격, 그레나다 침공, 니카라과 반군을 지원하고, 대륙간탄도미사일 방어체제 도입에 돈을 쏟아 부어 미국 연방 정부를 빚더미에 올려놓았다. 재정 적자를 보충하려고 대규모 국채를 발행했고, 국채를 잘 팔리게 하려고 고금리정책을 썼다. 중동과 유럽의 부자와 은행들이 미국 국채를 구입하려고 앞다투어 달러를 사들이자 국제환 시장에서 달러가 초강세를 보였다. 달러 값이 오르자 미국산 상품과 서비스의 국제가격이 올라 막대한 무역 적자가 생겼다. 미국의 악명 높은 쌍둥이 적자는 바로 레이건이 만든 희대의 졸작이었다.

레이건은 미국 경제를 망쳤다. 부자를 더 부자로 만들기 위해 정부와 국민을 더 가난하게 만들었다. 곳곳에서 전쟁을 벌여 죄 없는 어린이와 여성, 노인들을 폭격과 질병과 굶주림으로 죽게 만들었다. 전쟁터로 내몰렸던 미국 청년들도 숱하게 죽고 다쳤다. 미국 안에서나 밖에서나 정의와 평화를 해쳤다. 그러나 그는 뚜렷한 정체성을 지니고 자기의 삶을 자기가 설계한 방식으로 살았다. 알츠하이머병에 걸렸음을 밝힘으로써 사람들은 더 이상 그에게 정치적 조언을 구하지 않게 되었다.

레이건은 철학적 자아의 죽음에 의연하게 대처했다. 그의 단화문은 자유의지를 가진 지성적 인간으로서 할 수 있었던 마지막 결단이었다. 지는 해가 만드는 낙조는 일출만큼 눈부시지 않다. 하지만 아름다움으로 치면 낙조가 일출을 능가할 수 있다. 레이건의 마지막을 보면 그런 생각이 든다.

존엄한 죽음

2011년 대한민국에서 태어난 아기는 47만여 명이었다. 같은 기간에 26만 명 정도가 사망했다. 머지않아 신생아와 사망자의 수가 역전될 것이다. 사망자 26만 명 가운데 3천6백 명은 열아홉 살이 되기 전에 죽었다. 한창 일할 나이인 40대 사망자가 2만 명에 가까웠다. 16만여 명은 70세가 넘은 고령자였다. 사망자 열 명 가운데 일곱은 병원이나 요양 병원에서, 두 명은 집에서 마지막 순간을 맞았다. 나머지 한 명이 사망한 장소는 사회복지시설, 도로, 일터 등 병원도 집도 아닌 곳이었다. 아픈 사연이 많은 죽음일 것이다. 통계청 발표에 따르면 2012년 6월에 대한민국 총인구는 5천만 명을 넘어섰다.[32]

사람은 태어나서 자라고, 자식을 낳거나 낳지 않거나 낳지 못한 채 늙고 병들고 죽는다. 세상은 커다란 저수지와 비슷하다. 위에서는 새로운 생명이 유입된다. 아래로는 죽음이 흘러나간다. 그러나 유입

되는 생명과 사라지는 생명은 똑같은 물방울이 아니다. 태어나는 아이들은 그저 새로운 생명일 뿐, 과거의 기억을 가지고 미래의 이상을 보면서 매순간 현재를 산 주체가 아니다. 막 태어난 아기에게는 아직 삶의 스토리가 없다. 살아가면서 만들게 될 것이다. 그러나 죽음의 강을 이루는 물방울들은 모두 저마다의 인생 스토리를 썼던, 세상에서 하나뿐이었던 자아들이다. 자신의 죽음을 분명하게 이해하고 해석하고 미리 준비한 사람이 몇이나 될까? 의식이 꺼지려는 마지막 순간에 그들은 자기의 삶을 어떻게 평가하면서 죽음을 맞이했을까?

사람은 대부분 병에 걸려 죽는다. 압도적 다수가 암, 뇌혈관 질환, 심장 질환, 당뇨병, 폐렴, 고혈압, 간 질환 등의 질병으로 사망한다. 질병 다음은 자살이다. 2011년 한 해 동안 1만 6천여 명, 하루 평균 43명이 스스로 목숨을 끊었다. 남자가 여자보다 두 배 이상 많았다. 교통사고 사망자는 자살자의 절반이 채 되지 않았다.[33] 언론 보도만 보면 사람들이 온통 자살, 범죄, 교통사고, 자연재해, 산업재해로 죽는 것 같지만 그렇지 않다. 언론은 대중의 관심을 먹고살기 때문에 이례적인 죽음을 크게 보도하는 경향이 있다. 일어나지 말아야 하거나 일어나지 않을 수도 있었던 죽음이 사람들의 감정을 크게 흔들기 때문이다. 그러나 사람은 대부분 병에 걸려 죽는다.

죽음은 삶의 모든 국면에서 찾아든다. 열 살도 되기 전에 죽은 아

---

32 대한민국 총인구 수는 2012년 6월 22일, 통계청에서 보도 자료로 발표한 「대한민국 인구 5천만 명」을 참고했다.

33 온라인 간행물 「사망원인통계(전국편) : 2011년」, 통계청, 2012.

기와 어린이들의 경우에는 교통사고, 암, 선천성 장애가 주된 원인이다. 열 살부터 서른아홉 살까지, 몸과 마음이 가장 건강하고 활기찬 인생 황금기의 최대 사망 원인은 자살이다. 10대 사망자는 넷 중 하나, 20대 사망자는 둘 중 하나, 30대 사망자는 셋 중 하나가 자살이었다. 마흔 살이 넘어가면 모든 연령층에서 암이 가장 큰 사망 원인으로 떠오른다. 그래도 40대와 50대는 자살이 여전히 두 번째로 큰 사망 원인이다. 60대가 넘어가면 비로소 암, 뇌혈관 질환, 심장 질환이 3대 사망 원인이 되어 자살이 뒤로 밀려난다. 그러나 이것은 고령층에 질병 사망자가 많아서 그런 것일 뿐, 실제 자살률은 고령층이 가장 높다.

대한민국에서 최근 태어난 남자아이는 평균 78년, 여자아이는 평균 84년을 살 전망이다. 40년 전에는 59세와 66세에 불과했던 '출생 시 기대여명'이 이렇게 늘어난 것이다. 현재 45세가 된 남자는 평균 34년, 여자는 40년을 더 살 것이다.[34] 확률로 볼 때 나는 여든 살 정도까지 살 것 같다. 갈수록 삶이 길어지는 데는 몇 가지 이유가 있다. 무엇보다 소득수준이 높아져 영양 상태가 좋아졌다. 상하수도 보급과 전염병 예방 등 체계적인 공공보건정책 덕분에 전염병 위험이 줄었다. 유해 물질 규제 등 산업보건과 산업안전 강화정책이 산업재해를 줄였다. 교통안전 규제 강화와 운전 문화 향상으로 교통사고 사망자가 줄었다. 그리고 의료 기술이 발전하고 의료인과 의료 기관이 늘어난 것도 하나의 원인이다.

오래 사는 것은 좋은 일인가? 그럴 수 있다. 하지만 꼭 그런 것만은 아니다. 장수長壽는 기회인 동시에 위험이다. 운이 없거나 잘 대비하지 못하면 재앙이 된다. 일정한 조건이 충족되는 경우에만 장수는 축복이 된다. 무엇보다 먼저 삶이 의미가 있고 사는 것이 즐거워야 한다. 장수는 또한 건강해야 축복이 된다. 대한민국 국민의 평균수명은 이미 80세가 넘었지만 건강수명은 그보다 9년이나 짧다.[35] 질병이나 부상 때문에 정상적인 활동을 할 수 없는 기간이 9년이나 된다는 뜻이다. 그 대부분은 노년기의 시간이다. 건강이 나쁘면 행복하게 살기 어렵다. 마지막으로 어느 정도는 돈이 있어야 장수가 축복이 될 수 있다.

사람들은 좋은 삶을 살기 위해 가훈이나 좌우명을 정하고 삶의 지혜를 담은 책을 읽는다. 인생을 성공으로 이끌고 싶어서 이른바 '자기계발서'를 읽는다. 모두들 좋은 삶, 성공하는 인생에 관심을 둔다. 그런데 오직 사는 데만 집중할 뿐, 잘 죽는 법을 알고 품위 있게 세상을 떠날 준비를 하는 데는 별 관심이 없다. 왜 그런 것일까? 아마도 예전에는 죽는 일을 구태여 고민할 필요가 없었기 때문이 아닌가 싶다. 서해안에 포탄이 날아다니고 곳곳에서 살인 사건이 일어나는 것을 보면서 사람들은 삶이 불안하고 세상이 전쟁터 같다고들 한다. 그러나 그것은 어디까지나 주관적인 느낌일 뿐이다.

객관적으로 보면 우리는 지금 일찍이 경험하지 못한 평화와 안전을 누리고 있다. 멀리 갈 것 없이 백여 년 전까지만 시간 여행을 해보

---

34 온라인 간행물 「2010년 생명표」, 통계청, 2011.

35 건강 수명에 대한 자료는 2011년 6월 2일에 보건복지부에서 발표한 정책 자료 「제3차 국민건강증진종합계획(Health Plan 2020)」을 참고했다.

자. 1894년 갑오농민전쟁이 일어났고 연이어 청일전쟁이 터졌다. 이 시기에 농민군은 조선왕조의 관군, 청나라 군대, 일본군과 싸우면서 수십만 명이 죽고 다쳤다. 민중의 삶은 나락에 빠졌다. 그 다음은 일제 강점기였다. 3.1독립운동과 항일무장투쟁, 징용, 징병으로 목숨을 잃은 조선 사람이 헤아릴 수 없이 많았다. 해방 공간의 혼란기에는 여순 사건과 제주 4.3사건 등 이념 대립을 동반한 내전이 벌어졌다. 미군과 중국군이 개입한 한국전쟁은 단기간에 3백만 명이 넘는 피해자를 냈다. 군인도 많았지만 대부분은 어린이와 노인, 여성을 포함한 민간인이었다. 폭격과 학살, 굶주림이 그들을 죽였다.

미국과 중국, 북한이 휴전에 합의한 후에도 평화롭고 안전한 삶은 쉽게 찾아오지 않았다. 국민들은 절대 빈곤에 허덕였다. 대한민국은 지구 행성에서 제일 가난한 나라 중 하나였다. 밀과 옥수수가 남아돌아 골치를 썩이던 미국 행정부는 그것을 바다에 버리는 대신 한국에 주었다. 물론 그저 주기만 한 건 아니고 팔기도 했다. 나는 1966년 경주 계림초등학교에 들어갔는데 학교에 급식소가 있었다. 도시락을 싸오지 못한 형과 누나들이 점심시간에 빈 도시락을 들고 줄을 서서 '강냉이죽'을 배급받았다. 오전 수업을 마치고 집에 가는 길에 그 강냉이죽 냄새에 홀려 걸음을 멈추곤 했다. 수업이 끝난 뒤 교실 청소 당번을 하면 '강냉이빵'이 하나씩 나왔다. 겉은 딱딱하고 속은 말랑했던 그 빵도, 그때는 참 맛이 좋았다.

전쟁이 끝나자 신종 인플루엔자나 말라리아, 콜레라 같은 악성 전염병이 주기적으로 덮쳐와 사람을 무더기로 죽였다. 대한민국 정부는 아직 강력한 공중보건정책을 세우고 집행할 능력이 없었다. 왕조의 몰락, 제국주의 침략과 강점, 해방 후의 사회정치적 혼란, 전쟁, 절대 빈곤의 질긴 사슬에 묶여 있었던 백여 년의 세월 동안 갓 태어난 아이들의 기대여명은 40년을 넘기지 못했다.

그때는 살아남는 것, 그 자체가 삶의 목표이자 인생의 승리였다. 장수는 그 사람이 생존할 능력이 있고 행운의 축복을 받았음을 보여주는 증거였다. 많은 자녀를 낳아 기르고 환갑까지 죽지 않고 살았다는 것은 잔치를 열기에 충분한 이유가 되었다. 반면 죽음은 준비해야 할 그 무엇이 될 수 없었다. 죽음은 합당한 이유도 없이, 본인의 선택과 무관하게 갑자기 찾아드는 것이었다. 죽음이 남기는 것은 가슴 저린 한恨과 애통함, 억울함뿐이었다. 죽음은 피해야 할 재앙일 뿐 미리 준비해야 하는 그 무엇이 될 수 없었다.

이제는 세상이 달라졌고 삶이 바뀌었다. 물론 대한민국은 아직 완전하게 평화로운 나라가 아니다. 전쟁 위험이 여전히 남아 있다. 종종 군인들이 전투를 벌이고 포탄이 날아다닌다. 그러나 두려움에 떠는 사람은 거의 없는 것 같다. 정부와 건설업체들은 서울과 인천, 김포, 고양, 파주 일대에 초고층 신도시와 산업시설을 계속 만들고 있다. 이 지역은 북한의 장사정포 사정거리 안에 있다. 그런데도 택지와 아파트가 분양되고 신도시 아파트로의 입주가 계속 이루어진다. 전쟁 위협을 심각하게 느낀다면 있을 수 없는 일이다.

이제는 살아남는 것, 오래 사는 것 그 자체가 삶의 목표일 수 없는 시대가 왔다. 죽음은 어느 정도 예측할 수 있는 일상적인 사건이 되었다. 사망자의 절대 다수가 노환과 만성 질병으로 서서히 죽는다. 죽음은 무작정 기피해야 할 대상이 아니다. 차분히 생각하고 준비해야 한다. 비천함을 감수하지 않고서는, 생존을 도모할 수 없을 때는 존엄한 삶을 생각하기 어렵다. 죽음이 예측할 수 없는 재앙처럼 다가올 때는 존엄한 죽음을 준비하기 어렵다. 그러나 지금은 존엄한 삶을 추구하는 것과 함께 존엄한 죽음을 준비해야 마땅한 세상이다.

나는 언제 어떤 방식으로 죽음을 마주하게 될까? 알고 싶지만 알 수가 없다. 어떻게 죽는 것이 제일 좋을까? 내가 원하는 방식으로 죽을 수 있을까? 선택하기 어렵고 보장할 수도 없다. 그래도 최대한 소망과 가까운 방식으로 삶과 작별하고 싶다면 미리 준비를 해야 한다. 극단적인 경우를 생각해 보자. 무슨 이유에서든 내가 뇌사 상태에 빠졌다고 가정하자. 나는 의사 결정을 할 수 없다. 누가 대신 결정해주어야 한다. 미리 유언장을 작성하거나 아이들한테 이야기를 해두지 않으면 나는 내 뜻대로 죽을 수 없게 될 것이다. 이런 상황이 실제로 드물지 않게 생긴다.

2008년 2월 연세대병원에서 폐질환 검사를 받던 고령 환자가 의식을 잃었다. 병원 측은 의학적 사망을 막기 위해 할 수 있는 모든 일을 다했다. 인공호흡기를 대고 혈관으로 신진대사를 유지하는 데 필요한 영양을 공급했다. 심장이 멈추면 응급 심폐소생술을 실시해서 다시 살려놓았다. 입원 당시 환자의 나이는 일흔여섯 살이었다. 언론은 이 환자를 가리켜 '김 할머니'라고 보도했다. 이 사례는 우리나라

'존엄사' 논쟁에서 큰 획을 그었기에 오래 기억할 가치가 있다. 정확하게 기록해두자. 그 할머니 성함은 김옥경이다.

환자가 소생할 가능성이 전혀 없다고 판단한 가족들은 연명치료를 중단하라고 병원에 요구했지만 병원은 거부했다. 의사와 병원은 어떤 경우에도 환자의 생명을 지키기 위해 최선을 다할 도덕적 법률적 책무가 있기 때문이다. 여기서 생명이란 생물학적 의학적 개념이다. 심장이 뛰고 호흡이 이어지면 환자는 살아 있는 것이다. 그러나 환자의 자녀들은 달리 생각했다. 그것은 환자의 생명을 살리는 것이 아니라 죽음을 모독하는 행위였다.

그래서 인위적 영양 공급과 응급 심폐소생술 시행을 중단해달라는 가처분 신청서를 법원에 제출하는 한편 인공호흡기를 제거해달라는 본안소송도 냈다. 기나긴 송사 끝에 법원은 가족의 손을 들어주었다. 2009년 5월 21일, 대법원 전원합의체가 인공호흡기 제거를 명한 원심 판결을 만장일치로 확정한 것이다. 이것은 우리 역사에서 법원이 '존엄사'를 인정한 첫 번째 판례가 되었다. 병원은 인공호흡기를 떼어냈다. 그런데 김옥경 할머니는 곧 사망할 것이라던 의료진의 예상을 비웃기라도 하듯 스스로 호흡하며 무려 201일을 견딘 끝에 2010년 1월 10일 마지막 숨을 내쉬었다.[36]

흔히들 이 사건을 '존엄사의 첫 사례'라고 한다. 정확한 표현이 아니다. '법원이 인정한 존엄사의 첫 사례'일 뿐이다. 김옥경 할머니는

---

36 신영호, 「'존엄사 논란' 김옥경 할머니 201일 만에 사망」, 『시사1번지 폴리뉴스』, 2010년 1월 11일자.

스스로 '존엄사'를 선택하지 않았다. 이미 의식을 잃었기 때문에 자신의 생사에 대해 어떤 의사 표시도 할 수 없었다. 평소 고인의 인생관을 잘 아는 자녀들이 대신 결정권을 행사했다. 김옥경 할머니가 만약 스스로 선택할 수 있었다면 똑같은 결정을 할 것이라고 유족들은 판단했다. 법관들도 그랬지만 국민 여론도 대체로 유족들의 결정에 공감했다. 그런데 일부 종교계 인사들은 이 결정이 생명의 존엄성을 해친 것이라고 비판했다. 만약 그대가 김옥경 할머니 또는 그 자녀들과 같은 상황에 봉착한다면 어떤 선택을 하겠는가?

나는 유족의 선택을 지지한다. 생명은 존엄하다. 그러나 죽음 역시 존엄해야 한다. 김옥경 할머니 유족은 생명과 죽음 가운데 죽음을 선택한 것이 아니었다. 그들은 존엄을 선택했을 뿐이다. 이 할머니의 사례를 조금만 바꾸어 생각해보자. '나는 혼자 힘으로는 숨을 쉬지 못한다. 아무것도 먹지 못한다. 손가락 하나 움직이지 못하고 입술 한 번 달싹할 수 없다. 의사들은 인공호흡기와 혈관주사로 내 몸에 산소와 영양을 넣어준다. 심장이 멈추면 전기 충격을 주어서 다시 뛰게 만든다. 그런데 나는 의식이 있다. 무슨 일이 벌어지고 있는지 다 이해한다.' 이렇게 가정하자.

만약 이런 상황이라면 내 선택은 단 1초라도 빨리 떠나는 것이다. 감각은 죽고 의식 혼자 사는 것은 삶이 아니라고 생각한다. 철학적 자아는 감각과 정신, 욕망과 이성의 통일이다. 운동이 멈춘 몸에 존재하는 의식은 아무 의미가 없다. 게다가 연명치료에 드는 비용이 숨을 쉴 때마다 불어날 것이다. 건강보험공단이 지불하는 돈만큼 사회에 재정 부담을 준다.

본인 부담 비용은 내 아이들의 어깨에 지워진다. 남겨줄 재산이 없다면 가족을 괴롭히는, 아주 면목 없는 일이다. 만에 하나 쌓아둔 재산이 많더라도 그 돈을 의미 없는 연명치료에 쓰기보다는 부모 잃은 복지시설의 아동들을 위해 기부하는 편이 훨씬 더 나을 것이라고 생각한다. 게다가 내 자식들은 헛된 희망을 품고 병실 구석에 앉아 귀한 시간을 허비하게 된다. 만약 아내와 아이들에게 미리 이야기를 해두지 않았다면 크게 자책하고 후회할 것이다.

의식이 있어도 그러할진대, 아예 의식 자체가 없다면 말해 무엇하겠는가. 이런 경우 의학적 연명치료는 단순히 의미가 없는 게 아니라 사람을 모욕하고 존엄을 짓밟는 것이라고 생각한다. 김옥경 할머니에 대해 법원이 '존엄사'를 허락했고, 이 결정이 큰 무리 없이 세상에 받아들여진 것은 대다수 사람들이 그렇게 생각하기 때문이었다.

그런데 원칙적으로 볼 때, 죽기 위해서 국가나 사회의 허락을 받을 이유는 없다. 사는 것도 죽는 것도 본질적으로 나의 자유이며 권리이다. 국가는 나를 죽일 권한이 없으며 살라고 명령할 권한도 없다. 타인에게 부당한 피해를 주지 않는 한, 삶에 대해서든 죽음에 대해서든 국가나 사회가 나의 의사 결정에 간섭해서는 안 된다. 자기 방식대로 살고, 자기 방식대로 죽는 것은 만인에게 주어진 자연법적 권리이다. 실제로도 많은 사람들이 법원의 허락을 구하지 않고 스스로 선택한 방식으로 죽는다.

십 년이 넘은 일이다. 가깝게 지내던 어떤 분이 대학 은사의 부고를 받고 크게 상심하는 것을 보았다. 돌아가신 분을 편의상 '김 교수'라고 하자. 정년퇴직을 한 뒤 나름대로 행복한 노후를 보내던 김 교수는 긴 시간에 걸쳐 스스로 목숨을 끊었다. 그를 괴롭힌 것은 뇌혈관 질환이었다. 뇌의 모세혈관이 터진 첫 번째 사고가 심각한 후유증을 남겼다. 그래도 가족과 도우미의 보살핌을 받으면서 스스로 생활할 수는 있었다. 불편해도 자기 손으로 밥을 먹고 화장실에 가고 휠체어에 의지해 바깥나들이도 할 수 있었다. 사람들과 대화를 나누거나 책을 읽을 수도 있었다. 그런데 이 병이 다시 한 번 덮치자 어떤 일상생활도 자기 힘으로는 할 수 없게 되었다. 전신마비 상태로 누워 대소변 가리는 것을 포함해 모든 일을 남의 손에 맡기게 된 것이다. 말도 제대로 하기 어려웠다. 그러나 정신만큼은 변함없이 또렷했다.

김 교수는 어느 날 자녀들을 불러들였다. 앞으로 어떤 치료도 받지 않을 것이며 먹지도 마시지도 않을 것이라고 선언했다. 자녀들과 제자들의 호소도 소용이 없었다. 음식과 물을 전혀 섭취하지 않고 생존할 수 있는 기간은 길어야 보름 정도이다. 이미 건강이 좋지 않은 사람이라면 열흘을 넘기기 어렵다. 김 교수는 그렇게 삶과 작별했다. 이런 방식으로 세상을 떠나는 사람이 얼마나 많은지는 통계가 없어 알 수 없지만 아주 드물지는 않을 것이다.

얼마 전 어느 '유명 인사'도 그렇게 인생을 마무리했다. 1970년대 한미 관계와 미국정치에 엄청난 파문을 일으켰던 소위 '코리아게이트'

의 주인공 김한조 씨였다. 의사들은 91세로 사망한 김한조 씨의 선행사인先行死因을 '위장 기능 약화'로 진단했다. 그는 병원 중환자실에 실려 오기 전에 열흘 넘게 곡기穀氣를 끊었던 것으로 보였다.[37] '코리아게이트'는 1976년 『워싱턴포스트』지誌가 한국 정부의 미국 정관계 인사 매수 사실을 특종 보도하면서 불거졌다. 이 사건의 주역은 나름 성공한 기업인이었던 재미교포 김한조 씨와 박동선 씨였다.

그들은 미국 정부의 고위 관리와 국회의원들에게 거액의 뇌물을 제공했다. 박정희 정권은 미국 행정부가 주한미군 철수 계획을 검토하고 있다는 사실을 파악하고 그것을 취소시키려고 노력했다. 이를 위해 중앙정보부가 두 사람을 로비스트로 내세워 돈을 제공한 것이다. 『워싱턴포스트』지誌의 폭로는 미국정치를 크게 흔들어 놓았다. 하원이 청문회를 여는 등 대대적인 진상 조사를 벌여 뇌물 제공이 사실임을 확인했다. 뿐만 아니라 미국 정보기관이 청와대를 도청했다는 사실도 밝혔다. 한국과 미국이 독립한 주권국가 사이에서라면 있을 수 없는 비정상적 관계를 맺고 있었음이 적나라하게 드러났다.

박동선 씨는 미국 하원 조사위원회 청문회에 나가 증언하는 대가로 형사처분을 면제받았다. 그러나 김한조 씨는 로비활동이 조국의 안보를 지키기 위한 애국 행위였다고 주장하며 증언을 거부, 결국 유죄가 선고되었다. 그 후과는 컸다. 사업이 완전히 망했다. 혼자 빈손으로 귀국한 그는 한국 정부와 국민이 자신의 애국심을 높이 평가해줄

37 「70년대 '코리아게이트' 김한조 씨, 스스로 곡기 끊어 쓸쓸한 말년 마감」, 『경향신문』, 2012년 8월 4일자.

것으로 기대했을 것이다. 하지만 현실은 그렇지 않았다. 박정희 정권이 '코리아게이트'와 관련한 언론의 보도를 철저하게 통제했기 때문에 대한민국 국민 가운데 김한조 씨를 아는 사람이 거의 없었다. 그는 쓸쓸하게 떠났다. 유족은 빈소를 차리지 않았다. 그리고 시신은 화장되었다.

생의 마지막 열흘 동안 곡기를 끊고 누워 있으면서 김한조 씨는 자신의 인생을 돌아보았을 것이다. 그는 과연 어떤 평가를 내렸을까? 사람들은 '코리아게이트'가 그의 인생에서 가장 중요한 사건이었을 것이라고 생각할 것이다. 그러나 그 자신에게는 더 중요하고 의미 있는 다른 일들이 있었을지 모른다. 미국 의회 청문회 증언을 거부하고 유죄를 선고받은 것에 대해 스스로 크게 후회하고 자책했을 수도 있다. 하지만 자신이 진정한 애국자였다는 자부심을 끝까지 견지했을 수도 있다. 그것을 포함하여, 일하고 놀고 사랑하면서 보냈던 자신의 삶이 의미 있고 훌륭했다고 스스로 평가했다면 김한조 씨의 인생은 성공한 것이었다고 나는 생각한다. 알아주는 사람이 있든 없든 상관없다.

나는 '김 교수'와 김한조 씨가 삶을 버리고 죽음을 선택했다고 보지 않는다. 김옥경 할머니의 유족들이 그랬던 것과 마찬가지로 그들이 선택한 것은 죽음이 아니라 존엄이었다. 영원히 지속될 수 없는 인생의 마지막 단계에서 삶의 의미를 찾을 수 없는 나날들이 지속된다면 어떻게 해야 할까?

만약 그런 상황에 직면한다면 나도 내가 원하는 방식으로 삶을 마감할 것이다. 사랑하는 사람들, 추구하던 가치들, 한때는 기쁨과 의미를 주었던 모든 것들과 스스로 선택한 방식으로 작별하는 것은 누구도 막아서는 안 될 자유이며 존엄한 권리라고 나는 믿는다. 남겨줄 재산이 없어도 유언장은 써두는 것이 좋겠다.

자유 의지

그렇다면 제 몸을 스스로 가누지 못하는 삶은 의미가 없는 것일까? 모두가 '김 교수'나 김한조 씨와 같은 상황에 처하면 같은 선택을 해야 하는 것인가? 아니다. 그렇지 않다. 나는 다만, 삶이 의미를 잃었다고 느낄 때 자기가 원하는 방식으로 삶을 떠날 권리가 있음을 인정하자고 했을 뿐이다. 그것은 어디까지나 그 두 사람의 선택이었다. 유일하게 옳은 선택이라고는 말할 수 없다. 누구나 그렇게 해야 하는 것은 결코 아니다. 우리에게는 그런 조건에서도 삶을 이어갈 권리가 있다. 스스로 손가락도 하나 움직이지 못하는 상태에서 끈질기게 삶을 지속하는 사람도 있다. 이론물리학의 대가로 평가받는 스티븐 호킹Stephen William Hawking 박사가 그렇다.

케임브리지대학원에서 우주론 연구를 시작한 스물두 살의 청년 과학자 스티븐 호킹은 언제부터인지 이유도 없이 자꾸만 넘어진다는 사실을 인지했다. 희귀난치성 질병인 루게릭병amyotrophic lateral sclerosis, ALS, 근육위축가쪽경화증이었다. 이 병의 원인은 아직 밝혀지지 않았다. 보통 마흔 살 이후 남자에게 생기며, 환자는 대부분 5년을 넘기지 못하고 죽는다. 루게릭병은 근육운동을 조절하는 신경을 공격한다. 근육위축 증상은 양손의 힘이 빠지는 데서 시작해 팔을 따라 어깨까지 올라가 온몸으로 퍼지는데, 마지막에는 숨을 쉬는 데 필요한 근육까지 위축되어 결국 사망하게 된다. 그런데 호킹 박사는 50년이 넘게 살고 있다. 활발한 연구와 집필활동을 인정받아 서른두 살에 영국왕립학회 역사에서 가장 젊은 회원으로 추대되었고, 2009년까지 케임브리지대학 석좌교수로 재직했다. 우주론과 양자 중력의 연구에 크게 기여했고 대중적인 과학책을 여러 권 저술했다. 특히 『시간의 역사A Brief History of Time』는 런던 『선데이 타임스』지誌 베스트셀러 목록에 237주 동안 오르는 대기록을 세웠다.

호킹 박사는 최첨단 과학기술의 도움을 받았다. 특수한 컴퓨터 프로그램을 활용해 입 웅얼거림, 뺨 근육 움찔거림, 눈 깜박임, 눈동자 초점 이동으로 의사 표시를 했다. 뇌파를 활용해 생각을 읽어내는 장치를 개발하는 미국 의료기 회사의 임상 실험에도 참가했다. 자신의 힘으로 어떻게 해볼 수 없는 최악의 조건에서 나름의 방식으로 삶을 이어간 것이다. 그 동력이 무엇이었을까? 우주의 기원과 역사를 이해하고 우주의 미래를 탐색하려는 지적 호기심, 깨달음의 즐거움, 자기가 알게 된 것을 사람들과 나누는 기쁨. 이런 것들이 그의 삶을 밀고나간 동력이 아니었나 싶다.

호킹 박사만 그런 것이 아니다. 치명적 질병이나 신체마비 증상을 겪으면서도 꿋꿋하게 삶을 이어나가는 사람들이 수없이 많다. 가족들은 환자가 질병을 극복할 수 있도록 보살피고 격려한다. 당사자들은 희망을 품고 고통을 견딘다. 사랑하는 사람들을 볼 수 있고 손을 잡을 수 있고 이야기를 나눌 수 있는 시간을 감사하게 여긴다. 딸 아들의 목소리, 어린 손녀의 웃음소리를 듣는 것만으로도 삶을 이어나가는 데 충분한 의미를 찾는다. 스티븐 호킹이 보여준 불굴의 투병 생활은 그가 매우 유명한 사람이기에 널리 알려졌을 뿐이다.

'김 교수'와 호킹 박사가 서로 다른 선택을 한 것 같지만 그렇지 않다. 그들은 모두 존엄尊嚴, dignity을 지켰다. 삶과 죽음은 다르지만 둘 다 존엄할 수 있다. 사람은 존엄성을 지키기 위해 살기도 하고 죽기도 한다. 그것이 인간이다. 존엄이란 무엇인가? 이 단어의 어원은 라틴어 '디그니타스dignitas'이다. 존엄은 일상 언어생활에서는 존경과 고귀함을 의미한다. 철학적 정치적 학술적인 토론에서는 개념을 명확하게 규정하지 않은 채 사용한다. 존엄성의 의미를 이해하는 데는 철학자 임마누엘 칸트Immanuel Kant의 견해를 길잡이로 삼을 만하다. 칸트에 따르면 존엄한 것은 '가치value'를 따질 수 없다. 어떤 것의 '가치'는 사람들이 가치를 인정하는지, 인정한다면 얼마만큼 높게 평가하는지에 좌우된다.

그러나 '그 자체가 목적인 것'은 가치를 따질 수 없다. 도덕적 차원을 가진 것, 옳은 것과 그른 것 사이의 선택을 나타내는 것만이 그 자체로 목적이 된다. 인간다움humanity, 존엄성dignity이 그런 것이다. 인간 존엄성의 필수 조건은 자유의지free will이다. 살든 죽든, 인간의 존엄은 자신의 행동을 스스로 결정하는 능력과 관련되어 있다.[38]

치료를 거부하고 곡기를 끊어 스스로 삶을 마감한 '김 교수'의 죽음, 손가락 하나 까딱할 수 없는 조건에서도 연구와 집필을 그치지 않는 호킹 박사의 삶, 이 둘 모두 존엄하다고 나는 생각한다. 그 선택의 기초가 바로 당사자의 자유의지이기 때문이다. 자유의지는 자신이 자기 삶의 주인임을 인식하면서 원하는 삶을 스스로 설계하고 그 삶을 자신이 옳다고 생각하는 방식으로 밀고나가는 정신의 태도와 능력이다. 인간의 존엄성은 바로 여기에서 나온다. 철학자 밀의 말처럼, 사람은 누구든지 자신의 삶을 자기 방식대로 살아가는 것이 바람직하다. 그 방식이 최선이어서가 아니라, 자기 방식대로 사는 길이기 때문이다. 어디 사는 것만 그렇겠는가. 죽는 것 역시 자기 방식대로 죽는 것이 바람직하다.

그러나 자유의지가 제멋대로 살고 제 마음대로 죽는 것을 무조건 정당화하지는 않는다. 자유의지를 발현할 때 지켜야 할 규칙 또는 도덕법이 있다. 칸트는 이 규칙을 이성이 내리는 '정언명령定言命令, Kategorische Imperativ'이라 했다. 그는 경험의 도움이 없어도 사람은 이 규칙을 인식할 수 있다고 주장했다. 칸트의 도덕법은 두 가지이다. "첫

38 존엄성에 대한 칸트의 견해는 위키피디아, Immanuel Kant, trans. by Thomas Kingsmill Abbott, 『Fundamental Principles of the Metaphysic of Morals』, 'Second Section: Transition From Popular Moral Philosophy To The Metaphysic Of Morals' 항목에서 요약 재인용했다.

째, 스스로 세운 준칙에 따라 행동하되, 보편적 법칙이 되어야 한다고 주장할 수 있는 준칙이라야 한다." "둘째, 나 자신이든 다른 어떤 사람이든 인간을 절대로 단순한 수단으로 다루지 말고 언제나 한결같이 목적으로 다루도록 행동하라."[39] 존엄한 인간의 자유의지를 옳게 발현하려면 이 두 가지 규칙을 따라야 한다는 것이 칸트의 주장이다.

누군가 스스로 이런 준칙을 세웠다고 하자. "가지고 싶은 것이 있으면 빼앗는다. 저항하면 죽인다." 이 준칙은 보편적 법칙이 될 수 없기 때문에 첫 번째 정언명령에 위배된다. 모두가 이런 준칙을 가지고 행동한다면 세상은 만인이 서로를 죽이고 빼앗는 생지옥이 될 것이다. 강도와 살인이라는 행동이 인간을 수단으로 다루지 말라는 두 번째 정언명령에 위배된다는 것은 말할 나위도 없다. 반면 다른 누군가 이런 준칙을 세웠다고 가정하자. "한겨울 거리에서 추위에 떠는 사람을 보면 외투를 벗어준다." 이것은 첫 번째 정언명령에는 부합한다. 모두가 이 준칙에 따라 행동하면 거리에서 얼어 죽는 사람이 없는 세상이 될 것이다. 그런데 두 번째 정언명령에 맞는지는 아직 확실하지 않다.

여기서 문제는 그런 행동 규범을 세우고 지키는 사람의 동기가 무엇인가 하는 것이다. 만약 사람들의 칭찬을 받기 위해서, 또는 자신의 관대함을 남에게 보이기 위해서 그렇게 한다면 이는 위배된다. 타인을 자기를 돋보이는 수단으로 삼았기 때문이다. 그러나 누가 알아주든 말든, 오로지 그렇게 하는 것이 옳다는 신념에서 했다면 정언명령에 부합한다.

그렇다면 자살은 어떤가. 자살은 칸트의 도덕법에 어긋나는가? 스스로 목숨을 끊는 것을 보편적 법칙이 되는 행동 규범이라고 주장할 수 있는가? 자기 자신과 타인을 수단이 아니라 목적으로 다루면서 자살하는 것이 가능한가? 나는 그렇다고 생각한다. 모든 자살이 그런 것은 아니지만 방법과 동기 모두에서 존엄한 자살도 있을 수 있다고 본다.

사지가 마비된 어떤 사람이 있다고 하자. 그는 삶이 아무 의미가 없다는 결론을 내리고 죽기로 결심했다. 그렇지만 굶어서 죽는 방법은 택하고 싶지 않았다. 굶는 것이 특별히 나쁜 방법이라서가 아니라, 사지가 마비된 사람이 남의 도움을 받지 않고 죽을 수 있는 유일한 방법이었다. 자살할 수 있는 수많은 방법 가운데 오로지 그것만이 허용된다면 강제된 것이나 마찬가지이다. 강제에 굴복하는 죽음은 존엄하지 않다. 그는 그렇게 생각했다. 그가 원하는 방법은 다량의 수면제를 먹고 잠들어 영원히 깨어나지 않는 것이었다. 그런데 문제가 하나 있었다. 누군가 자기에게 수면제를 제공할 경우 형법의 자살방조죄로 처벌받게 된다는 것이었다. 그는 남에게 피해를 주고 싶지 않았다.

가상 상황이 아니다. 그런 남자가 정말 있었다. 그의 주장은 단순했다. '사지가 마비된 삶은 내게 아무 의미가 없다. 나는 자유의지에 따라 내가 원하는 방식으로 삶을 끝내고 싶다. 이것은 국가와 사회가 억압하거나 침해할 수 없는 정당한 권리이다. 내 정당한 권리를 행사할 수 있도록 도와주는 행위 역시 정당하다. 그렇게 하는 사람을 처벌

---

39 마이클 샌델 지음, 이창신 옮김, 『정의란 무엇인가』, 김영사, 2010, 168~169쪽, 171쪽에서 재인용.

하지 마라.' 이 남자는 정부와 의회에 '안락사安樂死'를 허용하라는 입법 청원을 냈다. 법원에 소송을 제기했다. 수많은 종교지도자, 의사, 지식인들과 길고 격렬한 논쟁을 벌였다. 그리고 그를 사랑하게 된 여인이 몰래 가져다준 다량의 수면제를 먹고 자살하는 데 마침내 성공했다. 그의 이름은 라몬 삼페드로Ramón Sampedro, 스페인 남자였다. 그는 『죽음은 내게 주어진 마지막 자유였다』라는 책을 남겼다.

스물다섯 살에 물이 빠진 해변에 떨어져 일곱 번째 경추가 부러지는 사고가 없었다면 라몬 삼페드로는 열정적이고 평범한 삶을 살았을 것이다. 스물두 살 때부터 노르웨이 상선을 타고 세계 마흔아홉 군데 항구를 누볐던 이 청년은 여자 친구와 약혼을 할 것인지 여부를 고민하다가 해변가 바위에서 발을 헛디뎠다. 그리고 정밀검사와 재활치료를 받은 끝에, 죽을 수도 없고 예전의 모습으로 돌아갈 수도 없다는 사실을 확실히 알게 되었다. 라몬 삼페드로는 이때부터 30년 동안 똑같은 하루를 살았다. 침대에 누워 잠을 자고, 침대에서 책과 신문을 읽고, 침대에서 텔레비전을 보고, 침대에 누운 채 찾아온 사람들과 이야기를 나누고, 침대에 누워 창문으로 하늘과 바다를 내다보았다. 라몬은 휠체어 타기를 거부했다. 전신이 마비된 삶은 의미가 없다고 판단했기 때문이다. 그는 오로지 죽기만을 원했지만 물과 음식을 끊지 않았다. 그에게는 그것이 강제된 것이나 마찬가지였기 때문이다.

라몬의 투쟁은 사람들의 마음에 큰 울림을 만들었다. 위로하고 격려하는 편지가 쇄도했다. 교황을 비롯한 세계의 종교지도자들이 자살은 잘못된 선택이라고 설득하는 편지를 보냈다. 저명한 지식인들이

라몬의 생각을 비판하는 칼럼을 썼다. 스페인 정부와 의회, 법원, 인권 재판소는 심리를 회피하면서 대책 없이 시간만 끌거나 다른 기관에 책임을 떠넘겼다. 라몬은 펜을 입에 물고 편지를 쓰고 언론에 기고하였다. 방송에 출연해 자기의 견해를 이야기했다. 1995년 그는 이렇게 쓴 편지와 시, 산문을 한데 묶어 책을 냈다. 여기서 라몬 삼페드로는 자신이 생각하는 삶과 죽음의 의미에 대해 이렇게 말했다.[40]

> 사람이 자기 자신에게 의미를 부여할 수 있고 자신이 자유롭다고 생각한다면 휠체어를 타든 목발을 짚든 지팡이를 짚든 간에 그 삶은 언제나 의미가 있는 것입니다. 그 의미가 사라지면, 그래서 그것을 이성으로 깨닫게 되면 그때가 죽을 때인 거지요. 전 지금처럼 살아가는 시간이 과연 저에게 가치 있는 것인가에 대해 많이, 아주 많이 생각했습니다. 결론은 아니라는 것이었습니다. 저의 고통은 아무 가치가 없고 제 고통의 원인 역시 아무 쓸모가 없는 것이었습니다. 저에게 제때 죽을 수 있는 자유가 있었다면 그 아픔은 인간적인 수준이 될 수 있었을 겁니다. 죽는다는 건 단지 그런 거예요. 태양이 제 기억 속에 가장 아름다운 작별 인사를 새겨두는 것처럼 각자 가지고 있는 좋은 추억을 이 세상과 우리가 사랑한 모든 것에 남겨두는 것, 잠드는 것에 대한 어떤 두려움도 슬픔도 원망도 없이 그저 피곤에 지쳐 고요하고 평온하게 눕는 겁니다. 그러나 죽음을 그렇게 느끼기 위해서는 지나치게 인간적이길 바란다고 할 만큼 굉장히 자유롭고 선해야 하겠지요. 안락

---

40 라몬 삼페드로 지음, 김경주 옮김, 『죽음은 내게 주어진 마지막 자유였다』, 지식의숲, 2006, 62~64쪽.

사, 또는 품위 있게 죽을 권리를 인정하려면 진정으로 인간과 삶을 사랑할 줄 알아야 하고 선의 심오한 의미를 이해할 수 있어야 한다고 생각합니다.

라몬 삼페드로가 죽으려고 한 것은 고통, 절망 또는 분노 때문이 아니었다. 그는 단지 사지마비 장애인으로 살고 싶지 않다고 생각했을 뿐이다. 사지마비 장애는 자유를 박탈했다. 라몬은 자유 없는 삶은 존엄성에 대한 모욕이라고 느꼈다. 그는 자신의 결정이 칸트의 도덕법에 어긋난다고 생각하지 않았다. 신성한 것은 삶 그 자체가 아니라 삶의 존엄성이며 자유로운 판단에 따라 삶과 죽음을 선택할 수 있는 인간의 권리라고 생각했다. 삶의 의미는 살고 사랑하고 죽을 자유에서 비롯된다. 인간은 도덕과 법률의 권위를 유지하는 수단이 되어서는 안 된다. 신의 뜻을 구현하는 도구로 사용되어서는 안 된다. 그는 그렇게 믿었다.

라몬 삼페드로의 삶을 지배한 감정은 기쁨과 고통, 그리고 두려움이었다. 그는 기쁨을 잃었으며 다시는 되찾을 수 없다고 판단했다. 두려움은 삶의 의미를 천착하는 사유 과정을 통해 극복했다. 그는 죽음을 두려워하지 않았다. 그러나 자유를 잃은 고통은 살아 있는 한 결코 벗어날 수 없었다. 그는 이 고통에서 벗어나려고 했다. 자살은 라몬 자신의 의지에 따라 세운 규범이었다. 이것이 보편적 법칙이 될 수 있을까? 그렇지는 않다. 호킹 박사는 라몬보다 더 심한 전신마비 장애를 얻었지만 씩씩하게 살고 있다. 그렇다면 라몬은 왜 자신의 규범이 보편적 법칙이 될 수 있다고 생각한 것일까? 그것은 라몬이 감각을 매우 중요하게 여기는 사람이었기 때문이다. 우주의 기원과 운행 법칙에 대한 연구에서 삶의 기쁨을 얻은 호킹과는 달리 라몬은 사랑에서 기쁨을 찾는 사람이었다. 그에게는 육체의 감각이 너무나 중요했다. 감각이 없이는 사랑을 느끼고 표현할 수 없다. 사랑하지 못하는 삶에는 기쁨이 있을 수 없다고 생각한 것이다.

라몬은 자기를 존중하고 돌봐주는 사람들을 만지거나 손을 잡을 수 없었다. 머리로만 원할 뿐 사랑하는 여인에게 그 사랑을 표현할 수 없었다. 그 여인은 키스만으로, 그가 존재한다는 자체만으로 충분하다고 했지만, 그는 그녀가 예전에 하던 사랑을 그리워하고 있다는 것을 알고 있었다. 몸을 통하지 않으면, 성性적으로 느끼지 못하면, 사랑을 느낄 수 없다고 생각했다. 라몬은 그 여인을 품에 안아 느끼고 싶었지만 손으로 만질 수조차 없었다. 빗소리를 들을 수는 있었지만 몸에 흐르는 빗물은 느낄 수 없었다. 사랑을 머리로 알 수는 있지만 몸으로 느낄 수는 없는 삶, 라몬에게 그것은 지옥이었다.[41] 그는 지옥을 떠나 자유를 얻고 싶었다.

사지가 마비되면 자살한다는 준칙은 보편적 법칙이 될 수 없다. 그러나 라몬 삼페드로의 준칙은 그것이 아니었다. 라몬이 제안한 준칙은 "기쁨이 완전히 사라지고 오로지 벗어날 수 없는 고통만 남은 상황에서, 그 고통을 견디면서 삶을 이어나가는 데 스스로 아무 의미도 부여할 수 없다면, 그 사람이 자유의지에 따라 죽을 권리를 인정해주

---

41 라몬 삼페드로 지음, 김경주 옮김, 『죽음은 내게 주어진 마지막 자유였다』, 지식의숲, 2006, 316~319쪽.

자."는 것이었다. 나는 이것이 스티븐 호킹과 라몬 삼페드로 둘 모두가 받아들일 수 있는 준칙이라고 생각한다.

라몬 삼페드로가 남긴 글을 읽으면서 육체, 욕망, 충동이 가지는 의미를 다시 보게 되었다. 사랑의 의미, 감각과 이성의 관계에 대해서도 예전과 달리 해석하게 되었다. 우리는 많은 것들로 삶을 채운다. 그런 것에서 삶의 의미를 발견한다. 일, 놀이, 사랑, 이념, 지식, 돈, 명예, 권력…. 무엇이든 기쁨의 원천이 될 수 있고 삶의 의미가 될 수 있다. 그러나 그런 것 자체보다 더 중요한 것은 그것이 내 삶에 주는 기쁨과 의미를 아는 것이라는 생각이 들었다. '당신은 무엇으로 인생을 채우고 있는가? 그것이 당신의 삶에 충분한 의미를 부여하는가? 살아 있는 순간마다 당신은 기쁨을 느끼는가?' 라몬 삼페드로가 이렇게 묻는 것만 같다.

제3장

놀고 일하고 사랑하고 연대하라

나는 이렇게 외치고 싶다.
“연대하는 자에게 복이 있나니,
지금 이곳의 행복이 그들의 것이리라!”

쓸모 있는 사람 되기

몇 해 전 일이다. 경찰을 정년퇴직한 사람이 형사사건 수사 실무 방법론에 대한 책을 냈다는 신문 기사가 났다. 어찌 보면 신간 소개이고 달리 보면 미담 기사 같은데, 사진 속의 그 전직 경찰관은 인자한 미소를 짓고 있었다. 그런데 얼굴도 이름도 어쩐지 처음 보는 것 같지 않았다. 기자에게 전화를 걸었다. 어떤 사람인지 잘 알면서 썼는지 물어보았더니 친구 아버지라 별 생각 없이 기사를 썼다고 했다. '그래, 그럼 그렇지. 사람 사는 게 다 그렇게 연줄연줄 엮어서 가는 거야. 그런데 그 사람이 수사 실무 방법론에 대해 무슨 할 이야기가 있나 모르겠네.' 그런 생각이 들었다.

긴 세월이 흘렀지만 이름도 얼굴도 잊지 않았다. 그가 행동으로 보여준 형사사건 수사 실무 방법론은 별 게 없었다. 피의자가 들어오면 일단 엎어놓고 두어 시간 몽둥이로 발바닥을 팬다. '다 불어!'를 외치면서. 이것이 '기본 사양'이다. 십 원짜리 백 원짜리 19금禁 욕설을 붙이는 건 '옵션'이다. 상부의 요구에 맞는 수사 결과를 만들려면 자백을 받아야 한다. 피의자의 범죄행위 부인이 무죄의 증거가 될 수 없는 것과 마찬가지 이유에서, 피의자 자백도 그것만으로는 유죄의 증거가 될 수 없다는 것이 법 상식이다. 그러나 그에게는 그런 상식이 통하지 않는다. 끝내 자백하지 않으면 최후의 수단을 동원한다. "그래, 네가 그 돈을 받지 않았다는 거, 나도 알아. 넌 돈 받고 데모할 놈이 아니야. 그렇지만 넌 어차피 자백해야 해. 네 선배나 유명한 정치인, 교수들은 그거보다 훨씬 큰 것도 다 인정하고 나갔어. 더 맞고 쓰든지 이 정도로 그만 맞고 쓰든지, 어쨌든 안 쓰면 못 나가. 너를 위해서 하는 말인데, 억울한 거 알아. 나도 마음이 아파. 우리도 힘들어. 그냥 불러주는 대로 쓰고 가라, 응." 이러는데 뭘 더 어쩌겠는가.

사실 나는 한낱 잔챙이에 지나지 않았다. 그들의 최종 표적은 야당 정치지도자 김대중 씨였다. '김대중이 복학생들한테 돈을 주어 대학생 시위를 배후 조종했다. 김대중은 북한 간첩들과 관계가 있다. 북에서 온 공작금이 일본에서 활동하는 간첩을 통해 김대중에게 갔다. 김대중은 소요 사태를 일으켜 국가를 전복하고 정권을 탈취하려고 했다.' 전두환 일파는 이런 시나리오를 만들었다. 이것을 그럴 듯하게 보이게 하려면 누군가 김대중에게서 돈을 받아 서울대 총학생회장 심재철에게 주었어야만 했다. 만약 그렇다면 심재철은 그 돈을 다른 학생회 간부들에게 나누어주었어야만 했다. 그들은 뒤늦게 붙잡혀 온 심재철을 고문해서 허위 자백을 받았다. 나도 그에 맞게 허위 진술을 해야만 했다. 결국 나는 50만 원을 받았다는 진술서를 썼다. 그것이 어떤 돈인지는 몰랐다고 썼지만, 허위 진술을 한 것 때문에 마음이 참담하고 부끄러웠다. 나중에 재판을 받을 때는 진실을 말해야 한다고 생각했다. 그런데 군검찰관은 그것을 무시해버렸다. 전체적으로 액수가 맞지 않아 돈 문제를 공소장에 넣지 못한 것이다. 그 전직 경찰관의 형사 수사 실무 방법론은 대충 그런 것이었다.

1980년 5월 17일 밤 학교에서 붙잡힌 뒤 두 달을 그렇게 보냈다. 나는 실종된 것이나 마찬가지였다. 가족들은 내가 체포되었는지 여부조차 확인하지 못했다. 어디에 있는지는 물론 몰랐다. 그곳은 계엄사 합동수사본부에 편입된 경찰청 특수수사대 5국이었다. 국장의 계급은 경감, 억센 부산 사투리를 썼다. 전두환을 '우리 대장'이라고 불렀고, 나더러 경상도 놈이 데모를 했다고 타박하면서 한 대 더 쥐어박곤 했다. 원래는 마약과 밀수 범죄 수사를 담당했던 경찰청 특수수사대는 서울 서대문 미동초등학교 근처 붉은색 벽돌 건물에 있었다. 옛날에는 전매청이 있었던 곳이다. 감시 업무는 청와대 경호를 하던 33헌병대 소속 군인들이 했다. 그들은 대검을 장착한 소총을 든 채 쩌렁쩌렁 울리는 금속 링을 바짓단 아래에 차고 다녔다. 아침에는 등교하는 아이들이 재잘대는 소리가 담벼락 너머에서 들렸다. 5국에는 방이 여섯 개 있었고 방마다 한 사람씩 갇혀 있었다. 하루 세끼 빠짐없이 아욱된장국이 나왔던 것이 기억난다.

신문에 기고를 해서 그가 한 '형사사건 수사 실무'의 실제 모습을 폭로해버릴까 잠시 고민하다 그만두었다. 웃고 넘어가기로 했다. 악연도 인연 아닌가. 책을 낸 것도 그 사람다운 일이다. '글 잘 쓰는 것을 유난히 부러워했지. 악연으로 맺어졌지만 나에게는 은인이었는지도 몰라.' 그렇게 그를 용서했다. 나는 맞지 않으려고 맹렬하게 글을 썼다. 진술서를 쓰는 동안만큼은 때리지 않았기 때문이다. 맞는 게 정말 괴로웠다. 수사관들만 팬 것이 아니다. 무술 유단자라는 헌병들도 '군기'를 잡는다면서 근무자가 바뀔 때마다 팼다. 수사관은 몽둥이로 팼지만 헌병은 손과 발로 팼다. 체육관 천장에 매달린 샌드백이나 격파 시범용 송판이 된 기분이었다. 잠시라도 매를 피하려면 진술서를 써야 했다. 하루에 백 장을 쓰기도 했다.

어느 날 경감이 부하들에게 내 자술서를 큰 소리로 읽어주며 감탄사를 연발했다. "이야, 이거 정말 잘 썼다 아이가? 데모하는 장면이 눈에 고대로 생생하게 다 보인다카이! 글을 쓴다카모 이래 써야지!" 그러면서 내 뒤통수를 손바닥으로 탁 쳤다. 서울대 총학생회 주요 간부 가운데 초장에 붙잡힌 게 나밖에 없었다. 나는 학생 시위와 관련하여 이미 공개되었거나 어차피 알려질 수밖에 없는 일들을 세세하게 진술했다. 반년 후 소위 '무림사건'으로 다 들통이 났던 서울대 학생운동 비밀조직 관련 사항은 일체 말하지 않았다. 총학생회장단 연석회의를 한 신촌로터리 근처 중국 음식점 인테리어부터 서울역 집회 피켓과 플래카드 글씨 모양까지 기억할 수 있는 세부 사항을 모두 불러냈다. "맞으면 다 기억나. 기억나게 해줄까?" 그렇게 말한 그들이 옳았다. 온갖 소소한 것이 다 기억났다. 그래도 모르는 것은 적당히 꾸며댔다. 별 가치는 없었지만 밀수범과 마약사범을 단속하던 경찰관들에게는 모두가 새로운 정보처럼 보였을 것이다. 그때 내가 혹독한 스파르타식 글쓰기 훈련을 했다는 것을 세월이 한참 흐른 뒤에야 깨달았다.

'먹물'은 읽을거리를 먹고산다. 그런데도 합수부 조사실에는 읽을 것이 없었다. 헌병의 감시를 받으며 벽을 보고 정좌한 채 꼼짝하지 않고 시간을 보내는 것은 녹록지 않은 고역이었다. 그때 구세주가 나타났다. 출판 일을 하던 김학민 선배가 옆방에 있었는데, 누군가 책을 한 보따리 들고 그를 면회하겠다고 온 것이다. 한길사 김언호 사장이었다고 들었다. 실로 대단한 능력을 가진 분이었다. 어떻게 알고 왔는지, 도대체 무슨 배짱으로 그 살벌한 곳을 방문할 생각을 했는지 모를 일이다. 그런데 한 권을 제외하고 다른 책은 모두 거부되었다. 그 딱 한 권이 바로 문익환 목사님이 참여해서 만든, 크고 두꺼운 양장본 『공동번역 성서』였다. '범죄자 교화'를 위해 그것만 예외적으로 허용한 것이다.

우리 여섯 사람은 『공동번역 성서』를 여섯 꼭지로 분책해 나이순으로 골라잡았다. 막내였던 내게 맨 처음 온 것은 구약 「시편」이었다. 「출애굽기」와 「신약」, 「외경」 순으로 인기가 있었다. 나는 「시편」에서 시작해 이스라엘 민족이 광야를 헤매던 시절 생활사를 담은 「신명기」, 「판관기」 등을 거쳐 맨 마지막에 「출애굽기」를 읽었다. 『공동번역 성서』는 그 자체가 하나의 위대한 문학 작품이다. 역사소설이자 위인전이며 대하 서사시인 동시에 잠언집이다. 게다가 곱고 단정한 우리말로 씌어져 있다. 기독교 성서는 그 후에도 여러 번 읽었지만 그때만큼 집중해서 읽고 또 읽은 적은 없었다. 이 기간에 아는 어휘가 크게 늘었다.

나는 문학청년이었던 적이 없다. 그런데도 글쓰기가 직업이 되었다. 나는 계엄사 합수부 조사실에서 태어난 글쟁이라고 할 수 있다. 내게 글 쓰는 재능이 있다는 것을 그때 처음 알았다. 몇 년 후 영등포구치소에서 「항소이유서」를 쓴 것이 또 다른 계기였다. 제1세대 인권변호사 대표 인물이었던 이돈명 변호사가, 먹지를 끼운 미농지 넉 장을 겹쳐놓고 잉크 없는 볼펜으로 꾹꾹 눌러서 썼던 원고지 백 매 분량의 그 「항소이유서」를 혼자 보기 아깝다며 큰누이에게 주었다. 큰누이는 그걸 들고 을지로 뒷골목에 가서 '청타 마스터' 인쇄를 해 법원 기자실에 돌렸다.

점심을 먹고 들어와서 무심코 그것을 읽은 황호택 기자에게 내 마음이 전해졌다. 그는 단단히 작심을 하고 데스크를 설득해 『동아일보』 사회면에 조그만 박스 기사를 냈다. 「항소이유서」는 그렇게 해서 세상에 알려졌다. 그 글이 몇 부나 복사되어 돌아다녔는지 아무도 모른다. 『월간조선』이 허락은커녕 사전 연락도 없이, 전두환정권을 대놓고 비난한 대목을 중심으로 3분의 1 정도 삭제한 「항소이유서」를 게재했다. 그때는 『동아일보』와 『월간조선』 기자들도 언론 자유와 민주주의를 위해 열심히 고민하며 싸우던 시절이었다.

징역 1년을 채우고 나오자 선배들이 수시로 나를 불러 성명서 쓰는 일을 주었다. 밤에 임무를 주면서 다음 날 아침 일곱 시에 초안을 달라고 하는 식이었다. 자료를 검토하고 초스피드로 성명서를 썼다. 그때마다 칭찬을 듬뿍 받곤 했다. 1987년 6월 민주항쟁이 일어나기까지, 어떤 조직에 몸을 담은 내 임무는 성명서를 쓰고 유인물을 찍고 팸플릿과 홍보 책자를 제작하고 신문을 만드는 것이었다. 기사를 쓰고 만평을 직접 그리기도 했다. 유인물 제작비를 자체 조달해야 했기 때문에 여러 잡지에 가짜 이름으로 기고를 했다. 나를 아낀 어떤 피디 선생님의 고마운 배려 덕분에 역시 가짜 이름으로 8부작 텔레비전 멜로드라마 각본을 써서 제법 큰돈을 받기도 했다. 남의 글을 대필한 적도 있다. 한마디로, 글을 써서 돈이 되는 건 뭐든지 다 했다.

글쓰기에도 재능이 필요하다. 그러나 타고난 재능이 있다고 해서 저절로 글을 잘 쓰는 것은 아니다. 연습과 훈련을 해야 한다. 스릴러 작가로 세계적 명성을 얻은 스티븐 킹은 초등학생 시절부터 글을 쓰면서 놀았다. 선생님들을 놀려먹는 글을 쓰거나 극장에서 본 공포영화를 소설로 만들어 친구들에게 팔았다가 징계를 먹기도 했다.[42] 우리나라의 유명한 소설가 중에는 어린 시절에 좋아하는 소설을 필사하면서 글쓰기 훈련을 한 사람이 많다. 자꾸 글을 쓰는 임무를 받게 되자 나도 나름의 훈련법을 개발했다.

글을 잘 쓰려면 어휘를 많이 알아야 한다. 나는 박경리 선생의 『토지』 1부를 다섯 번 넘게 읽었다. 조정래 선생의 『태백산맥』과 황석영 선생의 『장길산』도 여러 번 읽었다. 어휘가 풍부하고 문장이 아름다운 문학 작품을 반복해서 읽는 것은 베껴 쓰기 못지않게 어휘를 늘리는 데 도움이 된다. 또 다른 훈련법은 작은 수첩을 지니고 다니면서 끊임없이 메모하는 것이었다. 공안당국의 눈을 피해 '동지'들과 '접선'하다 보면 대중교통을 이용해 이동하거나 '접선 장소' 근처에서 상황을 살피며 기다리는 시간이 많았다. 그럴 때 수첩에 무엇이든 눈에 보이는 것을 묘사하거나 머리를 스쳐가는 상념들을 붙잡아 메모했다. 성매매와 자본주의 체제의 관계에 대해 짧은 에세이를 쓴 기억이 난다. 황석영의 『장길산』과 이문열의 『영웅시대』를 비교하는 평론을 쓴 적도 있었다. 찻집 건너편 테이블에서 누군가를 기다리며 혼자 밖을 내다보는 젊은 여성의 옷차림과 이목구비를 세세하게 묘사하기도 했다. 짧은 시간에 신속하게 글을 쓰는 능력을 기르는 데 큰 도움이 되었다. '보안 유지'를 위해 그때그때 태워 없애버린 게 아깝다는 생각이 든다.

내가 쓴 책 가운데 제일 많이 팔린 것이 『거꾸로 읽는 세계사』였다. 이 책은 재미있게 읽었던 여러 현대사 책을 '다이제스트'한 것이다. 1987년 6월 민주항쟁 기간에 낮에는 명동에서 시위를 하고 밤이면 구로공단 근처 독산동 자취방에서 글을 썼다. 최루탄 분말 때문에 물집이 잡힌 목덜미를 물 적신 수건으로 덮고 앉아 새벽까지 썼다. 을지로에서 유인물을 찍어 나오다가 들켜 경찰 수배가 떨어지는 바람에 은평구 신사동 연립주택 반지하방으로 거처를 옮긴 후에는 밤낮으로 썼다. 남의 책들을 발췌 요약한 보잘것없는 것이었지만, 이 책이 잘 팔린 덕분에 관악구 신림동 산비탈에 조그만 전셋집을 얻어 장가를 들었다. 독일 유학도 갈 수 있었다. 한번도 꿈꾸어 본 적이 없었던 글쟁이가 되었으니, 인생은 역시 계획대로 되는 것만은 아니다.

---

42 스티븐 킹 지음, 김진준 옮김, 『유혹하는 글쓰기』, 김영사, 2002.

'폐 끼치지 말고 살자.' 이것이 내 좌우명이다. 남들에게, 사회에 폐를 끼치지 않고 살려면 '쓸모 있는 사람'이 되어야 한다. 착한 사람, 훌륭한 사람이 되는 것이 중요하지만 기본은 '쓸모 있는 사람'이다. 사람이 밥만 먹고 살 수는 없다. 그러나 어떻게 하든 밥을 먹기는 먹어야 한다. 밥을 먹으려면 어디엔가 쓸모가 있는 기능을 가져야 한다. 분업 사회에서는 다른 방법이 없다. 스스로 밥벌이를 하는 것은 매우 중요하다. 생계를 타인의 자비심에 의존하면 존엄한 삶을 살기 어렵기 때문이다. 나는 '운동권'에서 쓸모 있는 사람이 되려고 애쓰다가 글쓰기로 밥을 먹는 사람이 되었다.

나는 글을 쓴다. 이것이 내 일이다. 내게 글쓰기는 단순한 생업이 아니다. 글을 써서 내 생각과 내가 가진 정보를 남들과 나누는 행위 그 자체가 즐겁고 기쁘다. 글쓰기는 그런 면에서 놀이이기도 하다. 그런데 일이든 놀이든, 이것이 제대로 의미를 가지려면 내가 쓰는 글이 쓸모가 있어야 한다. 독자가 공감하고 재미를 느낄 수 있어야 한다. 혹시라도 누군가 내 글에서 재미에 덧붙여 깨달음이나 감동까지 얻는다면 더 바랄 게 없을 것이다. 내가 쓴 글이 널리 읽히고 책이 많이 팔리면 기쁘다. 쓸모 있는 글을 쓰는 쓸모 있는 사람이 된 것 같은 느낌이 든다.

물론 쓸모와 훌륭함은 다르다. 많이 팔리는 책이 꼭 훌륭한 책이라고 할 수는 없다. 내가 쓴 책들 중에도 내가 더 훌륭하다고 생각하는 게 그렇지 않은 책보다 덜 팔렸다. 마찬가지로 쓸모 있는 사람으로 인정받는다고 해서 훌륭한 사람인 것은 아니다. 훌륭함, 존엄, 품격이란 자신의 내면에 있는 가치이고 쓸모는 시장에서 이루어지는 타인의 상대적 가치 평가이다. 나는 많이 읽히는 동시에 훌륭한 책을 쓰고 싶다. 그러려면 끊임없이 읽고, 배우고, 느끼고, 생각하고 써야 한다. 그렇게 열심히 하면 훌륭한 글쟁이는 못되더라도 최소한 쓸모 있는 글쟁이로 남을 수 있을지 모른다.

즐거운 일을 잘하는 것

사회생활을 하고 돈을 벌어 생계를 이어가려면 꾸준히 일을 해야 한다. 억만장자의 자식이라면, 부모가 허락할 경우 돈벌이를 전혀 하지 않고도 호의호식할 수 있다. 그러나 아무 직업도 없이 놀기만 하면 스스로 자부심을 가지기도 어렵고 남들에게 인정받기도 힘들다. 놀이는 삶의 위대한 영역 가운데 하나이지만 놀이만으로는 삶을 의미로 채울 수 없다. 일할 능력이 있으면 누구나 직업을 가지고 일을 해야 한다.

세상에는 수많은 직업이 있다. 그 모든 직업은 사회에 필요하기 때문에 생겼다. 아무도 원하지 않는 무엇을 만드는 것은 취미활동이 될 수는 있겠지만 직업은 아니다. 그런 일을 해서는 돈을 벌 수 없다. 사회에 필요하다는 점에서 모든 직업은 저마다 가치가 있다. 그래서 직업은 귀천貴賤이 없다고 한다. 정말 그럴까? 그래야 하지만, 현실은 그렇지 않다. 나는 이 말이 규범적 역설逆說이라고 생각한다. 사람들은 사실 직업에 귀천이 있다고 생각한다. 그런데 이런 생각은 바람직하지 않다는 것을 안다. 우선 귀천을 구분하는 기준이 분명하지 않다. 자본주의 사회에서는 돈을 많이 버는 직업을 높이 평가하는 경향이 있다. 그러나 돈을 많이 번다고 고귀한 건 아니다. 손님이 홍청대는 룸살롱 사장이 박봉을 받는 어린이집 보육 교사보다 더 귀한 직업이라고 한다면 고개를 끄덕일 사람이 별로 없을 것이다. 돈이 아닌 다른 잣대를 써도 직업의 귀천을 나누기는 어렵다. 그런데도 굳이 귀천을 나누면 귀하지 않은 쪽으로 분류된 직업에 종사하는 사람의 존엄성을 부당하게 해치게 된다. 그러니 적어도 사회에 필요해서 생긴 모든 직업은 똑같이 귀하게 여기자는 것이다. 인기가 있는 직업과 그렇지 않은 직업이 있는 것은 어쩔 수 없지만, 직업에 귀천이 없다는 말은 받아들이는 것이 옳다고 본다.

자본주의 사회에서는 돈이 최고로 통한다. 웬만한 건 다 돈으로 살 수 있다. 그렇지만 돈으로 무엇이든 살 수 있는 건 아니다. 돈으로 행복을 사지는 못한다. 그러나 돈이 아주 없으면 행복해지기 어려운 것도 사실이다. 배부른 돼지와 배고픈 소크라테스를 비교하지 말자. 철학자는 그 자체로 훌륭한 것이지 돼지와 비교해서 훌륭한 게 아니다. 배가 고파야만 철학을 할 수 있는 것도 아니다. 게다가 아무리 잘난 철학자도 먹지 않고는 철학을 할 수 없다. 가만히 앉아 숨만 쉬는데도 에너지가 소모된다. 철학을 하느라 머리를 쓰면 에너지 소모는 더 많아진다. 철학자도 인간인지라 손수 에너지를 만들지 못한다. 다른 생물이 만든 에너지를 얻어와야 철학을 할 수 있다. 자기가 쓸 에너지를 직접 만드는 건 식물뿐이다. 채식만 하든, 육식만 하든, 아니면 잡식을 하든, 사람은 뭐든 먹어야 산다.

생명활동의 기본은 '먹이활동'이다. 인간이라고 예외가 될 수는 없다. 그런데 분업 사회에서는 자기 손으로 이 문제를 해결할 수 없다. 누구도 자기가 먹는 모든 것을 직접 다 생산하지 못한다. 농민들조차 남이 만든 씨앗과 비료, 농약, 농기구를 써야 농사를 지을 수 있다. 자기가 생산하지 않은 곡식과 채소, 고기, 생선, 과일을 사 먹어야 한다. 이렇게 하려면 자기가 생산한 것을 남에게 팔아야 한다. 제조업과 서비스업 종사자는 말할 필요도 없다. '먹이활동' 또는 '보급 투쟁'에 성공하려면 남에게 무엇인가 유용한 것을 주어야 한다. 기업에 취직해 노동력을 제공하든지, 아니면 자기가 사업을 해서 고객이 원하는 재화나 서비스를 제공해야 한다. 어떤 일을 지속적으로 해서 안정적으로 화폐를 획득할 때, 우리는 그 일을 직업이라고 한다.

대한민국 국민들은 도대체 어떤 일을 하며 살까? 세상에는 직업이 몇 가지나 있을까? 2012년 6월 대한민국 인구는 5천만 명이 되었다. 15세 이상 65세 미만인 '생산가능인구'는 4,156만 명이다. 그중에서 '경제활동인구'는 2,594만 명이고 나머지 1,562만 명은 '비경제활동인구'로 분류된다.[43] 비경제활동인구는 일을 할 능력이 없거나, 능력이 있어도 직업을 가질 의사가 없거나, 여러 형편 때문에 직업을 가지지 않는 사람이다. 경제활동인구는 직업을 가질 의사가 있는 사람이다. 일자리가 있으면 취업자, 마음은 있지만 일자리를 구하지 못하면 실업자

로 분류된다. 2012년 6월 현재 취업자는 2,512만 명, 실업자는 82만 명이었다.[44]

2,512만 명의 취업자는 어떤 일을 할까? 전체 취업자를 산업별로 나누면 농림어업 7%, 제조업 16%이다. 생각보다 많지 않다. 건설업은 7%이다. 농업과 제조업 종사자 비율은 꾸준히 감소했지만 건설업은 큰 변화가 없었다. 도소매업이 15%이고 운수업은 5.5%이며 숙박·음식점업은 7.5%이다. 출판·영상·방송통신·정보 서비스 등 정보 생산과 유통 산업이 2.8%, 금융과 보험업을 합쳐 3.4%이다. 부동산 거래와 임대사업은 2%, 과학기술 서비스업 4%, 사업시설 관리와 사업지원 서비스업 4.5%이다. 공공행정·국방·사회보장 행정은 4%이고, 교육 서비스업은 7%이다. 보건업과 사회복지 서비스업은 6%이다. 예술·스포츠·여가 관련 서비스업은 1.7%이다. 프로 스포츠 스타와 영화배우, 개그맨, 탤런트, 영화감독, 사진작가들이 여기 들어간다. 그밖에 협회, 수리, 기타 개인 서비스업 1%, 그리고 비중이 매우 작거나 분류하기가 곤란한 나머지를 모두 묶은 '기타'가 1.4%이다.

이것은 직업이 아니라 산업별 종사자의 비율일 뿐이다. 모든 산업에는 자본가가 있다. 자본가는 생산 설비를 소유한 사람이다. 생산활동을 지휘하는 사람을 경영자라고 한다. 자본가와 경영자가 같은 사람일 수도 있고 아닐 수도 있다. 큰 회사에는 사장만 있는 게 아니라

---

43 경제활동인구에 대한 자료는 통계청에서 조사 집계한 「경제활동인구 총괄」 2012년 6월 자료를 참고했다.

44 고용 동향에 대한 자료는 통계청에서 조사 집계한 「2012년 6월 고용 동향」 자료를 참고했다.

전무와 상무를 비롯한 임원들이 있으며, 임원은 아니지만 다른 직원을 지휘하는 관리자가 있다. 단순한 업무를 맡는 사람이 있는가 하면 특별한 전문 기능을 보유한 기술자도 있다. 같은 산업에 종사하는 사람도 그 지위와 하는 일의 성격, 급여, 근로 조건은 천차만별이다.

우리나라에는 직업이 11,655개 있다.[45] 직업의 종류는 해마다 수백 개씩 늘어난다. 사라지는 것은 적고 새로 생기는 것은 훨씬 많다. 직업이 이렇게 많은 것은 사회적 기술적 분업 때문이다. 시장이 클수록 분업은 더 넓고 깊게 이루어진다. 분업이 발전할수록 직업은 더 많아진다. 인구가 늘고, 소득 수준이 높아지고, 국내외 교역이 증가할수록 직업의 종류가 늘어난다. 그래서 일본은 직업의 종류가 우리나라보다 두 배 많다. 미국은 세 배가 넘는다. 직업의 수는 분류 기준에 따라 달라진다. 기준이 상세할수록 직업 수가 많아진다.

민주주의 사회는 직업 선택의 자유를 보장한다. 그러나 이것은 어디까지나 자유일 뿐 권리가 아니다. 어떤 직업을 원할 수는 있지만 원한다고 해서 다 그 직업을 가질 수는 없다. 사람은 다 다르지만 완전히 다르지는 않다. 그래서 어떤 직업은 많은 사람이 원하고 다른 직업은 원하는 사람이 적다. 사람들은 어떤 직업을 원할까? 그저 적게 일하고 돈을 많이 버는 일만을 원할까? 그런 것 같지는 않다. 돈이 인생의 전부가 아니며, 일이 오로지 돈을 벌기 위해 하는 것만은 아니기 때문이다. 직장을 잃는다는 것, 새로운 직장을 찾지 못한다는 것은 그저 생계유지 수단을 상실하는 것만을 의미하지 않는다. 그것은 인간적 자존감과 삶의 의미를 파괴한다. 그러나 직장이 있고 생계를 유지할 수 있다고 해서 마냥 행복을 느낄 수 있는 것 역시 아니다. 사람들은 직업에서 돈만이 아니라 심리적 만족을 추구하며 인간적 존엄과 품격을 실현하려고 한다. 직업에 만족하지 못하면 행복한 삶을 누리기 어렵다.

그렇다면 11,655가지 직업에 종사하는 대한민국 국민은 자기가 하는 일에 얼마나 만족하고 있을까? 종사자 수가 상대적으로 많고 사람들이 높은 관심을 보이는 대표적인 직업 760여 개 종사자 2만 6천여 명을 대상으로 한 직업 만족도 조사가 있다. 그 직업의 사회적 기여도, 직업의 지속성, 발전 가능성, 업무 환경과 시간적 여유 등을 고려해 당사자들이 주관적으로 자기의 직업에 얼마나 만족하는지를 평가한 것이다.[46]

'톱 10'은 초등학교 교장, 성우, 상담전문가, 신부, 작곡가, 학예사, 대학교수, 국악인, 아나운서, 놀이치료사 등이다. 한의사, 대학교 총장, 초등학교 교사, 세무사, 컴퓨터 프로그래머, 판사, 화가 등이 10위에서 30위 사이에 있다. 그 다음 순서에 눈에 띄는 직업을 몇 가지 보면 소설가(35위), 육군 장교(49위), 시인(54위), 고위 공무원(55위), 변호사(57위), 미용사(65위), 국회의원(73위), 요리 강사(93위), 프로 골프선수(96위), 증권 애널리스트(100위) 등이다. 의학 연구원과 웃음치료사는 100위 안에 있지만 의사는 들어 있지 않다. 판사, 변호사, 법학 연구원은 들어 있지만 검사는 없다. 왜들 그렇게 의사나 검사가 되려

45 『2012 한국직업사전(통합본 4판)』, 한국고용정보원, 2012.

46 직업 종사자 만족도에 대한 자료는 한국고용정보원에서 2012년 3월 20일자로 제출한 보도 자료 「교육·문화예술 분야 직업종사자 만족도 높아」를 참고했다.

고 하는지 모를 일이다. 만족도가 상대적으로 낮은 직업은 목재가공, 플라스틱제품 조립, 노점이나 이동 판매, 제화, 단열시공, 주차관리, 식당 홀 서빙, 청소원, 하역 등 사회에는 꼭 필요하지만 하는 사람은 많이 고된 일이다.

사람들은 어쩌다 이런 직업을 가지게 되었을까? 좋아서 선택한 사람도 있다. 다른 일을 하고 싶지만 여러 가지 사정 때문에 하고 싶지 않은 직업을 가지게 된 사람도 있다. 그냥 어쩌다 보니 그렇게 된 경우도 많을 것이다. 정말 하기 싫지만 다른 직업을 찾을 수 없어서 그 일을 하는 사람도 많다. 그렇다면 사람들은 어떤 직업을 가지고 싶어 할까? 우리나라 고등학생들이 가장 선호하는 열 가지 직업은 교사, 공무원, 경찰, 간호사, 회사원, 기업 CEO, 의사, 요리사, 사회복지사, 생명과학 연구원 순으로 나타났다. 반면 학부모가 선호하는 자녀 직업은 공무원, 교사, 의사, 간호사, 경찰관, 회사원 순이었다. 아이들의 선택에 맡긴다는 응답이 5위였고, 학생들과는 달리 검사, 직업군인, 한의사가 학부모들의 자녀 직업 희망 순위 '톱 10'의 끝 세 자리를 차지했다.[47]

진로 결정과 관련하여 학생과 학부모들은 모두 소질과 적성에 압도적인 비중을 두었다. 그러나 이것은 모범 답안일 뿐 속마음은 다르다. 직업 능력을 기르기 위해 대학 전공을 선택할 때 결정적인 것은 학업 성적이다. 소질과 적성은 '같은 값이면 다홍치마' 정도밖에 의미를 가지지 못한다. 국가의 공식 통계는 없지만 언론을 통해 입시 전문기관들이 제공하는 정보를 보면 수능 최상위권 학생들은 의과대학에 몰린다. 한의학, 경영학, 자유전공, 언론영상, 반도체, 생명공학, 항공공학, 기계공학, 국어교육, 수학교육, 영어교육, 국제통상 등이 그 뒤를 잇는다. 이 서열은 그 학과와 관련된 직종의 평균적 소득 수준, 안정성, 사회적 평판과 관련되어 있다. 적성과 소질, 자아실현, 삶의 의미, 이런 것들은 보통 후순위 고려 사항에 머무른다.

그렇다면 어떤 직업이 좋은 직업일까? 사람들은 안정되고, 근무환경이 좋고, 돈을 많이 벌고, 남의 존경을 받을 수 있는 직업을 선호한다. 이런 것들은 물론 중요하다. 그러나 그 모든 것보다 중요한 것은 일 그 자체가 즐겁게 느껴지는 직업을 선택하는 것이라고 나는 믿는다. 성공하는 인생을 살고 싶다면 그렇게 하는 게 맞다. 여든 살 먹은 스위스 남자가 자기 인생을 기록해서 통계를 냈다. 그는 21년 동안 일했다. 잠을 잔 시간은 26년이었다. 밥 먹는 데 6년을 썼다. 사람을 기다리거나 만나느라 보낸 시간이 5년이었다. 이 이야기는 신문 칼럼에 더러 인용되고 여러 블로그에도 올라 있는데 정확한 출처는 확인하지 못했다. 그렇지만 대충 계산해보면 그 정도 될 것 같다. 그가 나이 많은 사람이고 스위스에는 거대도시가 없다는 점을 고려하면 오늘날 젊은 대한민국 남자들이 일하는 데 쓰는 시간은 그보다 훨씬 길다고 보아야 한다. 출퇴근에 들어가는 시간까지 포함하면 더 길어진다. 깨어

---

47 고등학생들이 선호하는 유망 직업 순위는 교육과학기술부에서 2012년 1월 10일자로 제출한 보도 자료 「2011년 학교 진로교육 현황조사 결과」를 참고했다.

있는 시간의 최소한 절반을 일하는 데 쓴다고 보면 될 것이다. 만약 직업으로 하는 일이 즐겁지 않다면, 그것은 깨어 있는 시간의 절반 이상이 행복하지 않다는 뜻이다.

인생의 성공은 멀리 있지 않다. 좋아하는 일을 직업으로 삼고, 그것을 남들만큼 잘하고, 그 일을 해서 밥을 먹고살면 최소한 절반은 성공한 인생이다. 돈 때문에, 남의 눈을 의식해서, 부모님의 기대를 저버릴 수 없어서, 또는 사회의 평판 때문에 즐겁지 않은 일을 직업으로 선택한다면 그 인생은 처음부터 절반 실패하고 들어가는 것이다. 꼭 즐겁지 않더라도 최소한 괴롭지 않은 일을 직업으로 삼아야 한다. 법대에 가려고 사회계열을 택함으로써, 나는 스무 살에 절반의 실패를 안고 인생 항해를 시작했다. 그 선택은 만만치 않은 후유증을 남겼고 그것을 극복하는 데 적지 않은 시간과 비용이 들었다. 영문과를 가서 철학을 공부하라는 아버지 말씀을 따랐더라면 좋았을 것이라고 생각한다.

재능 없는 열정의 비극

이제 막 중학생이 된 우리 집 막내는 열정 넘치는 축구광이다. 막내의 축구 사랑은 2006년 독일 월드컵이 열렸을 때 한 달 동안 했던 유치원 테마 학습에서 시작되었다. 대한민국 대표팀이 토고를 이기고 프랑스와 비겼지만 스위스에 져 16강 진출에 실패했던 바로 그 대회였다. 막내는 유치원 때 동네 유소년 클럽에 들어갔다. 초등학교 6년 동안 축구를 하지 않는 날이 거의 없었다. 학교 '방과 후 수업'도 축구를 했다. 쉬는 시간에 공을 차고 놀다가 수업에 늦게 들어가 벌 선 일이 많았다. 방학에는 축구 캠프에 갔다. 컴퓨터 게임도 오직 FIFA 온라인 축구 게임 한 가지만 한다. 엄마가 인터넷으로 구입해준 정품 FC바르셀로나 모자를 쓰고 메시 이름이 새겨진 붉은색 세로줄 무늬 티셔츠를 입고 다닌다. 레알 마드리드와 FC바르셀로나가 프리메라리가, 챔피언스리그 등 중요한 경기에서 맞붙는 때는 자명종을 머리맡에 두고 새벽

3시에 일어나 인터넷 생중계를 본다. 월요일 아침에 일어나면 곧바로 엄마 스마트폰으로 유럽 빅리그 주말 주요 경기 결과를 검색한다.

공을 차는 것만 좋아하는 게 아니다. 유럽 빅리그 시즌이 열리기 직전 유명 선수들의 이적 현황과 이적료, 연봉의 변화, 감독 교체와 선수 부상, 구단의 재정 상태까지 축구에 대한 모든 정보를 모은다. 생중계로 경기를 보다가 선수가 교체되면 다른 선수의 포지션과 팀의 전술 운용이 어떻게 달라질 것인지 논평한다. 이 세상에서 제일 좋은 게 축구이니, 이 아이는 축구 선수가 되는 게 최선이다. 축구를 직업으로 삼아 남들보다 잘하고, 그래서 돈도 벌면 절반은 성공한 인생이 될 것이다. 이것이 정답이다. 그러나 인생은 시험 문제를 푸는 것과는 다르다. 정답을 안다고 다 되는 게 아니다. 실행할 능력이 있어야 한다.

천부적 재능이란 집중할 수 있는 능력이다. 타고난 음악 신동은 시키지 않아도 몇 시간씩 피아노를 친다. 타고난 지적 재능이 있는 아이는 강요하지 않아도 하루 종일 책을 읽는다. 재능이 있으면 재미를 느끼고, 재미를 느끼기 때문에 더 집중한다. 하면 할수록 점점 더 잘할 수 있다는 것을 알면 더욱 열심히 하게 된다. 이런 식으로 결합한 '1퍼센트 재능과 99퍼센트 노력'이 천재를 만든다.

그런데 재미를 느끼고 집중한다고 해서 다 성공하는 건 아니다. 취향과 재능이 반드시 함께 있는 것이 아니기 때문이다. 이럴 때 인생은 종종 비극이 된다. 우리 집 축구광은 공을 그런 대로 잘 찬다. 하지만 축구 선수로 성공할 만한 재능은 없다. 뇌는 리오넬 메시와 동급일지 몰라도 근육과 운동신경이 받쳐주지 않는다. 다 내 탓이다. 같은 조기축구회 회원인 유소년클럽 코치가 말했다. "아드님 공 차는 폼이 아빠하고 똑같아요." 대학생 시절 경제학과 대표 또는 조기축구회 주전 정도가 어렸을 때 못 말리는 축구광이었던 내 재능의 한계였다. 아마 우리 집 막내도 그럴 것이다.

더 어렸을 때 막내는 자기가 박지성이 될 것임을 확신했다. 누가 장래 희망을 물으면 한순간도 망설이지 않고 대답했다. 열심히 하기만 하면 무엇이든 다 되는 줄 알았던 것이다. 열정과 재능의 불일치가 빚어내는 인생의 비극을 어린아이에게 설명하기란 쉽지 않다. 유전과 확률이 무엇인지 개념을 이해할 수준이 되었을 때, 학교 동급생 중에 네댓 번째로 공을 잘 차는 남자아이가 자라서 국가대표가 될 확률을 계산해주었다. '미안하다. 아빠가 열정의 유전자만 주고 재능은 물려주지 못했다. 즐겁게 공을 차면 나중에 동네 조기축구회 주전은 될 수 있을 것이다. 꼭 직업으로 공을 차야 하는 건 아니지 않겠느냐.' 그런 이야기를 했다. 마음이 편치 않았다.

'축구는 그만하고 공부나 해라.' 재능이 없다고 해서 그렇게 말할 수는 없다. 축구 선수가 아니어도 축구와 관련된 직업을 가질 수는 있다. 그래서 아들한테 축구 전문 평론가를 직업으로 권하는 중이다. '너는 엄마 닮아서 얼굴이 작고 잘 생겼어. 크면 꽃미남이 될 거야. 책은 많이 읽지 않아도 축구에 관해서는 누구보다 잘 알고 또 좋아하잖아. 영어도 잘하고 우리말도 잘해. 「개그콘서트」 '두분토론'이나 '멘붕스쿨' 흉내를 기가 막히게 내잖니? 영어 공부 열심히 해. 아빠가 부지런히 벌어서 영국 유학 보내줄게. 가서 스포츠마케팅 같은 거 공부하고,

주말마다 프리미어리그 축구 경기도 보고, 그렇게 하면 대한민국 최고의 축구 평론가가 될 거야. 방송을 중계하면서 큰 대회를 다 현지에서 볼 수 있어. 축구는 취미로 계속하면 되지 뭐.' 아직도 선수의 꿈을 버리지 않은 아들은 아무 대답도 하지 않는다. 하지만 '고슴도치 아빠'의 충고를 받아들일 가능성이 아주 없지는 않다고 생각한다.

인생은 소망을 하나씩 지워나가는 냉혹한 과정인지 모른다. 원대한 꿈과 낭만적 열정만으로 살아갈 수는 없다. 대통령, 과학자, 장군, 의사, 영화배우, 축구 선수, 교사, 판검사, 변호사, 외교관, 소설가, 기업가…. 아이들은 마음대로 꿈을 정한다. 스스로 정하든 부모가 권하든 백지에 그림 그리듯 할 수 있다. 한꺼번에 여러 가지를 그려도 좋고 마음이 바뀌면 언제든 다른 것을 그려도 된다. 아이들의 그림은 흔히 명예, 부, 권력, 지위를 성취하는 것과 연관되지만 청소부, 간호사, 수녀를 그리는 아이들도 있다. 이런 그림은 가치와 관련된다. 지구를 깨끗이 한다든가, 아픈 사람을 도와준다든가, 슬픔에 빠진 사람을 위로해주는 것이다.

그러나 생각이 자라고 사회를 배우면서 아이들은 알게 된다. 어떤 것은 자신의 능력과 재능으로는 아무리 노력해도 손에 넣을 수 없다는 것을, 다른 것은 생각했던 것만큼 좋은 게 아니라는 것을, 또 다른 것은 자신과 맞지 않다는 사실을 깨닫는다. 스무 살쯤 되면 선택할 수 있는 대안이 그렇게 많지 않다는 현실을 받아들인다. 괜찮겠다 싶은 직업 가운데 자기의 환경과 능력에 비추어 현실성이 있어 보이는 쪽으로 마음을 싣는다. 마흔 살쯤 되면 인생을 크게 바꾸는 선택은 하기 어려워진다. 마흔 이후에도 인생을 바꾸는 결단을 할 수 있다면 운이 좋은 사람이다. 그러나 결단이 너무 늦는 법은 없다. 아무리 나이가 들었어도, 자신이 일상에서 즐거움을 느끼는 쪽으로 직업을 바꾸는 것은 언제나 바람직하다고 본다.

직업을 잘 선택하려면 열등감을 극복해야 한다. 자신의 내면을 정직하게 들여다보아야 한다. 세상은 넓고 사람은 많다. 어디를 가든 나보다 능력이 뛰어난 사람이 있다. 원하는 사람이 적은 직업도 있고, 많은 사람이 좋아하는 직업도 있다. 남들이 어떤 직업을 선호하는지 의식하지 말아야 한다. 타인의 평가에 휘둘리지 말고 내가 좋아하는 일을 고르면 된다. 남들이 좋아하지 않는 직업을 선택했다고 해서 열등감을 가질 이유는 전혀 없다. 그러나 만약 내가 좋아서 선택한 그 직업이 다른 사람들도 많이들 좋아하는 것이라면 부득이 경쟁을 해야 한다. 그렇게 경쟁해서 그 직업을 가지는 데 성공했다고 해서 만사가 다 해결되는 것도 아니다. 거기서 더 잘하기 위해서 또 경쟁해야 한다. 이 경쟁에서 뒤떨어지면 열등감을 느끼게 된다. 자신이 쓸모없는 사람으로 보이고, 삶이 가치가 없는 것처럼 느끼게 된다. 어떻게 해야 할까. 이를 악물고 있는 힘을 다해 이기는 게 정답일까? 나는 그렇지 않다고 생각한다. 즐기는 게 아니라 이기기 위해 일하게 되면, 이겨도 남는 게 없고 지면 최악이 된다.

열등감을 전혀 느끼지 않고 살아가는 사람은 드물다. 전쟁과도 같은 대학 입시 경쟁을 보라. 공부를 아주 잘하는 젊은이들은 소위 SKY

대학과 카이스트, 포항공대 등에 진학한다. 세칭 일류 대학에 진학하지 못한 청년들은 흔히 열등감을 느낀다. 그러나 SKY 대학에 들어갔다고 해서 문제가 다 해결되는 게 아니다. 연고대나 카이스트를 다니다가 휴학하고 다시 수능을 봐서 서울대를 가는 청년들이 드물지 않다. 서울대라고 해서 어디 만사형통이겠는가. 거기에도 잘 나가는 학과와 그렇지 않은 학과가 있다. 이른바 인기학과에도 성적이 하늘을 나는 학생이 있는가 하면 바닥을 기는 학생도 있다. 경쟁은 끝이 없다. 경쟁에 뒤질 때마다 열등감을 느낀다면 인생은 참혹한 비극이 된다.

은반의 여왕 자리를 놓고 김연아와 아사다 마오는 승패를 주고받으면서 기나긴 경쟁을 벌였다. 2010년 밴쿠버 동계올림픽 여자 피겨 스케이팅 선수 가운데 공중에서 세 바퀴 반을 멋지게 돈 것은 아사다 마오밖에 없었다. 그녀는 뛰어난 선수다. 그러나 금메달은 김연아가 가졌다. 빠른 스케이팅, 높고 우아한 점프, 그리고 빼어난 예술적 표현력을 과시한 김연아는 여자 피겨 스케이팅 역사에서 가장 높은 점수를 얻었다. 김연아는 마오보다 더 훌륭한 선수인가? 나는 그 둘이 똑같이 훌륭하지만 서로 다른 선수라고 본다. 김연아가 1등인 것은 채점 기준에 더 적합한 연기를 펼쳤기 때문일 뿐이다.

두 선수는 얼음판 위에서 점프와 스핀을 하는 데 유년기와 청소년기를 남김없이 썼다. 그들이 피겨 스케이팅 선수로 성공한 것은 열정을 품었고 재능의 뒷받침을 받은 덕분이었다. 그들에게 피겨 스케이팅은 놀이이자 일이었다. 앞으로도 어떤 형태로든 피겨 스케이팅과 관계있는 일을 하고 그것을 즐기며 살 것이다.

1등을 하지 못한 아사다 마오는 진 것이 분하기는 하겠지만, 결코 삶이 불행하다고 느끼지는 않을 것이다. 만약 피겨 스케이팅이 즐거운 놀이가 아니라 오로지 이겨야만 하는 비즈니스일 뿐이라면 올림픽 금메달을 딴 김연아조차도 마냥 행복하지만은 않을 것이다. 2014년 소치 동계올림픽에서 마오에게 질 수도 있고 더 잘하는 다른 신수가 나타날 수도 있다. 그러면 김연아는 자기가 불행하다고 느낄지 모른다. 김연아의 연기를 보면서 내가 기분이 좋아지는 것이 꼭 그녀가 1등을 해서가 아니다. 김연아가 스케이팅을 즐기고 있다는 느낌 때문이다. 나이가 들어서 홈런 공장장이라는 비아냥을 들으면서도 공을 던지는 야구 선수 박찬호가 나는 좋았다. 축구 선수 이영표는 유럽 빅리그를 떠나 축구의 변방이라고 여겨지는 곳에서 계속해서 뛰고 있다. 나는 그를 볼 때마다 즐겁다. 그가 진심으로 축구를 즐긴다는 느낌을 받기 때문이다.

무슨 일이든 그것이 즐겁다면 1등이 아니어도 행복할 수 있다. 나는 우혜미라는 가수를 좋아한다. 블라인드 오디션을 강점으로 삼는 「보이스코리아 시즌1」 노래 배틀에서 우혜미는 정소연과 함께 신촌블루스의 '아쉬움'을 불렀다. 나는 그 배틀에서 정소연이 더 잘 불렀다고 느꼈지만 이긴 사람은 우혜미였다. 공정한지는 몰라도 이해할 수 있는 결정이라는 생각이 들었다. 정소연은 그야말로 혼신의 힘을 다해 노래했다. 반면 우혜미는 설렁설렁 대충 부르는 것 같았다. 열정은 어느 쪽이 더 뜨거운지 모르겠으나 재능의 차이가 컸다. 우혜미는 다른 사람보다 더 좋은 악기를 가지고 태어났다. 노력만으로는 극복하기 어려운 차이로 보였다. 나는 가수 정소연이 졌지만 열등감을 느끼지 않았기를 바란다. 내 눈에는 그가 충분히 훌륭한 가수로 보인다. 그가 정말 노래를 즐긴다면 계속 노래를 부르고 노래와 관련된 일을 하면서 기쁜 삶을 살 수 있을 것이다.

열정과 재능의 불일치는 회피하기 어려운 삶의 부조리이다. 재능이 있는 일에 열정을 느끼면 제일 좋다. 그러나 열정을 쏟을 수 있는 일이기만 하다면, 재능이 조금 부족해도 되는 만큼 하면서 살면 된다. 경쟁은 전쟁이 아니다. 져도 죽지는 않는다. 이겨서 꼭 행복한 것도 아니다. 사람은 저마다 가진 것으로 인생을 산다. 가진 것이 많다고 꼭 행복한 건 아니다. 적게 가져도 행복할 수 있다. 끝없는 경쟁 속에 살아야 하지만, 즐기면서 경쟁에 임하면 이겨도 이기지 못해도 행복할 수 있다는 것이다.

대학에서 강연을 할 때 꼭 하는 이야기가 있다. 대학생들에게 가장 중요한 과제는 평생 해도 즐거울 것 같은 일을 찾는 것이다. 사회의 평판이나 부모님의 기대에 맞추어 직업을 선택하는 것은 어리석은 짓이다. 자유의지를 버리면 삶의 존엄성도 잃어버린다. 스스로 설계한 삶이 아니면 행복할 수 없다. 그 자체가 자기에게 즐거운 일을 직업으로 삼고, 그 일을 적어도 남들만큼은 잘할 준비를 하라. 자격증이 필요하면 기능을 익혀 자격증을 따야 한다. 무슨 일을 하든 사람들과 소통을 잘해야 하니 스스로 글쓰기 훈련을 하라. 중요한 정보의 대부분이 영어로 유통되는 게 현실인 만큼 영어로 듣고 말하는 능력을 충분히 기르는 것이 좋다. 중국어나 스페인어처럼 사용 인구가 많은 언어를 제2 외국어로 배우는 것도 바람직하다. 열정을 쏟고 싶은 일을 찾은 사람이라면 그 일을 잘하기 위한 준비를 하는 것 역시 즐거울 것이다. 아무런 목표도 세우지 못하고 그저 막연히 스펙만 쌓으려고 한다면 잘 되지 않을 것이다. 그렇게 이야기한다. 청년들이 꼭 그렇게 하면 좋겠다.

옳은 일을
필요할 때 친절하게

밤낚시를 하다 보면 종종 붕어한테 농락당할 때가 있다. 찌가 수면에 못 박아둔 것처럼 꼼짝하지 않는다. 눈이 아프게 노려보지만 미동조차 없다. 이제나저제나 하며 입질을 기다리다가 라면을 끓이기로 결정한다. 자장면은 당구장, 라면은 낚시터에서 먹는 게 최고다. '설마 그 사이에 입질이 오겠어?' 끓는 물에 스프를 풀어 넣다가 무심코 고개를 돌린다. 저녁 내내 말뚝처럼 서 있던 찌불이 우아하게 올라간다. 후다닥 뛰어가 낚싯대를 잡아채보지만 이미 늦었다. 마치 내가 자리를 비우기를 붕어가 기다리고 있었던 것만 같다. '저것들이 잠망경이 있나, 또 올리기만 해봐.' 라면을 먹으면서 연신 곁눈질을 한다. 하지만 헛일이다. 잠을 쫓으려고 믹스커피를 한 잔 마시고 다시 낚시에 집중한다. 붕어는 오지 않고 오줌이 마렵다. 오줌을 누다가 설마 하며 찌 있는 쪽으로 고개를 돌리자 또다시 찌불이 스멀거리며 올라가는 게 보인다. 기氣라는 게 있기는 있는 모양이다. 무심히 바라보면 태평하게 놀던 파리가 파리채를 들고 살금살금 다가서면 잽싸게 달아난다. 무언가 나쁜 기운을 느껴서 그러는 것이다. 낚시꾼이 찌를 노려보고 있으면 붕어가 그 기운을 느낀다. 자리를 비우면 냉큼 떡밥을 먹어치운다. 이런 이야기다. 과학적 근거는 없다. 하지만 낚시꾼들은 그런 게 있다고 믿는다.

앞에서 직업 선택이 인생 성패의 절반을 좌우한다는 것, 좋아하는 일을 직업으로 삼아 남들만큼은 잘하려면 필요한 기능을 갖추기 위해 공부하고 노력해야 한다는 것을 강조했다. 하지만 뛰어난 기능을 갖추었다고 해서 반드시 일을 잘하는 건 아니다. 남들과 소통하면서 호흡을 잘 맞추는 것이 기능 못지않게 중요하다. 처음부터 끝까지 혼자서 다 할 수 있는 일은 별로 없다. 남들과 잘 소통하면서 우호적인 관계를 맺는 것은 그 자체가 좋은 일일 뿐만 아니라 직무를 잘하는 데도 매우 중요하다. 일 자체는 재미있다고 해도, 함께 일하는 사람들과 사이가 나쁘면 재미가 반감된다. 일이 잘 되지도 않는다. 직장 동료, 상사, 고객, 거래처 사람들과 잘 지내려면 서로 좋은 기운을 주고받을 수 있도록 인간관계를 잘 가꾸어야 한다.

파리나 붕어도 기운을 느낀다. 하물며 사람이야 말해 무엇하랴. 남에게 좋은 기운을 주려면 먼저 내 마음을 잘 다스려야 한다. 내가 누군가를 싫어하거나 무시하거나 미워하면 그 사람도 내게 똑같은 마음을 가지게 된다. 기라고 하든 텔레파시라고 하든, 하여튼 그런 게 있는 것 같다. 대화를 할 때 느끼는 어조語調의 미세한 변화, 마주보면서 감지하는 안면 근육의 소소한 움직임, 악수하면서 가하는 힘의 강약만으로도 호불호의 감정이 오고 간다. 아무리 닳고 닳은 처세술의 황제라 하더라도 마음을 완벽하게 감추지는 못한다. 소통과 인간관계의 비결은 자기의 마음을 닦는 것이다. 그럴 만한 이유가 있다고 해도 타인을 미워하거나 무시하지 말아야 한다. 섣불리 평가하려 하기보다는 타인을 있는 그대로 인정하면서 교감해야 한다. 내가 다른 사람을 바꾸어 놓을 수 없다. 바꾸려고 해서도 안 된다. 그래야 다른 사람들도 나를 그렇게 대한다. 이것이 재미있는 일을 즐겁게 하는 비결이다.

'이 사람이 이런 좋은 이야기를 할 자격이 되나?' 아마도 의아해 하는 독자가 있을 것이다. 내가 하려는 말이 바로 그것이다. 나는 동료 정치인들과 인간관계 형성을 잘하지 못했다. 쓰라린 경험 끝에, 해결은 못했어도 문제가 무엇인지는 깨달았다. 나는 여러 곳에서 다양한 일을 해보았다. 고용이 보장되는 정규직은 한 번도 가져본 적이 없다. 한 직장에 오래 머무르지도 않았다. 가장 오래 한 것이 국회의원이다. 딱 5년을 했다. 사람이 적은 직장에서 일할 때는 별 문제가 없었지만 사람이 많은 곳에서는 어려움을 겪었다.

스물다섯 살에 첫 취직을 해서 1년 정도 일했다. 군대를 마치고 돌아오니 계엄사 합수부에서 함께 두들겨 맞았던 선배가 맛있는 거 많이 사준다며 자기 출판사에서 편집부장을 하라고 꼬드겼다. 출판사 이름이 사장 이름과 같았다. 학민사. 사장과 영업부장, 편집부장 이렇게 셋이서 한 가족처럼 일했다. 실제 편집부장은 사장이었다. 무늬만 편집부장인 나는 교정쇄를 들고 인쇄소와 필자들한테 심부름 다니거나 초벌 교정을 보았다. 교육운동가였던 고故 성래운 선생의 책과 M. 엘리아데의 『성과 속』을 만든 게 특별히 기억에 남아 있다. 우리는 서울 마포 공덕동 로터리 반경 500미터 안에 있는 값싸고 맛있는 음식점을 다 다녔다. 마포 팔당집은 민물새우를 많이 넣어 끓이는 잡고기 매운탕이 일품이었다. 부산횟집은 회보다도 서비스로 나오는 멍게며 해삼, 생선구이와 튀김이 더 맛있었다. 그 집들은 다 없어졌다. 그러나 지금은 철거되고 없는 당인리 기찻길 뚝방 아래 있었던 '본점 최대포'는 30년째 단골로 다닌다. 그때도 미식가였던 김학민 사장은 요즘 어느 매체에 맛집 기행을 쓴다.

두 번째 직장은 국회였다. 서른여섯 살 젊은 나이에 국회의원이 된 이해찬 선배가 사람을 보냈다. 그때 나는 경찰 수배를 받던 중이라 숨어서 『거꾸로 읽는 세계사』와 소설을 쓰고 있었다. 수배도 풀어주고 월급도 줄 테니 보좌관을 하라고 했다. 서른 살에 국회의원 보좌관이 되었다. 나는 그것을 학생운동이나 민주화운동과 똑같은 일로 여겼다. 그런데 국회 사무처에서 신분증 교부를 차일피일 미루었다. 어느 날 신림동 녹두골목 입구 은행에 들렀다 나오는데 십여 명의 사복경찰이 둘러쌌다. 영장 가지고 오라고 소리를 지르면서 땅바닥에 드러눕자 골목에서 학생과 고시생들이 우르르 몰려나와 경찰을 포위했다. 나는 잽싸게 빠져나와 서울대 교정으로 달아났다. 이해찬 의원이 전화를 걸어 치안본부장과 한바탕 언쟁을 했다. 그 다음 날 공식 수배가 아니었으니 없던 일로 하겠다는 연락이 왔다.

나를 수배한 것은 경찰청 대공과였다. 그들은 을지로 뒷골목에서 '불법 유인물'을 찍는 나를 잡아갔다가 그냥 풀어주었다. 나중에 들은 바로는 박계동을 비롯한 '거물급'을 추적하기 위해서 일부러 풀어주고 미행을 했다고 한다. 그런데 내가 자취방을 빼서 사라져버리자 경찰 조직에 수배령을 내린 것이다. 어쨌든 나는 자유를 되찾았다. 『거꾸로 읽는 세계사』를 출간한 데 이어 계간 『창작과 비평』에 중편소설을 발표하면서 소설가 데뷔도 했다. 가을에는 장가를 들었다. 나는 그 뒤로 창비 출판사 근처에도 가지 않았다. 추천 신인으로 등단을 시켰는데 소설을 한 편도 더 쓰지 않은 죄 때문이다. 언젠가 장편소설을 하나 쓰면 들고 찾아갈 작정이다.

국회 광주민주화운동진상조사특별위원회와 노동위원회에서 실무자로 일한 건 재미가 있고 보람도 있었다. 광주민중항쟁 10주년에는 광주특위 조사활동과 청문회를 함께 했던 국회의원과 실무자 아홉 명이 공식 문서와 청문회를 통해 확인한 사실을 종합해 『광주민중항쟁 : 다큐멘터리 1980』이라는 책을 냈다. 광주항쟁에 관한 많은 책 가운데 정사正史라고 말할 수 있는 최초의 연구서였다. 여럿이 나누어 초고를 작성한 다음에 내가 '전공'을 살려 전체를 대표 집필한 이 책은 나중에 민주화운동기념사업회가 영문판을 냈고, 『기억하는 자의 광주』라는 제목으로 개정판도 나왔다. 개인적으로 큰 자부심을 느끼는 책이다. 그런데 광주특위활동이 끝나고 나자 그때부터는 늘 그 일이 그 일이었다. 새해 첫날 눈을 뜨면 연말까지 일정이 다 보였다. 오래 할 일이 아니라는 생각이 들었다. 그래서 보좌관을 그만두고 전세금을 빼서 독일 유학을 갔다.

세 번째 직장은 한국연구재단이었다. 한국과학재단과 합병하기 전이라 그때 이름은 한국학술진흥재단이었다. 1998년 2월 김대중 대통령의 명으로 졸지에 교육부를 맡은 이해찬 장관은 대학 연구 지원 예산을 확대하려고 BK21사업학문후속세대양성사업을 계획했다. 막 독일에서 돌아온 나를 보자고 하더니 한국학술진흥재단 기획실장직을 맡아서 그 일을 도와달라고 부탁했다. 재단 이사장은 국회의원을 지냈고 다산 선생에 대해 일가견이 있는 박석무 선생이었다. 비록 계약 기간 1년인 임시직이었지만 운동권 제적 학생이 공공기관 직원이 되었다고 신문 기사가 났다. BK21사업 기획과 집행 준비를 완료하고 그에 맞게 재단의 기존 사업을 조정하는 데 반 년이 걸렸다. 월급은 적고 일은 너무 많았지만 봉사하는 심정으로 일했다.

사업 혁신을 끝낸 다음, 수천 억 원이나 되는 재단의 자산을 투명하고 안전하게 운용하고 불합리한 인사 구조를 혁신하는 방안을 만들었다. 그러나 이 혁신안은 받아들여지지 않았다. 계약 기간이 절반 남았지만 사표를 냈다. 그렇게 된 것은 내가 이사장의 신뢰를 받지 못했기 때문이었다. 박석무 이사장은 재단의 사업을 크게 혁신했다. '동서양고전명저 번역사업'을 만들었고, 연구비 지원 신청 진입 장벽을 없애 교수나 박사가 아닌 사람도 실력만 있으면 국가의 지원을 받을 수 있도록 했다. 나는 그 일들을 기획하고 집행하면서 연구자들의 연구실적 데이터베이스를 구축하고 온라인 연구비 신청 시스템을 만들어

종이서류를 다 없애버리는 등 사업의 효율성을 높이는 데 집중했다. 우리는 손발이 잘 맞는 기관장과 실무 책임자였다.

그런데 박 이사장은 국회의원을 한 분이라 그런지 나를 보좌관처럼 대했다. 외부 손님과 식사 약속이 있거나 국회 교육위원회 의원들을 만날 때 자꾸 데리고 다니려고 했다. 그것이 열심히 일하는 나에 대한 그분 나름의 애정 표현이었던 것 같다. 하지만 나는 그게 싫었다. 훌륭한 학자이지만 그분을 내 보스로 모시려고 취직한 게 아니었기 때문이다. 반면 재단의 간부들은 이사장을 깍듯이 모셨다. 나는 그들을 외국으로 연수를 보내거나 공로 휴가를 주어 일에서 손을 떼게 해야 재단 업무가 비로소 제대로 돌아갈 것이라고 판단했다. 재단 업무 혁신을 추진하면서 그 사람들을 충분히 존중하지 않았다. 필요하고 옳은 일을 하는 것만 생각했을 뿐, 그 일을 친절하게 하지 않았다. 그래서 신뢰를 받지 못했고 일도 제대로 되지 않은 것이다. 좋은 혁신 아이디어와 제도 개선책을 만든다고 해서 혁신을 성공시킬 수 있는 것은 아니다. 변화를 거부하는 기득권층의 저항을 극복할 수 있는 전략을 세우고 혁신의 동력을 확보하지 않으면 옳은 개혁도 실패한다. 훗날 열린우리당 국회의원과 참여정부 국무위원으로 일하면서 나는 똑같은 실패를 다시 겪었다.

한국학술진흥재단을 그만둔 다음 프리랜서 칼럼니스트로 뛰면서 성공회대학교 교양학부에서 시간 강사로 강의를 했다. 대학에서는 고맙게도 겸임교수라는 명예로운 이름을 주고 강의료도 다른 시간 강사보다 더 많이 주었지만 대학에 취직을 한 건 아니었다. 그러던 중 여러 차례 게스트로 나갔던 문화방송 라디오 대담 프로그램의 진행을 맡게 되었다. 그러다 「100분토론」 진행자가 되었다. 방송사 직원이 된 건 아니었지만 그래도 자주 나가다 보니 직장 같은 느낌이 들기는 했다. 벌이가 제법 괜찮았고 책 읽을 시간도 많았다. 그 18개월이 내 인생에서 경제적으로 가장 안정된 시기였다. 대학 강의와 방송 토론 진행은 많은 사람들과의 관계를 통해서 무엇인가를 이루는 일이 아니어서 인간관계에 문제가 생길 소지가 적었다. 2002년 초, 나는 노무현 후보 경선캠프에서 자원봉사를 하고 싶어 「100분토론」 진행을 그만두었다.

지금까지 살면서 몸담아본 조직 가운데 단연 사람이 많은 곳은 정당이었다. 2002년 여름 여러 사람들과 함께 인터넷으로 당원을 모아 개혁국민정당을 만들었다. 당원이 5만 명쯤 모였다. 지지율이 떨어졌다는 것을 이유로 국민 경선으로 선출한 대통령 후보를 갈아치우려고 한 민주당 국회의원들의 행태에 분개한 나머지 정당 혁신과 정치 개혁을 목표로 내걸고 만든 정당이었다. 나는 노무현 대통령 취임 직후였던 2003년 4월 개혁당 후보로 고양시 덕양구 재선거에 출마해 잔여 임기 1년인 국회의원이 되었다. 민주당은 후보를 내지 않았다. 민주당 소속이었던 노무현 대통령의 영향력 덕분이었다. 그 후 민주당에서 혁신을 추진하다가 좌절되자 국회의원 30여 명이 탈당해 신당을 창당했다. 개혁당은 당원 투표로 당 해산을 결정하고 여기에 합류했다. 그렇게 해서 열린우리당이 만들어졌다.

열린우리당은 한나라당과 민주당이 저지른 대통령 탄핵 후폭풍 속에서 2004년 총선 과반 의석을 얻어 원내 제1당이 되었다. 나도 1년

만에 재선에 성공해 '4년 계약직' 국회의원 자리를 얻었다. 다음 해에는 집권 열린우리당 최고위원으로 뽑혔다. 이어서 1년 반 동안 보건복지부 장관으로 일했다. 공직은 그것으로 끝이었다. 2008년 국회의원 총선 때 무소속으로 대구에서 출마했다 떨어졌다. 2010년 국민참여당 경기도지사 후보로 나가서 낙선했다. 2012년 통합진보당 총선 비례후보로 나섰다 당선되지 못했다. 내 정치 인생은 순탄하지 않았다. 특히 보건복지부 장관 지명을 받았을 때 집권당 국회의원들이 반대하는 바람에 세상이 시끄러웠다. 나는 그 사건을 겪으면서 일을 잘하려면 인간관계를 잘 풀어야 한다는 것이 그저 지당한 말씀만은 아니라는 사실을 새삼 깨달았다.

내가 추구한 정치적 목표는 옳은 것이었다고 생각한다. 정당을 혁신하고 지역 구도를 타파해 우리 정치를 발전시키는 것이 목표였다. 국회의원 소선거구제와 결선 투표 없는 대통령 선거는 특정 지역을 배타적으로 장악한 거대 정당의 기득권을 철옹성처럼 보호하는 진입 장벽이다. 그 기득권 안에서 직업정치인들은 당원들을 지배하고 동원해 자기의 기득권을 지킨다. 이 정당들이 국민의 삶과 별 관계없는 문제로 끝없는 감정적 대결과 이전투구를 벌이는 한 농어민과 노동자, 영세상공인 등 사회적 약자들은 자기의 요구를 정치와 국가 운영에 반영하기 어렵다. 그러나 기득권을 누리는 거대 정당들이 스스로 진입 장벽을 낮추어 새로운 도전자의 진입을 허용하는 선거제도 개혁을 할 리가 없다. 따라서 시민들이 자발적으로 참여하는 강력한 제3의 정당을 만들어 기존의 지역주의 정당지형을 허물고 정책 경쟁이 이루어지는 새로운 정치 시대를 열어야 한다. 나는 그렇게 생각했다. 그래서 정치인으로 성공하려고 하기보다는 낡은 정치 그 자체를 상대로 싸웠다. 내가 개혁당, 열린우리당, 참여당, 통합진보당, 진보정의당에 몸담은 것은 모두 국민참여형의 강력한 제3의 정당 없이는 정치 혁신이 어렵다는 판단에 따른 것이었다.

나는 이 목표를 이루지 못했다. 내가 몸담았던 정당은 모두 사라지거나 좌초했거나 어려움을 겪고 있다. 나는 한국정치에 대한 내 진단과 처방이 옳다고 확신하지만 그것이 꼭 옳다는 증거가 있는 것은 아니다. 그것이 옳다고 할지라도 다수의 국민들은 인정하지 않았다. 시민들은 기성 정당을 비판하면서도 제3의 정당에 참여하기를 꺼렸다. 나와 뜻을 같이한 사람들도 의지는 드높았지만 국민의 이해를 구하고 신임을 얻기에는 역량이 부족했다. 정치에 뛰어든 것이 잘못이었다고 생각하지는 않는다. 올바른 목표를 추구했다고 생각한다. 그러나 나는 그 일을 잘 해내지 못했다. 제대로 정치를 하려면 가치관이 뚜렷하고, 정책에 밝아야 한다. 그러나 그런 것은 기본일 뿐이다. 정치를 잘하려면 그것만으로는 부족하다. 무엇보다 자기의 마음을 잘 다스려 다른 사람과 효과적으로 소통하고 협력할 수 있어야 한다. 정치는 많은 사람의 마음을 모아 함께 사회적 선을 이루는 일이기 때문이다.

옳은 일을 하려고 했지만 폭넓은 공감과 신뢰를 얻지 못한 데는 여러 이유가 있을 것이다. 모두가 다 내 잘못이라고 생각하지는 않는다. 그러나 나로서는 무엇보다 먼저 내 잘못을 살피지 않을 수 없다.

문제의 핵심은 내 마음이었다고 생각한다. 나는 왕왕 의견이 다른 사람에 대해 적대감을 느꼈다. 남이 나를 있는 그대로 인정하고 존중해주기를 원하면서도 남을 이해하려는 노력은 적게 했다. 그렇게 하면 소통과 협력을 이루어내기 어렵다. 어디 정치만 그렇겠는가? 사업을 하든, 기업이나 정부에서 조직 생활을 하든, 일을 잘 하려면 다른 사람을 있는 그대로 인정하고 존중해야 한다. 뜻이 아무리 옳아도 사람을 얻지 못하면 그 뜻을 이룰 수 없다.

지난 10년간 정치는 내 직업이었다. 내 일이었다. 그런데 글쓰기와 달리 정치는 내게 일인 동시에 놀이일 수는 없었다. 정치활동의 일상적 과정이 내게는 즐겁지 않았기 때문이다. 정치를 직업으로 삼고 싶은 생각도 없었다. 원래 직업이란 안정적 수입을 가져다주는 생업을 의미한다. 적어도 내게는 정치가 생업으로서 적합한 일이 아니었다. 그러면 왜 정치를 했는가? 내게 정치는 연대solidarity의 한 방법이었다. 연대는 아픔과 기쁨에 대한 공감을 바탕으로 다른 사람과 손을 잡고 사회적인 선과 미덕을 실현하는 행위이다. 그런 점에서 내게 정치는 스무 살에 야학교사를 한 것과 방식만 다를 뿐 본질은 같은 것이었다.

문재인과 안철수, 도덕과 욕망

전두환이 만든 민주정의당에서 출발해 민주자유당, 신한국당, 한나라당을 거쳐 이름을 새누리당으로 바꾼 보수정당이 2012년 국회의원 총선에 이어 제18대 대통령 선거에서도 승리를 거두었다. 나는 보수정당을 인정하고 존중하지만 좋아하지는 않는다. 다른 나라 보수정당에 대해서도 마찬가지이다. 버락 오바마 미국 대통령이 기대했던 것만큼 정치를 잘하는 것 같지는 않았지만, 그래도 그가 재선하기를 바라면서 마음으로 응원했다. 독일과 영국, 프랑스 선거 뉴스를 볼 때도 사회민주당, 녹색당, 노동당, 사회당을 응원한다. 이것은 내 정치적 취향이며 권리이다. 누구나 취향에 따라 어떤 정당을 좋아하거나 싫어할 권리가 있다.

내가 보수정당을 싫어하는 이유는 보수주의가 인간 여러 본성 가운데 '진화적으로 익숙하고 생물학적으로 자연스러운 것'을 대변하고 부추기기 때문이다. 물질에 대한 탐욕, 이기심, 독점욕, 증오, 복수심, 두려움, 강자의 오만, 약자의 굴종 같은 것이 진화적으로 익숙하고 생물학적으로 자연스러운 감정이다. 보수주의는 인간의 욕망과 본능 가운데서 가장 원초적인 것에 기반을 둔다. 그래서 어떤 정치체제를 가진 나라에서나 강력한 보수정치 세력이 존재한다. 보수정당의 존재가치를 인정하지 않을 수는 없다. 그러나 나는 보수정당을 지지한 적이 없으며 앞으로도 그럴 것이다. 국민투표든 선거든 지난 35년 동안 단 한 번도 보수정당이 낸 헌법개정안에 찬성표를 찍거나 보수정당이 공천한 후보에게 투표한 적이 없다.

나는 유권자로서 언제나 진보정당을 지지했다. 앞으로도 그럴 것이다. 선거 때는 주로 민주당에 표를 주었지만 때로는 민주노동당에 투표한 적도 있었다. 우리나라 정치지형에서는 김대중 노무현도 진보 정치인이었다. 민주당도 진보정당이다. 나는 그렇게 본다. 진보정당은 인간 본성 가운데 '진화적으로 새롭고 생물학적으로 덜 자연스러운' 것을 대변하고 부추기는 정당이다. 자유, 정의, 나눔, 봉사, 평등, 평화, 생태 보호를 추구하는 것은 진화적으로 새롭고 생물학적으로 덜 자연스러운 행동이다. 보수주의와 진보주의에 대한 생각은 뒤에서 더 상세히 이야기하기로 한다.

오세훈 시장이 학교 무상급식에 반대하면서 사퇴하는 바람에 치러진 2011년 10월 서울시장 보궐 선거에서 박원순에게 흔쾌히 후보 자리를 양보한 일을 계기로 강력한 대통령 후보로 떠올랐던 안철수 박사를 생각해본다. 선거가 끝났고 대학의 직책도 내려놓았으니 이젠 그를 안 박사라고 하는 게 적절할 것이다. 그는 민주당 문재인 후보와 단일화 경쟁을 하다가 후보를 양보하고 사퇴했다. 많은 시민들이 그를 주목한 것은 정치적 손익 계산에 집착하지 않는 '탈정치적 행동' 때문이었다. 좋은 사람이며 성공한 벤처기업가라는 이미지를 가진 안철수 박사는 공정성과 새로움, 유능함의 상징으로 받아들여졌다. 나는 그가 스스로 말한 것처럼 정치를 본격적으로 할 경우 정당 혁신과 정치개혁, 공정한 국가 운영이라는 대의를 대중과 함께 실현하는 정치인이 되기를 기대한다.

나는 안철수 박사가 정치에 뛰어드는 장면을 보면서 크게 놀랐다. 그리고 인간적인 면에서 심각하게 걱정했다. 강연과 인터뷰, 책, 텔레비전 토크쇼에서 얻은 정보만으로 판단할 때 그가 과연 정치가 내포한 도덕적 딜레마에 대해서 충분한 심사숙고를 했는지 여부를 판단할 수 없었기 때문이다. 정치는 본질적으로 이상理想과 비전, 정책과 아이디어 경쟁이다. 그러나 단지 그것뿐인 것은 아니다. 정치는 열정과 탐욕, 소망과 분노, 살수殺手와 암수暗數가 맞부딪치는 권력투쟁이기도 하다. '건너온 다리를 불살라 버렸다'고는 하지만, 과연 권력투쟁으로서의 정치가 내포한 비루함과 야수성을 인내하고 소화할 수 있을지 의문스러웠다.

정치는 사회적 연대의 가장 차원 높은 형식이다. 직업으로서의 정치를 제대로 하려면, 그것도 그냥 국회의원 정도가 되는 게 아니라 대통령 자리를 목표로 삼는다면, 권력투쟁을 놀이처럼 즐거운 일로 여기면서 그 안에서 존재의 의미를 찾을 수 있어야 한다. 한마디로 인생을 통째로 걸어야 한다는 뜻이다. 높은 지지율은 이런 것과는 관계가 없다. 그것은 그저 인기가 있다는 사실을 알려주는 지표일 뿐이다. 그런데 인기란 아침 안개와 같아서 저 혼자서 밀려왔다가 때가 되면 저 혼자 녹아 없어진다. '좋은 생각'과 '착한 이미지'로 인기를 잠시 붙잡아 둘 수는 있지만 국가권력을 장악하고 운영할 수 있는 세력을 구축할 수는 없다.

나는 우리 정치가 이미 '산업'의 단계로 진화했다고 생각한다. 직업정치인은 '비즈니스맨'이 되었다. 어떤 산업이든 장기적으로 보면 소비자의 선호가 시장을 좌우한다. 그러나 단기적으로 보면 정치시장을 양분해 '과점체제'를 형성한 새누리당과 민주당 두 공급자가 적어도 부분적으로는 소비자의 선호를 조작하고 지배한다. '과점기업' 비슷한 지위를 확보한 두 정당은 각각 백 수십 명의 권력투쟁에 능한 전문가와 숙련된 정치 마케팅 요원을 거느리고 있다. 안철수 박사는 두 정당에 불만을 가진 유권자들을 결집하는 능력을 보여주었지만, 정치시장의 80퍼센트에 육박하는 두 거대 정당의 시장 점유율을 무너뜨릴 의지나 계획은 아직 보여주지 않았다. 과연 그가 그 일을 해낼 수 있을지, 아니면 기존 공급자와 손잡고 부분적 혁신을 하는 방향으로 나아갈지 지켜볼 일이다.

정치 이야기를 하려고 안철수 박사를 거론한 것은 아니다. 사는 이야기를 하기 위해서다. 나는 노무현 대통령 서거 이후 일시적으로 15퍼센트 정도의 대선 여론 조사 지지율을 기록한 적이 있다. 그러나 대통령 후보로 출마할 생각은 전혀 없었기 때문에 대선 예비 후보로서의 정치 행위를 일절 하지 않았다. 그것은 내가 노력해서 얻은 지지율이 아니었다. 노무현 대통령의 정치적 유산이 잠시 내 이름으로 가등기된 것일 뿐이기에 자격 있는 사람이 나타나면 그 사람에게 넘겨주어야 한다고 생각했다. 그런데 노무현재단 문재인 이사장은 내게 민주당과 합쳐서 대통령 후보로 나서라고 간곡하게 권했다. 그러나 나는 오히려 그에게 정치 참여와 대통령 출마를 권했다.

나는 내가 대통령 선거에 나설 수 없는 상태임을 잘 알고 있었다. 참여정부 시기와 노무현 대통령 서거 전후 벌어진 일들과 관련한 내 안의 미움, 분노, 원망, 두려움이 여전히 가라앉지 않았기 때문이다. 이명박 대통령과 정치검사들이 미웠다. 언론사의 성향을 불문하고 모든 기자들이 원망스러웠다. 민심 또는 여론이라고 하는 세상의 변덕이 무서웠다. 정권을 교체하는 대통령이 되고 싶다면 민주당의 후보가 되어야 한다. 그것이 현실이다. 그러나 나는 민주당과 협력할 수는 있지만 당원이 되고 싶지는 않았다. 바람 부는 바다처럼 사나운 마음으로 대통령 선거에 나가는 것은 나를 위해서도 국민을 위해서도 좋지 않은 일이라고 판단했다. 누군가 야권의 대통령 후보로 나서야 한다면 내면이 평온하고 강인하며 국민과 민주당 당원들 사이에서 '안티'가 매우 적은 문재인 이사장이 적격이라고 보았다. 결국 문재인 이사장은 민주당 국회의원이 되어 대통령 선거에 출마했다. 나는 진보정당과 손잡고 제3의 정치 세력을 만드는 길로 갔다.

문재인 후보는 1,470만 표를 얻고 낙선했다. 그렇게 많은 표를 받은 것은 무엇보다 그가 민주당 후보였기 때문이다. 그러나 동시에 문재인이었기에 민주당 후보임에도 불구하고 그토록 많은 득표를 할 수 있었다. 민주당은 집권 가능성이 있는 유일한 야당이며 진보정치 세력의 압도적 다수파이다. 민주당은 장점과 단점이 있는 정당이다. 온건한 자유주의 성향의 진보적 정책 노선과 튼튼한 지역 기반은 강점이라 할 수 있다. 민주당은 이 강점 덕분에 아무리 어려운 상황을 맞아도 아주 망하지는 않을 것이다. 민주당 최악의 단점은 감탄고토甘呑苦吐, 달면 삼키고 쓰면 뱉는 정치문화라고 생각한다. 김대중 대통령이 떠난 후 늘 그러했다. 민주당은 국회의원 자리를 이미 차지했거나 다음 선거에서 차지할 가능성이 있는 직업정치인들의 기득권과 개별적 욕망이 정치적 대의를 압도하는 정당이 되었다. 민주당의 혁신은 이 사실을 인정해야 비로소 시작될 수 있다고 생각한다. 그러나 민주당의 많은 정치인들에게는 이런 문제의식 자체가 없는 것으로 보인다. 나는 열린우리당 시절 그것을 바로잡아 보려고 여러 해 동안 분투했지만 성과는 없었고 분열과 갈등의 화신이라는 비난과 인신공격만 받았을 뿐이다. 내게는 그 일을 해낼 역량이 없었다. 크고 빈 그릇 같은 정치인이라야 그 일을 해낼 수 있다.

문재인과 안철수는 크게 다르면서도 많이 닮은 정치인이다. 두 사람은 삶의 역정과 전문 분야가 크게 다르다. 그러나 지향하는 가치는 비슷하다. 정책 노선도 두 사람 모두 진보적이며 온건하다. 민주적이고 수평적으로 대화하는 능력과 태도를 가진 것도 닮았다. 하지만 가장 크게 닮은 점은 욕망이 아니라 도덕과 대의大義에 발을 딛고 정치를 한다는 점이다. 이것은 나의 주관적인 생각이지만 국민들도 같은 판단을 했다고 본다. 그래서 수많은 야권의 대선 예비 후보들 가운데 그 두 사람이 압도적인 지지를 받은 것이다. 그들은 국회의원이나 대통령이 되는 것을 '출세' 또는 '권력 쟁취'라고 생각하지 않는다. '정치를 직업 삼아 살려고' 정치를 하는 것이 아니라 '정치를 위해서' 정치를 한다.

'큰 정치'를 하는 사람에게는 이와 같은 도덕적 기초가 가장 중요하다. 그러나 그것만으로는 대중의 신임을 모아 세상을 바꾸지 못한다. 대중의 욕망, 현실의 정치 세력을 구성하는 직업정치인의 욕망도 껴안아주어야 한다. 우리 정치는 이미 '산업'이 되었기 때문이다. 그러나 그렇게 하다 보면 다른 정치인과 비슷해 보이게 된다. 도덕이 아니라 정치적 욕망을 추구한다는 불신과 마주치게 된다. '권모술수의 대가大家'라느니, '대통령병 환자'라느니, 김대중 대통령이 생전에 받았던 저주에 가까운 비난을 생각해보라. 이것은 누구도 피하기 어려운 도덕과 권력, 탈정치와 정치 사이의 딜레마이다. 나는 안철수와 문재인 두 사람이 이런 어려움을 잘 견뎌내면서 도덕적 이상과 현실의 욕망 둘 모두를 이끄는 리더가 되기를 기원한다.

일이 즐겁다는 것은 목표를 이루었을 때 성취감이나 보람을 느끼는 것과는 다르다. 일을 하는 구체적인 과정 그 자체가 즐겁다는 뜻이다. 나는 정치의 일상을 즐기는 국회의원을 많이 보았다. 대선 패배 이후 민주당 원내대표가 된 박기춘 의원은 초선의원 시절, 아무리 늦은 시간이라도 지역구 유권자를 한 사람이라도 만나지 않고는 집에 들어

가지 않는다는 자기만의 원칙을 가지고 있었다. 아마 지금도 잘 지키고 있을 것이다. 단지 재선을 위해 하기 싫은 일을 하는 게 아니었다. 그의 표정과 어조에서 그런 만남에 뚜렷한 의미를 부여하고 기쁨을 느낀다는 것을 알 수 있었다. 김태년 의원은 초선 시절 임기 4년 동안 지역구에 있는 모든 중소기업을 다 방문한다는 목표를 세우고 열심히 작은 공장들을 방문했다. 상임위도 산업자원위원회를 선택했다. 나는 그가 중소기업 사장들의 따가운 질책과 간절한 하소연을 듣고 그 내용을 국가정책에 반영하려고 애쓰는 것을 보았다. 그 일을 정말 기쁜 마음으로 하고 있다는 걸 느낄 수 있었다. 신기남 의원은 변호사를 하다가 '재미있을 것 같아서' 정치에 뛰어든 사람이다. 그는 정말로 나름 재미있게 국회의원 생활을 한다.

나는 정치의 일상이 즐겁지 않았다. 그런 점에서 내가 정치에 뛰어든 것은 개인적으로 좋지 않은 선택이었다고 생각한다. 예전에 낸 책에서 정치를 '짐승의 비천함을 감수하면서 야수의 탐욕과 싸워 성인의 고귀함을 이루는 일'이라고 쓴 적이 있다. 정치로 성공해서 성인의 고귀함을 이루는 데 모든 것을 바칠 각오가 되어 있다면 짐승의 비천함을 감수하면서 야수의 탐욕과 싸울 수 있을 것이라는 의미에서 였다. 김대중 대통령과 노무현 대통령이 그런 분이었다. 백범 김구 선생이나 장준하 선생처럼, 정치로 성공하지 못했음에도 성인의 고귀함을 남긴 분들 역시 적지 않다. 그러나 모든 사람이 다 그래야 한다거나, 한 번 정치에 몸담은 이상 끝까지 해야 하는 건 아니라고 생각한다.

이젠 정치적 자기 검열 없이 정직하게 말하고 싶다. 나는 정치의 일상이 요구하는 비루함을 참고 견디는 삶에서 벗어나 일상이 행복한 인생을 살고 싶다. 야수의 탐욕과 싸우면서 황폐해진 내면을 추스르려고 발버둥치는 사람이 아니라 내면이 의미와 기쁨으로 충만한 인간이 되기를 원한다. 정치적 욕망의 화신이라는 세상의 비난에 맞서 내 자신의 도덕적 정당성을 주장하는 싸움이 과연 가치 있는 일인지 의심한다. 정치를 하면서 엄청나게 많은 사람들을 만났지만, 정작 사랑하는 사람을 사랑할 시간은 언제나 부족했다. 세상의 모든 비극과 불의에 대해서 내 몫의 책임이 없는지 살펴야 하는 게 괴로웠다. 왕의 심기를 살피는 신민臣民처럼, 변덕스러운 여론을 언제나 최고의 진리로 받들어야 하는 정치인의 직업윤리가 너무 무거운 짐으로 느껴졌다. 목적의식을 가지고 인간관계를 관리하는 것이 위선으로 보였다. 인간의 존엄을 보장하는 세상을 만들기 위해 내 삶의 존엄을 해치는 것이 정말 훌륭한 일인지 모르겠다.

원래 정치 그 자체가 좋아서가 아니라 세상을 더 좋게 만들고 싶어 정치에 뛰어든 것이 아니었던가. 세상을 더 좋게 바꾸려면 정치가 중요하다. 그러나 정치 '아래'와 정치 '너머'의 변화가 없다면 정치도 더는 바뀔 수 없는 것이 아닐까. 나는 직업정치를 떠나 내가 원하는 삶을 살기로 했다. 이제는 다른 방식으로 사회적 선을 추구하는 사람들과 기쁘게 연대하기로 마음먹었다. 그렇게 마음먹은 순간 눈앞을 가리고 있던 두터운 먹구름이 걷혔다. 해방감으로 가슴이 터질 것만 같았다.

떳떳하게 놀기

아무리 즐거워도 일이 인생의 전부는 아니다. 놀고 사랑하는 것도 그만큼 중요하다. 노는 것은 좋지 않다. 일하는 것은 좋다. 이렇게 생각하는 사람도 있다. 그러면 마음 놓고 놀기가 어려워진다. 그런데 정말 그럴까? 국회에서 일하던 시절 국무총리 '특별수행원' 자격으로 걸프만 주변 여러 나라를 방문한 적이 있다. 사우디아라비아, 쿠웨이트, 오만, UAE, 카타르 같은 나라들이었다. '특별수행원'은 특별히 하는 일 없이 따라다니면서, 국무총리가 그 나라 임금님이나 장관들을 만날 때 아무 말 없이 좌우에 앉아 모양을 내주는 사람이다. '외교는 의전이 절반'이라고 하니, 특별히 하는 일은 없었지만 국가를 위해 '중요한 의전 임무'를 수행했다고 이해해주면 고맙겠다.

우리나라 건설업체들은 중동 지역 건설 플랜트 프로젝트를 많이 딴다. 초고층 빌딩을 세우고 해수 담수화 설비와 화력발전소를 짓는다. 그래서 에너지와 건설 분야 대기업 CEO나 관련 협회 회장들이 국무총리가 해당 분야 장관을 면담하는 자리에 배석해 인사도 나누고 원만하게 사업을 하는 데 필요한 문제를 함께 상담한다. 다음 행선지로 이동하는 전세기 안에서 국무총리와 '특별수행원'들이 차를 마시며 잡담을 나누는 중, 어느 협회 회장님이 요즘 젊은이들은 일하는 건 싫어하고 놀려고만 한다며 한탄했다. "회장님은 노는 것보다 일하는 게 좋으세요?" "그럼, 일하는 게 좋지. 노는 거야 더 늙으면 실컷 놀 텐데!" 이런 말들이 오고갔다. 회사가 자기 것이라면 그럴 수도 있겠다. 하지만 나는 일만 하면서 살고 싶지 않다. 평생 노는 것과 평생 일만 하는 것 중에 택해야 한다면 나는 노는 쪽을 택할 것이다.

놀이는 즐거워서 스스로 하는 활동이다. 생존에 꼭 필요한 활동이 아니라는 이유로 '일'의 반대말처럼 쓰기도 한다. 그러나 놀이와 일을 명확하게 나누기는 어렵다. 일도 즐거울 수 있다. 돈 때문이 아니라 좋아서 일하는 사람도 많다. 그러나 일과 놀이가 같은 건 아니다. 놀이는 반드시 즐거운 것이어야 한다. 즐겁기 때문에 누가 강요하지 않아도 스스로 한다. 일은 그렇지 않다. 즐거워도, 즐겁지 않아도 해야 하는 게 일이다.

대표적인 놀이는 승부를 즐기는 것이다. 사람은 평생 승패를 가르는 정신적 육체적 놀이를 한다. 바둑과 장기, 포커, 고스톱, 축구와 야구를 비롯한 각종 스포츠, 구슬치기, 자치기, 딱지치기 같은 아이들 놀이는 모두 승패를 가르는 게임이다. 정신적 자극이나 안정을 구하는 놀이도 많다. 음악, 그림, 영화, 연극, 독서가 모두 놀이다. 무엇인가

모으는 놀이도 있다. 우표, 자동차, 동전, 열쇠고리, 메뉴 카드 등 인간이 모으는 대상에는 한계가 없는 것처럼 보인다.

사람은 살아 있는 무엇인가를 기른다. 이것도 놀이다. 꽃, 나무, 물고기, 개, 고양이, 나비, 거미, 이구아나까지 사람은 온갖 것을 기르면서 즐거움을 느낀다. 만드는 것도 중요한 놀이에 들어간다. 음식과 가구를 손수 만드는 것은 실용적인 놀이이다. 예전에는 일이던 것이 놀이로 바뀐 것도 많다. 낚시와 사냥, 주말농장 경작은 석기 시대에는 가장 중요한 일이었다. 이쑤시개와 성냥개비로 미니어처를 만들고 바닷가에서 주운 조약돌로 항아리를 만들고 산 계곡에 엄청난 크기의 돌탑을 쌓는 사람도 있다. 컴퓨터와 인터넷이 등장한 후에는 다양한 컴퓨터 게임이 대중적인 놀이로 등장했다. 육체적 심리적 고통과 생사의 위험이 따르는 놀이도 많다. 패러글라이딩, 마라톤, 히말라야 등정, 암벽 등반, 번지점프와 같은 극단적 스포츠가 그렇다. 사실 인간이 할 수 있는 행위 중에 놀이가 될 수 없는 것은 거의 없다고 해도 과언이 아닐 것이다. 사이코패스는 연쇄 살인을 놀이로 삼고, 그런 인물이 권력을 잡을 경우 전쟁이 놀이가 되기도 한다.

얼마만큼 많은 사람들이 어떤 놀이를 하는지는 정확하게 알 수 없다. 극히 일부 놀이만이 대략적인 조사가 이루어져 있다. 우리나라의 바둑 인구를 약 1천만 명으로 추산한다. 바둑을 어떻게 두는지 알고 바둑을 두어본 사람의 수가 그렇다는 것이다.[48] 낚시를 하는 사람은 650만 명 정도로 추정된다.[49] 집에 낚싯대 하나라도 있는 사람, 친지들과 어울려 배타고 바다낚시 한 번이라도 가본 사람을 다 포함한 수치이다. 고스톱이나 포커, 축구나 야구, 요리와 음악, 영화와 같은 대중적인 놀이는 인생을 살면서 누구나 적어도 한번쯤은 해볼 것 같다. 즐기는 사람이 많아지면 그 놀이와 관련된 시장이 형성되고 새로운 직업이 탄생한다. 프로 스포츠 선수와 감독, 구단 임직원, 스포츠용품 생산 유통과 관련된 전문직업인 집단이 등장하는 것이다. 어린이 바둑교실 사범, 인라인 스케이트 순회 강사, 노래교실 보컬 트레이너, 유소년 축구클럽 코치 등 최근에는 사람들에게 노는 법을 가르치는 직업이 새로 생겼다.

당신은 어떤 놀이를 즐기며 사는가? 놀이는 단순한 스트레스 해소 수단이 아니라 그 자체가 행복한 삶의 핵심 요소이다. 경마 배팅, 카지노 도박, 주식 투자도 그것이 돈을 따기 위한 도박이 되기 전까지는 즐거움을 위한 놀이가 될 수 있다. 음주와 포르노 감상도 적정한 범위에서는 놀이가 된다. 중요한 건 노는 즐거움 자체가 목적이어야 한다는 것이다. 돈이나 승리를 목적으로 삼으면 놀이가 더 이상 놀이가 아니게 된다. 노는 시간과 방법을 스스로 통제하는 자기 결정권을 상실하지 않는다면, 그리고 그 놀이가 타인의 자유와 권리를 부당하게 침해

---

48 바둑 인구에 대한 최근 조사 결과는 없다. 1997년 5월 창간된 시사바둑주간지 『세계바둑』을 보면 창간 특집으로 한국갤럽과 함께 진행한 표본 조사에서 성인 바둑 인구를 약 9백만 명으로 추산했다. 여기에 청소년과 어린이 바둑 인구를 합치면 약 1천만 명 정도 될 것으로 추산한다. 바둑 인구의 절반 가까이는 왕초보인 16급 이하이다.

49 낚시 인구에 대한 자료는 2012년 3월 28일 농림수산식품부에서 발표한 「낚시산업 활성화 대책」을 참고했다.

하지만 않는다면, 세상에 해서는 안 될 놀이는 없다. 놀이와 일 사이에 가치의 우열은 없다고 생각한다.

근자에 내가 주로 하는 놀이는 당구와 낚시다. 축구화는 벌써 일 년 넘게 신발장에서 잠자고 있다. 지방 출장 다닐 때 승용차 안에서는 유튜브에 올라온 노래 동영상을 보면서 혼자 논다. 일찍 귀가하는 날이나 주말에는 어린이 초단을 딴 우리 집 축구광과 바둑을 둔다. 정신을 바짝 차리고 두면 접전을 펼치지만 조금만 방심하면 대마를 잡히곤 한다. 두 점 깔아야 할 날이 임박했다. 당구는 실력이 신통치 않지만 삼구를 친다. 오십이 넘은 나이에 다른 당원한테 얻어맞고 다니는 내 처지가 딱해 보였는지 만화가 강풀이 트위터로 도전장을 보내왔다. 우리 동네에서 만나 한 판 겨루었다. 완패한 강풀은 뭐가 좋은지 싱글벙글하면서 게임비와 자장면 값을 냈다. 날 위로하려고 대충 친 것 같았다. 자기네 동네에서 복수전을 하겠다고 해서 조만간 리턴매치 기회를 만들 작정이다. 영화 「26년」 흥행 성적이 좋으니 또 자기가 자장면 값을 내겠다고 할지 모르겠다. 놀이는 사람을 가깝게 만들어준다.

그런데도 낚시를 가거나 당구를 칠 때 마음 한 구석이 왠지 불편하다. 이러면 안 되는데, 하는 생각이 드는 것이다. 이 불편함의 정체는 무엇일까? 두 가지가 있는 것 같다. 첫째는 자격에 대한 문제의식이다. 노는 데는 시간과 정력, 비용이 든다. 그 시간과 비용을 들여서 아내와 영화를 봐도 되고 꼬마를 데리고 노래방에 갈 수도 있다. 집 화장실을 닦고 청소기를 돌려도 괜찮을 것이다. 재료를 사다 아이들에게 스파게티를 만들어줄 수 있다. 대구 어머니께 가서 하루 밤 자고 와도 좋을 것 같다. 아들, 남편, 아버지로서 해야 할 도리를 다할 때 떳떳한 마음으로 놀 자격이 생기는 것 아닌가 싶다. 그런데 그런 일들은 끝이 없다. 하다 보면 친구들과 놀 시간이 없다. 그러니 적절하게 타협할 수밖에 없다. 나름 열심히 인간의 도리를 하고, 죄의식을 크게 느끼지 않는 정도로만 나가서 노는 것이다.

둘째는 도덕적 부담감이다. 내가 사는 이 사회 어느 곳에선가 절망을 견디다 못해 자살하는 노동자들이 있다. 밤낮 없이 두 가지 세 가지 일을 해도 가난을 벗어나지 못하는 사람들이 있다. 부모 잃은 아이들이 있고 자식에게 버림받은 노인들이 있다. '내가 친구들과 노는 이 시간에 자원봉사를 하고 노는 비용을 기부하는 게 옳지 않을까? 한겨울에 거지 한 사람이 얼어 죽어도 모두의 책임이라는 말도 있는데, 이렇게 노는 건 도덕적으로 옳지 않은 것 아닌가?' 스스로 그렇게 자책하게 된다. 이것도 근본적 해법은 없는 것 아닌가 싶다. 지옥에 떨어진 중생을 마지막 한 사람까지 다 구제한 다음 성불하겠다고 서원誓願한 지장보살地藏菩薩이라면 모를까, 우리네 보통 사람은 좀 놀아도 괜찮다고 생각한다.

놀 때는 떳떳하게 노는 게 좋다. 하지만 약간의 도덕적 부담감을 느끼는 게 꼭 나쁜 것만은 아닐 것이다. 그런 부담감은 노는 시간과 방법을 스스로 제한하는 데 도움이 된다. 떳떳하게 놀고 싶어서 가족과 사회에 대한 도덕적 책임을 더 적극적으로 감당하도록 자극한다. 삶에는 선악이나 옳고 그름을 명확하게 재단할 수 없는 것이 많다. 놀이가 그렇다. 지나치지만 않다면, 스스로 죄의식을 느끼지 않아도 될 범위 안에만 있다면, 밝은 마음으로 당당하게 즐기는 게 좋다고 생각한다.

사랑은
싹이 난 감자맛

우리는 누군가를 사랑하며 산다. 부모, 형제, 자식, 연인, 아내, 남편, 친구, 동지, 직장 동료를 사랑한다. 예수는 원수까지도 사랑하라고 했다. 당신은 누군가를 사랑하는가? 사랑한다고 느끼는 사람이 몇이나 있는가? 그 사람들을 어떤 방식으로 사랑하는가? 당신이 자기를 사랑한다는 것을 그 사람들은 알고 있는가? 이렇게 묻는다면 저마다 나름대로 대답할 수 있을 것이다. 만약 사랑하는 사람 이름을 하나도 떠올리지 못한다면, 그 인생은 풀 한 포기 키우지 못하는 황무지나 마찬가지다.

사랑은 움직인다. 새로 생기고 변덕을 부리며 사라지기도 한다. 사랑이라는 감정은 때로 사람을 속인다. 사랑한다고 생각하지만 실제로는 사랑을 느끼지 않을 수도 있다. 사랑한다고 생각하는 어떤 사람을 정말 사랑하는지, 아니면 그저 사랑한다고 착각할 뿐인지 확실하지 않을 때도 있다. 내가 누군가를 정말 사랑하는지 알 수 있는 방법이 있을까? 나는 나름의 방법을 찾았다. 가끔 일 때문에 '혼자' 국내선이나 국제선 비행기를 탔다. 여기서 '혼자'는 일행이 없다는 게 아니라 사랑하는 사람들과 떨어져 있다는 뜻이다. 내가 탄 비행기가 기관 고장을 일으켰다고 상상한다. 운이 아주 좋으면 살아남겠지만 그렇지 않다면 십 분이나 이십 분 후에 죽을 것이다. 만약 그대가 그런 상황에 빠졌다면 마지막으로 허락된 짧은 시간 동안 무엇을 하겠는가?

나라면 제일 먼저 스마트폰 전원을 켜고 아내에게 문자를 보낼 것이다. 비행 중에는 전자기기 사용이 금지되어 있지만 그런 상황에서까지 규칙에 얽매일 수는 없다고 생각한다. "사랑해, 고마워, 미안해. 어머니와 아이들에게 사랑한다고 전해줘." 그런 다음 안전벨트를 단단히 조이고 등받이에 차분히 기대어 눈을 감는다. 태어나서 이 순간까지 내 마음에 울림을 남긴 장면들을 떠올려 본다. 생각지도 않았던 것들이 보였다. 제일 먼저 떠오른 것은 아버지가 공들여 가꾸었던 마당 귀퉁이 꽃밭 가장자리에 줄지어 선 채송화였다. 그리고 고무신을 들고 벌을 쫓는 꼬마아이가 보였다. 이것이 아마도 내가 기억하는 인생의 첫 장면인 것 같다. 앉은뱅이책상과 흔들리는 호롱불, 책 읽는 아버지의 뒷모습이 일렁거렸다. 산더미 같은 시장짐을 이고 걷는 어머니를 만났다. 마산교도소의 기다란 회백색 담벼락, 유인물을 날랐던 을지로 좁은 뒷골목 인쇄소가 떠올랐다.

아내의 손을 처음 잡았던 순간의 가슴 떨림, 산부인과 병원 뒷마당을 서성대면서 막내의 출산을 기다리며 느꼈던 불안감, 하나가 강의를 들으러 가면 다른 하나가 어린 딸을 돌보면서 하루 종일 머물렀던 독일 마인츠대학 학생식당 카페테리아 나무의자의 매끈한 촉감이 되살아났다. 세상을 바꾸고 싶은 소망으로 만나고 헤어지고 또 만났던 신념의 동지들이 보였다. 조영래, 김병곤, 이범영, 김용민, 이옥순…. 생명의 기운을 너무 짧은 시간에 모두 불태우고 일찍 떠나버린 사람들이다. "세상을 바꾸었다고 생각했는데 돌아보니 물을 가르고 온 것 같네. 자네는 정치 말고 더 좋은 것을 하게!" 노무현 대통령의 음성도 들렸다. 꿈과 눈물을 나누었던 많은 사람들, 함께 이루었던 일들, 주고받았던 희망과 설렘, 모두를 눈물짓게 했던 실패와 좌절이 생각났다. 참 많은 사람을 사랑했고 많은 사람에게 사랑받았다는 것을 알게 되었다. 눈물이 조금 났다. 가슴이 따뜻해졌다. 만약 추락하는 비행기 안에서 마지막 십 분을 허락받는다면 나는 그 십 분을 그렇게 눈을 감은 채 보낼 것이다. 편안한 마음으로 누군가와 주고받았던 사랑의 감정을 되살리면서, 그것이 주는 행복한 느낌을 음미하면서 마지막 순간을 맞는 것이다.

갑작스럽게 찾아든 영원한 이별에 대한 상상은 사랑이라는 감정의 색깔과 맛을 확인하는 좋은 방법이다. 그럴 때 사랑은 싹 난 감자처럼 아린 맛으로 다가온다. 누군가와의 영원한 작별을 상상하는 것만으로 가슴이 아리다면 당신은 그 사람을 깊게 사랑하고 있는 것이다. 운이 좋아서 비행기가 어느 바닷가 넓은 백사장에 성공적으로 불시착했다고 상상하자. 그 사람에게 무엇을 꼭 해주고 싶은가? 누구에게 무엇을 어떻게 해주고 싶다는 그 생각과 느낌을 마음에 새기자. 비행기는 틀림없이 공항 활주로에 안전하게 착륙할 것이다. 비행기 사고는 일단 일어나면 치명적이지만 좀처럼 일어나지 않는다. 비행기 사고로 죽을 확률은 자동차 사고로 죽을 확률과는 비교가 아예 불가능할 정도로 낮다. 영원한 이별의 상상이 가슴 찢어지게 아린 맛을 주는 그 사람에게, 꼭 해주고 싶다고 생각했던 그대로를 하라. 그것이 좋은 사랑의 표현이라고 생각한다.

만약 영원히 헤어진다고 해도 가슴을 아리게 만드는 사람이 없다면 그대는 잘못 산 것이다. 사랑하지 못하고 사랑받지 못하며 산 것이다. 지금부터라도 사랑하는 사람을 찾아야 하고, 사랑받을 준비를 해야 한다. 사랑의 대상은 제한이 없지만 가장 깊고 황홀한 사랑은 '성적性的 교감을 토대로 한 사랑'이라고 나는 믿는다. 성적 교감 위에서 존재 그 자체를 있는 그대로 껴안고 모든 것을 나눌 수 있는 동반자가 있을 때, 인간은 비로소 절대고독을 벗어날 수 있다. 오해가 없기 바란다. 성적인 교감을 바탕으로 맺어진 인생의 동반자가 반드시 생물학적으로 이성異性이어야 한다는 말이 아니다. 생물학적으로 동성同性이라 할지라도 사랑을 매개로 한 관계라면 그 본질은 같다고 생각한다.

일반적으로 구애는 짝짓기 본능의 발현이다. 물고기와 새에서 사람까지 구애 행동의 목적은 똑같다. 이성을 유혹해 짝을 짓고 새끼를 낳아 키우는 것이다. 여기서는 눈으로 보고 귀로 듣고 혀로 맛보고 손으로 만질 수 있는 것이 중요하다. 보이지 않는 면에 대한 정보를 얻는 데는 시간과 비용이 든다. 영화배우 장동건과 김태희는 나 같은 사람보다는 훨씬 수월하게 연인을 만들 수 있을 것이다. 더 아름답게 보이려고 성형수술 받는 것을 꼭 나쁘게 볼 이유는 없다고 생각한다. 명품 옷이나 페라리 자동차로 이성을 유혹하는 것도 마찬가지다. 「개그콘서트」 '불편한 진실' 코너의 황현희가 키높이 구두를 신었다고 비웃는 것은 공정한 처사가 아니다. 똑같은 일을 유전자가 하면 괜찮고 사람이 하면 안 된다는 건 합리적이지 않다. 큰 키, 잘 생긴 얼굴, 울퉁불퉁한 근육, 브이라인과 에스라인. 사람은 이런 것에 마음이 흔들린다. 그래서 데이트를 할 때는 더 정성 들여 눈 화장을 하고 제일 멋져 보이는 옷을 입는다. 평소 가지 않는 고급 레스토랑에 가서, 밥값을 생각하면 목에 넘어가지 않을 비싼 메뉴를 고른다. 달콤한 '닭살 멘트'를 날리고 품위 있는 말투를 쓰려고 노력한다. 사람마다 정도의 차이가 있을 뿐, 구애는 필연적으로 허세와 속임수를 동반한다. 거기 넘어가는 건 어디까지나 자기 책임이다.

겉보기에 멋지고 돈도 많은 사람이 마음도 곱고 진실하면 최선이다. 그래서 구애를 할 때는 자기가 좋은 사람인 것처럼 보이려고 노력한다. '얼굴이 예쁘다고 다는 아니에요.' '마음이 고와야지요.' '돈이 행복은 아닙니다.' '사랑이 중요하죠.' 그렇게 말한다. 옳은 말이다. 그런데 데이트 상대가 마음이 곱고 자기를 사랑한다는 것을 어떻게 알 수 있을까? 말이 아니라 행동을 보아야 한다. 그러나 분위기 좋은 레스토랑이나 공원, 영화관, 커피숍, 술집과 같은 곳에서 허세와 속임수를 써가면서 유혹하는 상대방의 정체를 파악하는 것이 그리 간단한 일은 아니다. 한 사람을 있는 그대로 파악하려면 함께 살아봐야 한다. 그러나 짝짓기를 하기 전에는 같이 살 수가 없다. 짝짓기와 관련된 제도와 관습, 문화가 그렇게 되어 있다. 우리는 보통 살아보지도 않고서 평생 함께 살겠다고 공개 서약을 한다. 실망과 배신, 갈등과 결별의 씨앗은 바로 이 모순의 틈새에서 싹을 틔우고 뿌리를 내린다. 숫총각 숫처녀가 한번 자보지도 않고 결혼하는 것은 가장 위험한 짝짓기 행동이다. 마음이 움직이면 먼저 함께 살아보고, 상대방에 대해서 확신을 가졌을 때 혼인하는 것이 합리적이라고 생각한다.

손끝만 스쳐도 마음이 설레고 입맞춤만으로도 황홀감에 빠지는 연애 시절은 오래 가지 않는다. 한 이불을 덮고 같은 욕실을 쓰고 상대방의 몸과 마음을 다 알고 나면 설렘과 황홀감이 있던 자리를 편안함과 친숙함이 차지한다. 연인은 사라지고 남편 또는 아내라는 가족이 생기는 것이다. 가족이란 무엇인가? 가족은 '서로에 대한 사랑과 책임의식으로 맺어진 어른과 아이들의 생활공동체'이다.[50] 아이들을 일단 제외해보자. 연인과 가족의 차이는 하나뿐이다. 사랑할 뿐만 아니라 서로에 대해서 책임감을 느끼는 생활공동체의 구성원이라는 것이다. 배우자 말고도 다른 어른이 생활공동체 구성원이 될 수 있다. 부모와 함께 사는 경우가 그렇다. 그러나 성적 교감을 매개로 가족이 되는 것은 배우자밖에 없다. 배우자에 대한 사랑은 그 배우자가 동성同性이든 이성異性이든, 성적性的 욕구와 교감이 기초가 된다. 이것 없이도 가족관계를 유지할 수는 있지만 이것 없이는 온전한 배우자라고 할 수 없다. "가족끼리 섹스 하는 건 근친상간이야." 이것은 중년 남자들이 하는 농담 가운데 단연 최악이다.

동물의 구애 행동은 짝을 얻어 자식을 낳고 유전자를 퍼뜨리려는 생물학적 본능의 표출이지만 사람에게는 그것을 넘어서는 의미가 있다. 구애는 삶에 지속적으로 기쁨과 의미를 제공하는 불가결한 요소이며 삶의 품격을 좌우하는 중대사이다. 성욕이 사라지지 않은 한, 아내와 남편은 일반적으로 서로에게 여자이고 남자이다. 부부는 혈연으로 맺어지지 않았으며 성장기의 공통적인 경험도 없다. 헤어지면 바로 남이 된다. 부부 사이의 책임의식과 유대감은 사랑 위에서만 튼튼하게 유지된다. 사랑이 없어지면 조만간 책임감도 약해진다. 만약 연인으로서의 매력을 완전히 잃어버릴 경우 상대방은 다른 사람에게서 사랑을 찾게 될 위험이 있다. 혼인이 깨지는 것 자체가 가장 큰 불행은 아니다. 사랑을 잃어버리는 것이 진짜 불행이다. 파경은 이미 생긴 불행을 확인하는 절차에 지나지 않는다. 사랑이 없는 혼인 생활을 계속하는 것은 새로운 사랑을 찾기 위해 헤어지는 것보다 더 큰 불행일 수 있다.

결혼은 구애의 종착점이 아니다. 혼인한 이후에도 배우자에게 이성으로서 매력 있는 사람이어야 한다. 외모를 건강하고 보기 좋게 가꾸어야 한다. 다정한 말과 이벤트로 계속 점수를 따야 한다. 손잡기와 입맞춤, 팔베개와 같은 소소한 구애 행동을 멈추지 말아야 한다. 생활이 고달프고 일이 바쁘고 아이들 때문에 속상한 일이 있어도 남편 또는

---

50 이것은 독일 사회민주당(SPD) 강령에서 따온 가족의 정의이다. 이성 부부든 동성 부부든, 자식이 있든 없든, 부모를 모시든 그렇지 않든, 자녀를 낳았든 입양했든 이 정의는 모든 형태의 생활공동체에 적용할 수 있다.

아내를 연인으로 여기면서 배우자가 다른 여자 또는 다른 남자에게 마음을 빼앗기지 않도록 사로잡아야 한다. 구애는 단순한 짝짓기 수단을 넘어 소통과 공감의 기쁨을 만드는 행위이다. 구애 행동으로 표현되지 않는다면 사랑은 존재하지 않는다고 보아야 한다. 그것 말고는 사랑의 감정을 인지할 수 있는 다른 방법이 없기 때문이다.

아이들을 옳게 사랑하는 방법

사랑하면 주고 싶다. 깊이 사랑하면 무엇이든 줄 수 있다. 사람이 무엇이든 아낌없이 주는 사랑의 대상은 자식이다. 인간은 이기적인 존재임에도 불구하고 자녀에 대해서만큼은 조건 없이 이타적인 게 보통이다. 우리는 왜 자기가 낳은 아이들을 그토록 사랑하는 것일까? 맹자는 사랑이 부모와 자식의 관계를 출발점으로 해서 형제와 친지, 이웃으로 넓어져 간다고 주장했지만 그 이유를 설명하지는 못했다.[51] 이것은 영원히 살아가려는 이기적 유전자의 생존 전략일 수 있다.[52] 사람뿐만 아니라 동물도 새끼를 끔찍이 아끼고 보호한다는 사실에 비추어보면, 자기 자식에 대한 이타 행동은 문명의 산물이 아니라 생물학

51 맹자 지음, 우재호 옮김, 「진심 상」편, 『맹자』, 을유문화사, 2007, 35쪽 참조.

52 리처드 도킨스 지음, 홍영남 옮김, 『이기적 유전자』, 을유문화사, 2008(30쇄 기념판), 197~199쪽.

적 본능임에 분명하다.

그 원인이 무엇이든 우리는 자식을 아끼고 보호하며, 자식에게 무엇인가를 주면서 기쁨을 느낀다. 누구보다도 먼저 딸 아들과 소통하고 공감하면서 행복을 느낀다. 그런데 자식을 어떻게 사랑해야 좋은 것일까? 무엇이든 주는 것이 제대로 사랑하는 방법일까? 그렇지 않다. 사랑을 잘못 표현하면 자식의 삶을 망칠 수 있다. 심하면 죽음에 이르게 한다. 자식을 사랑하는 데도 좋은 방법과 그렇지 않은 방법이 있다.

사람들은 자식에게 무엇이든 주려고 한다. 많은 돈, 특별한 재능, 뛰어난 지능, 멋진 외모, 건강, 높은 지위, 일류 대학 졸업장, 큰 야망 등 이런 것들을 줄 수만 있다면 주려고 한다. 그런데 도대체 무엇 때문에 그런 것을 주려고 할까? 자기 자신이 원했던 것, 실제로 누려보니 좋았던 것, 또는 자신은 누리지 못했기에 자식이라도 꼭 누리기를 바라는 것을 주고 싶어서다. 그것은 행복한 삶이다. 모든 부모가 궁극적으로 바라는 한 가지, 그것은 자식이 행복하게 사는 것이다. 자식에게 다른 것을 바란다면 잘못이다. 만약 딸 아들에게 당사자가 하고 싶어 하지 않는 것, 고통스러워하는 것을 하도록 강제한다면 그것은 자식을 수단으로 삼는 것이다. 자녀들의 인간적 존엄을 짓밟는 일이다. 자기 결정권을 제약당하거나 빼앗긴 사람의 인생은 행복할 수 없다.

부모가 저지를 수 있는 가장 중대한 잘못은 자녀의 삶을 대신 설계하고 자녀의 행복을 대신 판단하는 데서 시작된다. 부모는 누구나 딸 아들이 행복하게 살기를 바란다. 그러나 아무리 지위가 높고 돈이 많은 사람도 자녀에게 행복을 상속해 줄 수는 없다. 행복은 사람이 저마다 느끼는 주관적 만족감이기 때문이다. 이렇게 해서 이야기는 다시 철학의 근본 문제로 돌아간다. 자식에게 물려주고 싶지만 그 자체를 물려줄 수는 없는 행복, 그것은 무엇인가? 행복은 삶에서 기쁨을 느끼고 자기 삶에 만족하여 마음이 흐뭇한 상태를 말한다. 우리는 언제 이런 흐뭇함을 느끼게 되는가? 스스로 설계한 삶을 자기가 옳다고 여기는 방식으로 살면서, 그것이 무엇이든 자신이 이루고자 하는 것을 성취했을 때 행복을 느낀다. 부모는 자녀가 자신의 행복을 찾아나갈 수 있도록 지켜보고 격려하면서 필요할 때 적절한 도움을 주는 선에 머물러야 한다.

만약 자식이 행복한 삶을 살기를 바란다면 두 가지를 가지도록 도와줄 수 있다. 첫째는 행복을 느끼는 능력, 둘째는 원하는 것을 성취할 수 있는 능력이다. 행복을 느끼는 능력을 가지려면 삶을 스스로 설계하고 자신이 원하는 삶의 방식을 찾아야 한다. 자녀가 스스로 이것을 할 수 있도록 격려하고 시행착오를 경험할 기회를 주어야 한다. 자식은 부모의 꿈이나 희망을 실현하는 수단이 아니다. 자신의 소망을 자녀에게 투사하지 말아야 한다. 자기가 옳다고 믿거나 좋다고 생각하는 삶의 방식을 강제해서도 안 된다. 자녀들은 부모가 그렇게 할 경우 그것을 거부할 수 있어야 한다. 삶의 중요한 문제를 스스로 선택하지 못하는 사람은 행복을 누리는 능력을 기를 수 없다.

아이의 지능과 재능은 일차적으로 우연에 의해 주어지지만, 원하는 것을 성취할 수 있는 아이의 능력과 관련해서는 부모가 할 수 있는 일이 제법 많다. 그런 것을 가진 아이를 원한다고 해서 낳을 수 있는 게 아니다. 그러나 사람이 할 수 있는 일이 아주 없는 건 아니다. 지능과 재능은 뇌의 기능과 관련되어 있다. 어머니의 자궁에 있을 때부터 청소년기에 이를 때까지 부모는 아이의 뇌가 최대한의 능력을 발휘하는 구조와 기능을 갖추도록 도울 수 있다. 태아의 뇌는 실제 사용할 수 있는 것보다 훨씬 많은 신경세포를 만든다. 외부에서 언제 어떤 자극이 얼마나 적절하게 주어지느냐에 따라 그에 대응하는 최적의 신경망이 만들어지면서 사용되지 않는 신경세포들은 잡초처럼 뽑혀 사라진다.[53]

뇌는 하드웨어와 소프트웨어를 스스로 만들 수 있는 똑똑한 컴퓨터라고 할 수 있다. 예컨대 아기의 뇌가 초기에 100GB 용량의 하드웨어를 형성했고, 이것이 사람이 실제 살아가는 데 필요한 하드웨어 용량보다 현저히 크다고 하자. 그런데 이 하드웨어의 극히 일부만을 사용해도 충분한 정도의 작업 명령만 주어질 경우, 뇌는 그 신통치 않은 작업을 수행하는 데 필요한 만큼의 역시 신통치 않은 운영 체계와 응용 프로그램을 만든다. 그리고 이런 신통치 않은 소프트웨어를 돌리는 데 집중하기 위해서 여분의 하드웨어를 없애버린다. 하드웨어 용량이 줄어들고 나면 더 좋은 운영 체계와 응용 프로그램을 만들어내기가 예전보다 더 어려워진다.

초기의 하드웨어 용량과 뇌가 만들어 나가는 소프트웨어의 성능에 유전적 요소가 영향을 준다는 것은 확실해 보인다. 여기에 대해서는 어떻게 할 도리가 없다. 그러나 아기의 뇌는 어떤 환경에서 어떤 자극과 정보, 어떤 과제를 받느냐에 따라 그 특성과 용량이 크게 달라지는 컴퓨터이다. 뇌는 선천적이며 동시에 후천적이다. 수많은 동물 실험과 사례 연구가 이를 뒷받침한다.[54]

막 태어난 건강한 고양이의 눈을 봉합해두면, 일정 시간이 지난 뒤에 눈을 열어주어도 보지 못한다. 눈에서 오는 시각 정보를 처리하는 뉴런과 시냅스가 형성되지 않았기 때문이다. 원래 그것을 할 수 있었을 뉴런들을 청각이나 후각 정보를 처리하는 쪽으로 빼앗긴 것이다. 아무도 말을 걸어주지도 만져주지도 않으면 신생아는 우유를 먹여도 제대로 성장하지 못하고 쉽게 죽는다. 영화 주인공 타잔은 말을 하지만 실제로 늑대 젖을 먹고 늑대와 함께 자란 사람은 말을 제대로 배우지 못한다. 유전자의 명령과 환경의 자극이 힘을 합쳐 뇌를 만들기 때문이다. 뇌의 성장과 발전 과정은 태아기에 시작되어 유년기에 빠른 속도로 이루어지지만 청소년기 이후 성인기까지 멈추지 않고 평생 계속된다. 뇌는 생물학적이면서 사회적이다.

부모가 자녀에게 해줄 수 있는 최초의 행위는 좋은 태교胎敎이다. 흡연, 음주, 마약, 다이어트, 독극물은 태아 뇌에서 뉴런이 생기고 제자리를 찾아가며 시냅스를 형성하는 과정에 작용하는 화학 물질의 분비 체계를 혼란에 빠뜨린다. 산모에게 강한 정신적 충격이나 스트레스를 주는 정보와 자극도 해로운 약물과 비슷한 악영향을 미친다. 건강한 식

---

53 게랄트 휘터 지음, 이상희 옮김, 『우리는 무엇이 될 수 있는가』, 추수밭, 2012, 45~54쪽.

54 이하 유아기 뇌 형성 과정에 대한 설명은 존 레이티 지음, 김소희 옮김, 『뇌, 1.4킬로그램의 사용법』, 21세기북스, 2010, 29~54쪽 참고.

생활, 좋은 생활 습관, 평화롭고 따뜻한 마음의 상태를 유지하는 것은 자녀에게 건강하고 우수한 뇌를 상속할 수 있는 효과적인 방법이다.

유년기의 양육 방식도 매우 중요하다. 살아가는 데 꼭 필요한 거의 모든 것을 배우는 세 살 이전에는 말할 나위도 없으며, 그 이후에도 아이의 뇌에 미치는 부모의 영향은 아주 강력하다. 좋은 양육은 가훈이나 규칙을 정해두고 예의범절을 익히게 하는 것을 의미하지 않는다. 아이를 사랑해주고 부모 스스로 좋은 삶을 사는 것, 그것이 양육의 핵심이다. 아이들은 부모가 의도적으로 가르치고 보여주는 것을 받아들이는 데 그치는 것이 아니라 그 너머에 있는 것까지 느끼고 이해한다. 부모의 꿈, 정서, 가치관, 감정, 부모가 외부 환경의 자극에 대응하는 방식. 이 모든 것이 아이의 뇌에 영향을 준다.

아이를 잘 키우려면 도를 닦는 자세를 가져야 한다. 두 가지만 이야기하자. 따지고 드는 아이를 존중해야 한다. 공정성fairness에 대한 인식이 일찍 발달하는 아이일수록 지적 재능이 있을 가능성이 크다. 사회성은 가장 높이 발달한 생물학적 재능이다. 끝없이 "왜?"를 쏟아내는 아이를 억압해서는 안 된다. 더 창의적인 아이들은 덜 창의적인 아이들보다 부모를 더 힘들게 하는 경향이 있다. 그것을 견디지 못하고 기존의 규범으로 길들이면 아이는 호기심을 버리고 창의적이기를 그만둔다. 어떤 부모도 자기에게 없는 것을 자식에게 줄 수는 없다. 자녀에 대한 사랑과 훌륭한 삶의 자세를 가지고 있는 부모만이 그것을 자녀에게 줄 수 있다. 최악의 훈육 방법은 아이를 때리는 것이다. 폭력은 어떤 것이든 정서 발달을 왜곡한다. 승복할 수 없는 폭력에 어쩔 수 없이 굴복하는 경험은 소통과 공감 능력 발달을 심각하게 저해한다.

또 하나 중요한 것은 제대로 된 언어로 대화하는 것이다. 사람은 언어로만 소통하는 존재가 아니지만 소통의 가장 중요한 수단이 언어라는 것은 의심할 여지가 없다. 말을 하기 전에 아이들은 먼저 말을 알아듣는다. 뱃속에 들어 있을 때부터 존중하는 마음을 가지고 완전한 문장으로 아이에게 말을 걸어야 한다. 아이의 뇌 속에 음성 정보를 처리하는 뉴런과 신경세포가 제대로 자리 잡게 하려면 그것이 가장 좋은 방법이다. 갓난아이 때부터 동화책을 읽어주는 것도 좋은 방법이다. 집중해서 듣는 아이가 있고 그렇지 않은 아이도 있지만 할 수 있는 만큼 최대한 노력해야 한다. 아이를 씻길 때도 지금 목욕을 할 것인지, 아니면 조금 더 놀다가 할 것인지를 물어보는 게 좋다. 어느 쪽이든 큰 문제가 없는 경우 아이의 선택을 존중해주어야 한다. 이 모든 과정은 말과 더불어 진행된다. 인간은 언어로 사유한다. 부모가 반쪽짜리 '아기 말'을 쓰면 아기의 생각도 반쪽짜리가 된다.

원하는 것을 성취하려면 경쟁력이 있어야 한다. 아이큐가 높고 공부를 잘한다고 해서 경쟁력이 있는 게 아니다. 사람의 경쟁력은 인지적, 정신적, 정서적, 신체적 능력을 모두 포함하는 개념이다. 부모들은 흔히 이 가운데 인지적 능력을 가장 중요하게 여긴다. 영어 유치원에서부터 조기 해외 어학연수, 학원 종합반, 족집게 과외까지 인지적 능력을 키우는 데 엄청난 돈과 노력을 쏟아붓는다. 경쟁력을 기르는 것은 원하는 것을 성취하는 능력을 갖추기 위해서다. 인지적 능력을 기르는 사교육은 투입 요소에 불과하다. 투입 요소를 늘린다고 해서 반드시 산출이 늘어나는 것은 아니다. 그런데 많은 부모들이 인지적 능력을 기르는 데 아이를 밀어넣음으로써 아이들이 행복을 느낄 능력을 제약한다. 인지능력만 키우느라 정신적, 정서적 능력의 성장을 저해하고 신체적 건강을 해친다. 행복을 느끼는 능력을 키우지 못한 아이일수록 더 쉽게 인터넷 게임이나 술, 폭력 등에 빠져든다. 삶의 의미와 기쁨을 모르기에 스트레스에 짓눌려 자살을 생각하고 시도한다.

자녀를 사랑하는 것을 말릴 수는 없다. 그러나 잘못 사랑하는 것은 말려야 한다. 자녀를 사랑하는 가장 훌륭한 방법은 아이들 스스로 자기가 살고 싶은 삶을 설계하고 자기가 옳다고 생각하는 방법으로 살게 하는 것이다. 어떤 인생을 선택하든 믿고 격려하면서 어려움에 처했을 때 자기 결정권을 침해하지 않는 범위에서 조금 도와주는 것이다. 많이 사랑하고 그 사랑을 최대한 표현함으로써 작은 일에도 쉽게 행복해질 수 있는 능력을 키워주는 것이다. 제대로 된 사랑을 듬뿍 받고 자라나 스스로 인생을 만들어나가는 사람은 아주 작은 일에도 쉽게 행복을 느끼게 된다.

품격 있게 나이를 먹는 비결

흐르는 세월은 그 누구도 비껴가지 않는다. 자신이 늙어가고 있다는 사실을 깨닫는 순간을 누구나 반드시 만나게 된다. 노화老化는 무엇보다 갖가지 질병으로 존재를 드러낸다. 내게 가장 일찍 찾아온 노화의 징후는 만성 치주염齒周炎이었다. 서른다섯 살이 된 어느 날 송곳니 아래에 통증이 왔다. 양치질을 하니 피가 조금 났다. 금방 괜찮아졌기 때문에 별일 아닐 것이라고 생각했다. 그것이 만성 치주염 증세의 시작이었음을 나중에 알았다. 몇 년이 지나자 이 병은 본격적으로 나를 괴롭히기 시작했다. 얼마 전 마침내 어금니 하나를 잃고 임플란트를 했다. 몹시 위태로운 치아가 두어 개 더 있다. 칫솔질을 하는 데 많은 수고를 들이고 있지만 결국은 하나둘 치아를 더 잃게 될 것이다. 건강한 치아가 오복五福에 속한다는 옛말이 옳은 것 같다. 치아 하나 제대로 관리하지 못하는 주제에 세상을 바로 세우자고 대들었던 내가 한심하다고 토로하자 치과 선생님이 위로해 주었다. "그만하면 관리 잘 하신 겁니다. 단지 운이 없어서 그런 것이지요." 임플란트를 해서 크게 불편한 건 없다. 그러나 원래 가지고 있었던 몸의 한 조각이 떨어져나가고 없다는 사실 때문에 마음이 조금 움츠러드는 것은 어쩔 수 없었다.

노화의 두 번째 징후는 원시遠視였다. 어느 날 아침 소파에서 신문을 읽는데 아내가 말했다. "할아버지 같아!" 내가 영문을 모르고 쳐다보자 한마디 더 했다. "지금 그대로 꼼짝 말고 있어봐." 거울을 가지고 왔다. 거울 속의 나는 팔을 쭉 뻗은 채 신문을 들고 있었다. 서둘러 안과에 갔다. 의사 선생님은 진단 결과를 간단하게 요약했다. "아무 문제가 없습니다. 조금 있으면 돋보기를 쓰셔야 할 것 같아요." 돋보기를 맞추었다. 나이가 들면 눈 근육에 힘이 빠지고 수정체 탄력이 줄어든다. 그렇게 되면 가까이 있는 물체에서 반사된 빛이 망막 표면이 아니라 뒤쪽에 초점을 형성한다. 책이나 신문을 읽기 힘들어지는 것이다. 나는 이제 돋보기를 끼지 않으면 책을 읽지 못하고 낚싯바늘을 매지도 못한다.

최근 들어 느끼는 또 다른 증상은 기억력 손상이다. 뇌신경이 위축된 탓이다. 뇌의 노화는 단기 기억에 문제를 일으킨다. 나는 예전부터 사람 이름을 잘 기억하지 못하는 편이었는데, 요즘 더 심해졌다. 예전 가수와 탤런트, 영화배우는 아는데 새로 뜨는 스타들은 이름을 잘 기억하지 못한다. 특히 아이돌그룹 가수들은 팀 이름만 겨우 구별할 수 있다. 멤버들의 이름과 얼굴을 일치시키는 것은 거의 불가능한 일이 되었다. 어떤 때는 영화를 보는 도중에 주인공 배우 이름이 생각나지 않는다. 줄리엣 비노쉬나 스칼렛 요한슨의 얼굴이 스크린에 커다랗게 떠 있는데도 '저 배우 이름이 뭐였더라?' 하고 혼자 끙끙대는 것이다. 그러다가 어느 순간 이름이 번쩍 떠오르면 남몰래 불끈 주먹을 쥔다.

나는 늙어가고 있다. 그러나 나이를 먹어도 삶은 똑같이 귀한 것이다. 여기서도 가장 중요한 것은 자기 결정권이다. 자기 힘으로 삶을 꾸려가야 존엄과 품위를 지킬 수 있다. 자식이든 친구이든 타인에게 의존하면 삶은 존엄과 품격을 상실할 수 있다. 늙어도 젊었을 때와 마찬가지로 자기가 원하는 대로 인생을 설계하고 스스로 옳다고 여기는 방식으로 살아야 한다. 그렇게 하려면 몇 가지를 제대로 준비해야 하는 것이 있다. 돈, 건강, 그리고 삶의 의미이다.

늙으면 일을 하기가 어려워진다. 근력뿐만 아니라 일반 지능과 판단력, 민첩성, 집중력이 모두 떨어진다. 젊은이들과 경쟁해야 하기 때문에 일자리를 얻기가 어렵다. 따라서 은퇴하기 전에 노년기의 소비생활을 감당하는 데 필요한 돈을 확보해두어야 한다. 공무원연금이나 사학연금, 군인연금 같은 공적 연금을 받는 사람은 큰 어려움이 없을 것이다. 국민연금 수급자는 연금 액수가 적기 때문에 그것만으로는 노년기의 소비를 감당하기 어렵다. 저축, 민간노후보험, 주식과 같은 유가 증권이나 부동산 보유 등 그 무엇이 되었든 지속적인 현금 수입을 가져오거나 손실 없이 현금으로 전환할 수 있는 자산을 미리 쌓아두어야 한다.

필요한 자산 규모는 노후 생활의 수준과 형태에 좌우된다. 서울 강남의 고급 아파트에 살면서 운전기사 딸린 고급 승용차를 굴리고 싶다면 적어도 수십 억 원의 자산을 준비해야 할 것이다. 시골에 조그만 집을 얻어 텃밭을 일구면서 소박하게 살려고 한다면 그보다 훨씬 적어도 된다. 자식에게 과도한 투자를 하거나 너무 일찍 재산을 증여하는 것은 바람직하지 않다. 노년기에는 만성 질병에 걸릴 위험이 크기 때문에 생활비 말고도 더 많은 자산을 비축해둘 필요가 있다. 은퇴 시점까지 축적할 수 있는 자산은 사람마다 제각기 한계가 있다. 그 한계 안에서 무리 없이 살아갈 수 있는 노년기의 생활 방식을 미리 계획하고 준비해두어야 한다.

노년기 삶의 자기 결정권을 지키려면 되도록 건강해야 한다. 건강하지 않으면 즐겁게 활동적으로 살 수 없다. 일상생활조차 남에게 의지해야 할지 모른다. 나이를 많이 먹은 다음에 노력하는 것도 의미는 있지만 효과가 적다. 건강을 좌우하는 요소는 여러 가지가 있지만 결정적인 것은 생활 습관이다. 이것이 절반을 좌우한다. 무엇을 어떻게 먹고 마시며, 잠과 운동을 어떻게 하며, 인간관계와 여가 생활을 어떻게 꾸려야 건강한지에 대해서는 수많은 전문가들이 다양한 조언을 하고 있으니 자기에게 맞는 것을 택하면 될 것이다. 유전적 요인과 환경, 의료 서비스 등은 모두 합쳐야 겨우 생활 습관과 맞먹는 정도의 영향을 미친다. 의사와 약사는 병을 고쳐줄 수 있지만 나를 건강하게 만들지는 못한다. 건강의 주체는 어디까지나 자기 자신임을 잊지 말자.

자기 결정권을 지키는 세 번째 조건은 삶의 의미에 대한 확신이다. 젊을 때와 마찬가지로 일, 놀이, 사랑, 그리고 연대를 계속해야 한다. 무슨 일이든 할 수 있다면 하는 게 최선이다. 명함을 만들 수 있으면 더 좋다. 직장 이름과 직책, 전화번호가 명시된 명함은 자신감을 가지게 한다. 평생 명함을 가지고 살다가 은퇴해서 명함을 사용할 수 없게 되는 경우에는 자신이 사회적으로 의미 없는 존재가 된 것 같은 좌절감을 느낄 수 있다. 급여가 적은 파트타임이라도 지속적으로 일할 수 있으면 바람직하다. 급여가 나오는 일자리를 굳이 찾지 않아도 된다면 봉사활동이 훌륭한 대안이 된다. 몸으로 하는 봉사활동이든 전문성을 활용한 재능 기부든 상관이 없다.

놀이도 중요하다. 바둑, 등산, 낚시, 당구, 산책…. 그 무엇이든 젊을 때 하던 놀이를 계속하거나 새로운 놀이를 배워야 한다. 노년을 함께 보내는 배우자나 연인, 친구가 있어야 한다. 전면적이고 깊은 정신적 정서적 교감을 나눌 수 있는 사람이 없으면 외로움이 찾아온다. 외로움은 노년기 삶의 가장 무서운 적이다. 시민단체, 동호회, 정치단체의 회원으로 활동하는 것도 권장할 만하다. 특히 이런 곳에서는 젊은 사람들과 교류할 수 있다. 사회적 공동선을 추구하는 젊은 사람들에게도 노인 회원은 든든한 비빌 언덕이 된다.

나는 멋있는 노인이 되고 싶다. 그래서 어떻게 하면 나이를 품격 있게 먹을 수 있는지 자주 생각한다. 그런데 그런 이야기를 하기에는 나는 아직 너무 젊다. 표현을 자칫 잘못하면 어른들에게 결례가 될 수 있다. 그래서 내 생각을 말하는 대신 연세가 많이 든 분이 쓴 글을 인용한다. 젊은 시절 칼럼니스트로 이름을 떨쳤던 홍사중 선생은 아름답게 나이를 먹는 것이 매우 어려운 일이라고 했다. 일흔여덟에 쓴 수필집에서 그는 밉게 늙는 사람들의 특징을 이렇게 정리했다.[55]

1. 평소 잘난 체, 있는 체, 아는 체를 하면서 거드름 부리기를 잘 한다.
2. 없는 체 한다.
3. 우는 소리, 넋두리를 잘 한다.
4. 마음이 옹졸하여 너그럽지 못하고 쉽게 화를 낸다.
5. 다른 사람은 안중에도 없는 안하무인격으로 행동한다.
6. 남의 말을 안 듣고 자기 이야기만 늘어놓는다.

사실 노인만 그런 게 아니다. 젊은 사람도 그럴 수 있다. 나는 훨씬 젊었을 때에도 이런 '밉상짓'을 좀 했다. 지금도 여전히 그런 면이 남아 있을 것이다. 이런 태도는 늙어서 새로 생기는 게 아니라 모든 사람에게 원래부터 있다. 홍사중 선생이 예시한 '밉상짓 목록'은 젊은이들에게도 자기의 모습을 비추어볼 수 있는 거울이 된다. 만약 다음과 같이 정반대로만 한다면 노인이든 청년이든 똑같이 멋진 사람이 될 수 있다.

1. 잘난 체, 있는 체, 아는 체 하지 않고 겸손하게 처신한다.
2. 없어도 없는 티를 내지 않는다.
3. 힘든 일이 있어도 의연하게 대처한다.
4. 매사에 넓은 마음으로 너그럽게 임하며 웬만한 일에는 화를 내지 않는다.

5. 다른 사람을 배려하며 신중하게 행동한다.

6. 내 이야기를 늘어놓기보다는 남의 말을 경청한다.

이렇게 하면 품위 있는 어른으로 존중받을 수 있다. 아름답게 나이를 먹는다는 것은 곧 아름답게 살아가는 것이다. 품위 있게 나이를 먹는다는 것은 품위 있게 인생을 사는 것이다. 젊어서나 늙어서나 품위 있게 사는 게 가장 바람직하다. 젊을 때 품격 없이 살았더라도 나이가 들면서 품위를 갖추면 차선이다. 젊어서나 늙어서나 품격 없이 사는 것은 아주 좋지 않다. 그러나 최악은 젊을 때 품격이 있었던 사람이 늙어서 밉상이 되는 것이다. 이런 사람은 젊어서도 품격이 없었던 사람보다 훨씬 격렬한 비난을 받는다. 젊었을 때 훌륭하다고 평가를 받은 사람일수록 더 그렇다. 나는 이것이 공정한 처사가 아니라고 생각한다. 젊었을 때와 달라졌다고 해서 다 변절인 건 아니다. 정체성이 달라지면 말과 행동이 바뀌는 게 당연하다.

나이를 먹는 데도 롤모델이 필요하다. 내 노년기 롤모델은 2010년 작고하신 언론인 리영희 선생이다. 1970년대에 청년기를 보냈던 '유신세대' 지식인들 중에는 리영희 선생을 '사상의 은사恩師'로 존경하는 사람이 많다. 그는 자유의 고귀함을, 진실과 지성의 위대함을 증명했다. 공산주의자가 아니었지만 반공주의와 싸웠고, 자유주의자가 아니었지만 자유를 실천하며 살았다. 여러 번 구속당하고 언론사와 대학에

---

55 홍사중 지음, 『늙는다는 것 죽는다는 것』, 로그인, 2008, 146쪽.

서 해직되었지만 언론인으로서 해야 할 일을 회피하지 않았다. 『전환시대의 논리』, 『우상과 이성』, 『대화』를 비롯해 좋은 책을 많이 펴냈다. 그러면서 처음부터 끝까지 '기자 리영희, 언론인 리영희, 지식인 리영희'로 굴곡 많았던 사회적 삶을 살았다.

나는 리영희 선생을 사상의 은사로 존경하지만 역사와 사회, 인간과 정치에 대한 그의 모든 생각과 견해에 전적으로 동의하지는 않는다. 그런데도 내가 그를 노년의 롤모델로 여기는 것은 그가 보여준 인간적 품격 때문이다. 리영희 선생은 어디에서도 대접 받기를 원하지 않았다. 젊은 사람들을 아랫사람 대하듯 하는 것을 나는 보지 못했다. 모임에서는 윗자리에 앉는 것을 사양했다. 자기주장을 하기보다는 남의 말을 경청했다. 건강이 악화된 후에는 사회적, 정치적 발언을 절제했고 글을 발표하지도 않았다. 그리고 마음이 통하는 사람들과 평화롭게 시간을 보냈다.

리영희 선생이 세상을 떠나시기 두어 해 전 일이다. 낙선했지만 17대 국회의원 임기가 아직 조금 남아 있었던 나는 '십자매+姉妹'의 부탁을 받고 강화도에 있는 국회의원 연수원 통나무집 하나를 빌렸다. '십자매'는 호주제 폐지 싸움에서 맹활약한 '무서운 여자'들이다. 기자, 변호사, 한의사, 소설가 등 직업이 다양하다. 나는 사석에서 그들을 '마녀'라고 부른다. 십자매는 리영희 선생 내외분을 공기 맑고 인적이 드문 그곳으로 모셨다. 노환으로 병원에 일시 입원했던 선생이 사모님을 태우고 손수 운전을 해서 오셨다. 한의사 이유명호를 비롯한 '십자매'들은 마치 친정아버지나 되는 것처럼 여럿이서 둘러싸고 서서 발코니에 앉은 선생의 팔과 어깨를 주물렀다. 그 광경을 보면서 나도 저렇게 나이를 먹으면 좋겠다는 생각이 들었다.

영국 극작가 버나드 쇼George Bernard Shaw도 노년기의 롤모델로 삼고 싶은 인물이다. 쇼는 술주정뱅이 아버지의 사업 실패로 유년기에 경제적 어려움을 겪었다. 학교 교육은 초등학교 4년이 전부였는데, 가난해서라기보다는 배울 게 없다고 생각해서 제도 교육을 거부한 탓에 그렇게 되었다. 그는 학교 교실이 아니라 대영박물관 도서관에서 책을 읽고 소설 습작을 하면서 청소년기를 보냈다. 유명한 지식인들의 강의와 논쟁을 구경하면서 사회를 보는 눈을 길렀다. 저널리스트, 연설가, 사회비평가, 극작가로서는 크게 성공했다. 가장 유명한 작품은 영화 「마이 페어 레이디My Fair Lady」의 원작인 희곡 『피그말리온Pygmalion』이다. 쇼는 1925년 노벨문학상을 받았다.

버나드 쇼는 사회주의 논객으로도 이름을 떨쳤다. 제1차 세계대전이 터진 뒤부터 활발하게 사회정치적 쟁점을 다룬 에세이와 소책자를 썼다. 쇼는 열렬한 사회주의자, 채식주의자, 반전평화주의자로서 매우 신랄하고 쾌활한 비평을 썼다. 턱수염을 무성하게 기르고 고급 지팡이를 들었던 깡마른 이 극작가는 그래서 팬도 많고 안티도 많았다. 1943년 아내를 잃자 런던을 떠나 고향의 시골집으로 내려간 쇼는 1950년, 무려 아흔다섯 나이로 그곳에서 세상을 떠났다.

나는 사회주의자가 아니며 채식주의자도 아니고 극작가도 아니다. 노벨문학상을 받을 리도 없다. 쇼처럼 자신만만하지도 않으며 쇼

만큼 신랄한 비평가도 아니다. 내가 그를 노년기 롤모델로 삼는 것은 그가 글 쓰는 일을 그만두지 않았기 때문이다. 최근 쇼가 만년에 쓴 에세이가 『쇼에게 세상을 묻다』라는 제목으로 번역 출간되었다.[56] 44장으로 이루어진 이 책을 일필휘지로 써내려갔을 때 그는 여든여덟 살이었다. 토지 문제에서 시작해 민주주의와 정당, 교육, 금융, 전쟁, 미학, 건축, 과학, 생물학, 유전학에 이르기까지 당대의 모든 중요한 쟁점에 대한 견해를 거침없이 피력했다. 그러면서 그는 자신이 '제2의 아동기'를 맞아 이 책을 썼다고 말했다.[57] 나도 버나드 쇼처럼 하고 싶다. 여든여덟까지는 못 살더라도 내 지성적 자아가 스스로를 객관적으로 바라볼 능력을 가진 마지막 시간까지 무슨 글이든 글을 쓰면서 살고 싶다.

정치적으로도 품위 있게 늙고 싶다. 나는 요즘 청년 유권자들에게 원망을 듣고 있는 50대 유권자이다. 제18대 대통령 선거가 2030 대 5060의 '세대 전쟁'이었다는 주장이 있다. 현상적으로 보면 분명 그렇다. 20대와 30대는 셋 중 둘이 문재인 후보에게, 50대와 60대는 셋 중 둘이 박근혜 후보에게 표를 주었다. 중간에 낀 40대는 문재인 후보에게 조금 더 많은 표를 준 것으로 보인다. 과거에는 40대 유권자를 잡는 후보가 이겼지만 이번에는 달랐다. 한국전쟁 직후 베이비붐 시기에 태어난 50대가 20대보다 수가 많다. 50대는 해마다 70만 명 넘게 태어났고 20대는 해마다 70만 명보다 적게 태어났다. 게다가 50대 투표율이 20대보다 확연히 높았기 때문에 박근혜 후보는 40대에서 지고도 당선된 것이다. 이런 현상은 앞으로 더 심하게 나타날 전망이다.

박근혜 대통령을 만든 5060은 2030과 무엇이 다른가. 다를 것 없다. 그들도 과거에는 변화와 혁신의 주역이었다. 이제 쉰다섯 살이 된 나는 50대의 딱 중간에 있다. 오늘의 50대는 10년 전인 2002년 이회창 후보와 노무현 후보가 맞붙은 선거에서 노무현 후보를 조금 더 지지한 40대였다. 그로부터 15년을 거슬러 1987년으로 가보면 거리로 쏟아져 나와 '독재 타도 민주 쟁취'를 외치며 군부독재를 끝장낸 20대 청년들이었다. 오늘의 60대도 마찬가지였다. 1985년 2.12 국회의원 총선 당시 30대였던 그들은 김대중 김영삼 '양 김'이 손잡고 급조한 신한민주당을 단숨에 제1야당으로 만들어줌으로써 전두환 정권 몰락의 서막을 열었다. 광화문 근처에서 열린 신한민주당 총재 이민우 후보의 연설회장에 몰려와 그를 목말 태우고 종로 거리를 행진했던 10만 군중의 핵심이 지금의 60대 유권자들이다. 그들 가운데 일부는 또한 1987년 6월 민주항쟁 당시 학생시위대의 뒤를 받쳐준 전국 대도시의 넥타이부대였다.

사람은 나이가 들수록 덜 진보적 또는 더 보수적으로 변한다. 진보적인 젊은이가 보수적인 노인이 되는 경우는 매우 흔하다. 그런 점에서 안 해본 것이 없었다던 이명박 대통령의 '해봐서 아는 것' 목록에 한일협정 반대 시위가 들어 있었던 것은 특별할 게 없다. 그런 사람조차 젊었을 때는 데모를 할 만큼 진보적이었다는 이야기다. 20대에 이

---

56 조지 버나드 쇼 지음, 김일기 김지연 옮김, 『쇼에게 세상을 묻다』, TENDEDERO(뗀데데로), 2012.

57 같은 책, 664쪽

미 보수정당 새누리당의 '대표 청년'이 된 이준석 씨나 손수조 씨의 경우 그 나이가 되면 틀림없이 지금의 이명박 대통령보다 훨씬 더 보수적인 인물이 될 것이다. 반면 보수적인 젊은이가 진보적인 노인이 되는 경우는 극히 드물다. 사회주의노동자당을 추구하는 연세대 오세철 교수 말고는 우리나라에서 내가 아는 사례가 하나도 없다. 개인이 그렇기 때문에 세대 전체도 고령이 되면 더 보수적인 쪽으로 변화한다. 고령 유권자일수록 보수정당을 더 많이 지지하는 것은 사회정치적인 현상인 동시에 생물학적 현상이라는 이야기다. 그러니 청년 유권자들은 부모님 세대 유권자들을 너무 원망하지 않는 게 좋겠다. 고령 유권자들도 일부러 그러는 것이 아니다. 그냥 자연스럽게 그리된 것일 뿐이다.

대통령 선거가 끝난 후 서로 다른 후보를 선택한 부모와 자녀들 사이에 대화가 끊어졌다는 이야기가 들렸다. 노인들을 위한 지하철 승차요금 면제제도를 폐지하자는 온라인 청원운동이 벌어졌다. 지하철 경로석을 양보하지 않겠다는 말도 나왔다. 젊은이들의 심정은 이해가 간다. 이유가 무엇이든 결과적으로 5060 부모들이 나서서 2030 자녀들이 가고 싶어한 길을 막아버린 셈이기 때문이다. 전후 세대인 50대 유권자들의 투표율이 90퍼센트에 육박했다는 뉴스를 보았다. 나와 동년배인 그들이 무엇 때문에 그렇게까지 했는지 나는 아직 온전하게는 이해하지 못했다. 내가 아직도 파악하지 못한 무엇이 있었던 것 같다.

80만 명에 육박했던 1959년 돼지띠 출생자 중에 대입 예비고사 응시자는 34만여 명이었다. 4년제 대학에 제때 진학한 사람은 7만여 명에 불과했다. 그때는 전문대학까지 합해도 대학 진학률이 15퍼센트가 되지 않았다. 가난한 부모를 만난 아이들은 초등학교나 중학교를 겨우 마치고 곧바로 공장으로 갔다. 중학교나 고등학교를 마친 남자들은 지금은 폴리텍대학이 된 전국 각지의 직업훈련원에서 2년 정도 교육을 받고 막 들어서기 시작한 마산, 창원, 울산 등지의 중화학산업 대단지 공장에 투입되었다. 그때 국가가 지원한 직업훈련원생 1인당 식비 예산은 교도소 수감자 식비 예산보다 적었다. 그렇게 일하면서도 야간학교를 다니고, 검정고시를 치고, 방송대학에 등록해 공부를 했다. 자식을 키우고 부모를 봉양하면서 집 한 칸이라도 장만하려고 몸부림쳤다. 오늘 그 아들과 딸들은 85퍼센트가 고등교육기관에 진학한다.

지금의 5060은 그렇게 한 시대를 살았다. 그렇게 자기의 시대를 살면서 대한민국을 산업화와 민주화 둘 모두에서 성공한 나라로 만들었다. 그래서 박정희와 전두환의 독재와 인권유린, 부정부패에 대한 혹독한 비판은 전적으로 정당하지만 그것이 그 시대에 대한 전면적인 부정否定으로 여겨진다면 일정한 반감을 느낄 수 있을 것이다. 5060세대가 독재자의 딸을 압도적으로 지지한 것은 지난 시대와 자기 개인의 삶을 동일시하는 정서 때문이 아니었을까 짐작해 본다. 나는 나와 같은 세대의 시민들을 위로하고 싶다. 유신과 제5공화국 체제에 대한 비판은 우리들 각자의 삶에 대한 비난이나 부정이 아니다. 그것은 지난 시대의 그늘에 대한 집단적 성찰을 위해 제기한 비판일 뿐이다.

나는 또한 청년들을 위로하고 싶다. 젊은 그대들, 더 많이 참여하고 더 힘껏 연대해서 원하는 미래를 열기 바란다. 어느 해직 언론인의 진심 가득한 제안에 따라 나도 '나인티 클럽'에 가입할 것이다.[58] 그는 심신을 단련해 아흔 살 넘게 살면서 빛나는 이성으로 역사의 진보를 믿으며 투표장으로 가는 것을 지역 갈등보다 심각한 세대 갈등을 치유하는 해법으로 제시했다. 나도 더 나이를 먹으면 정치와 역사에 대한 생각이 달라질지 모른다. 그러나 어떤 경우에도 딸 아들과 손녀 손자들이 좋아하는 정당과 후보에게 투표할 것이다. 언제나 정치적으로 청년들의 편에 설 것이다. 그것이 유권자로서 품격 있게 나이를 먹는 가장 좋은 방법이라고 믿기 때문이다. 그러니 그대들도 오늘의 아픔을 잊지 말고 50대가 되면 자식들의 소망을 존중하면서 투표하겠다고 결심하면 좋지 않을까 싶다. 오늘 그대들이 겪는 아픔을 딸 아들에게 물려주지 않기 위해서.

대통령 선거 결과를 받아들이기 힘들어 하는 청년들에게 위로와 더불어 한마디 고언苦言도 드리고 싶다. 모든 선거에는 승자와 패자가 있다. 내가 열렬히 지지한 후보의 당선이 내게 주는 강렬한 환희의 건너편에는 낙선한 후보를 열렬히 지지했던 사람들의 깊은 절망이 있다. 누군가를 지지하는 것은 그 후보가 패배할 가능성까지 함께 받아들이는 행위이다. 가슴에 손을 얹고 생각해보자. 우리는 문재인 후보가 당선될 경우 박근혜 후보를 지지했던 유권자들이 문재인을 자기의 대통령으로 받아들이고 우리에게 축하 인사와 덕담을 건네기를 바라지 않았는가. 만약 우리가 박근혜의 승리에 환호하는 유권자들에게 그렇게 하지 않는다면, 그것은 문재인이 승리했을 경우 그들에게서 축하와 덕담을 받을 도덕적 정치적 자격이 우리에게 없었다는 것을 증명한다. 남이 내게 해주기 원하는 것을 내가 남에게 해주지 않는다면 공정하지 않은 것이다. 공정하지 않은 행동을 하는 것은 떳떳하지 않다고 생각한다.

1987년 12월 내 생애 첫 대통령 선거에서 유권자의 54퍼센트가 정권 교체에 투표했지만 군사 반란과 광주 학살의 공범이며 전두환 정권의 2인자였던 노태우 후보가 당선되었다. 대통령을 뽑을 국민의 권리를 되찾기 위해 그렇게 많은 사람들이 죽고 다치고 고문당하고 감옥에 가면서 싸웠는데, 그 과실을 군부독재의 2인자에게 빼앗긴 것이다. 그때 후보 단일화와 선거 연합을 하지 않고 따로 출마함으로써 정권 교체를 무산시켰던 두 야당 지도자들은 그 뒤를 이어 차례로 대통령이 되었다. 18대 대통령 선거는 내 생애 여섯 번째였다. 내가 지지한 후보가 당선된 것은 두 번뿐이었다. 70대 유권자들 중에는 나보다 더 많이 대통령 선거에 참여했지만 원하는 후보가 당선된 경우가 두 번뿐인 분도 많이 있을 것이다.

만약 내가 평균수명까지 산다면 앞으로 다섯 번 정도 더 대통령을 뽑을 것이다. 그 다섯 번 중에 단 한 번이라도 내가 지지하는 후보가 당선되는 것이 희망사항이다. 이번에 열아홉 살이 되어 생애 첫 투표를 한 젊은이라면 죽을 때까지 열두 번 정도 대통령 선거를 더 경험하

---

58 「브라보, 나인티 클럽!」, 『경향신문』, 2012년 12월 27일자.

게 될 것이다. 대통령 선거는 대한민국의 종말이 올 때까지 반복되는 집단적 의사 결정이다. 이번이 끝이 아니다. 이번 대통령 선거는 많은 청년들에게 좌절감을 안겨주었지만, 그래도 5060세대 유권자 셋 가운데 하나는 청년들을 이해하면서, 다 이해하지 못해도 이해하려고 노력하면서 그대들 곁에 서지 않았는가. 그러니 이제 '멘붕'을 털고 일어서기 바란다. 놀고 일하고 사랑하고 연대하면서 기쁜 삶을 찾아나가자. 대통령이 마음에 들지 않아도 마음에 드는 대한민국은 만들 수 있다고 믿으면서.

글쓰기로 돌아오다

프리랜서 글쟁이는 나쁘지 않은 직업이다. 무엇보다 물적物的 자본이 없이 일을 할 수 있어서 좋다. 작은 집필 공간과 컴퓨터 한 대만 있으면 그만이다. 따로 작업실을 구할 돈이 없으면 집에서 일해도 된다. 꼭 필요한 책은 구입해야 하지만 그렇지 않은 것은 공공도서관에서 빌려도 무방하다. 국가와 기업, 시민단체가 운영하는 사이트에서 온라인으로 거저 얻을 수 있는 자료도 많다. 시간을 자유롭게 쓸 수 있는 것도 큰 강점이다. 일이 잘될 때는 밤을 새도 되고 그렇지 않을 때는 그저 책을 끼고 빈둥거려도 괜찮다. 게다가 누가 시키는 일을 하는 게 아니라 스스로 선택한 주제를 마음 내키는 대로 쓸 수 있는 것도 좋다. 글 쓰는 사람에 대한 사회의 시선도 우호적이다.

프리랜서 글쟁이에게 어려운 점은 수입이 불안정하다는 것 하나뿐이다. 베스트셀러를 쓰면 제법 큰돈을 만질 수도 있지만 글이 팔리지 않으면 소용이 없다. 하지만 글쟁이만 그런 게 아니다. 문화예술 분야에 종사하는 사람들 누구나 같은 어려움을 겪는다. 예술성과 대중성, '하고 싶은 것'과 '팔리는 것' 사이에서 겪는 갈등이다. 뮤직비디오 하나로 일약 '지구 가수'가 된 싸이는 오디션 프로그램 「슈퍼스타 K 시즌 4」에 나온 인디가수 계범주와 버클리 음대 출신의 현역 군인 김정환에게 너무 어렵게 가지 말라고 충고했다. 개성이 너무 강하거나 음악 공부를 많이 한 가수는 대중이 받아들이기 어려운 공연을 할 가능성이 있으니 조심하라는 것이었다. 결국 두 사람 모두 생방송 경연 초반에 탈락했다.

「밀양」과 「피에타」로 유럽 영화제에서 큰 상을 받은 영화감독 이창동과 김기덕도 비슷한 어려움을 안고 있다. 두 감독의 영화들은 '수준 높은' 전문가들에게는 매번 극찬을 받지만 아직 대박 흥행은 하지 못했다. 반면 『꿈꾸는 다락방』, 『리딩으로 리드하라』 같은 베스트셀러를 쓴 프리랜서 작가 이지성은 시장에서 커다란 성공을 거두었지만 지식인 사회에서 적절한 수준의 존중을 받지 못한다. 나만의 세계에 집착하면 대중과 소통하지 못해 고립될 수 있고, 대중의 취향만 따라가다 보면 창의적이고 독자적인 자기 세계를 단단하게 구축하지 못할 수 있다. 문화예술 분야의 직업을 가진 사람이라면 누구나 겪는 갈등이다. 나의 글쓰기도 여기서 주저하고 방황한다. 피할 수 없는 고민이 아닌가 싶다.

어쨌든 나는 글쓰기가 좋다. 그것은 무엇보다 그 일 자체가 주는 기쁨과 만족감 때문이다. 무엇이든 쓰려면 다른 사람이 쓴 글을 읽고,

내 머리로 생각하고, 스스로 느껴야 한다. 쓰는 일은 비우는 동시에 채우는 작업이다. 배움과 깨달음이 따라온다. 가지고 있던 생각이 틀렸다는 것을 깨닫거나 모르고 있던 것을 새로 알게 되었을 때, 좋은 문장 하나를 쓰고 혼자 감탄하면서 싱글벙글할 때, 나의 뇌에서는 도파민이나 세로토닌이 대량 분비되는 것 같다. 그것들은 사랑에 빠지거나 마약을 복용할 때 황홀감을 느끼게 하는 화학 물질이다.

좋은 글을 쓰면 좋은 평판을 얻는다. 부자가 되기는 어려워도 그럭저럭 살아갈 수는 있다. 게다가 세상과의 유대를 이어가면서 다른 사람들과 정신적 정서적으로 교감할 수 있다면 나이가 더 들어도 일을 할 수 있다. 마흔 살에 유학을 중단하고 돌아와 한동안 그렇게 살았다. 난생 처음으로 적금 계좌를 만들어 저축이라는 것을 해보았다. 아내 앞으로 연금보험도 하나 들었다. 작업은 집에서 했다. 라디오 대담 프로그램과 텔레비전 토론 프로그램 진행은 일시적인 부업이었다. 마흔 셋에 늦둥이 아들을 얻었다. 가사 도우미 아주머니가 퇴근하고 나면 어느 연구기관에서 임시직으로 일하던 아내가 돌아올 때까지 아이를 유모차에 태우고 아파트 단지 놀이터를 배회하곤 했다. 아기를 안고 나온 이웃의 젊은 어머니들과 놀이터 그늘에 앉아 아이 키우는 문제에 관한 생각과 경험을 나누었다. 얼굴이 알려져 가끔 불편했던 것을 제외하면 일상이 행복한 시기였다.

정치는 글쓰기보다 훨씬 더 어렵고 여러 모로 뜻깊은 일이다. 나는 정치인 노무현을 좋아했다. 그가 너무 외로워 보이기에 도우려고 나섰다가 정치에 뛰어들었다. 그 과정에서 한 말들에 대해 최소한의 책임을 져야 했기에 국회의원이 되었다. 소란스러운 싸움을 벌인 끝에 국가권력의 중심에 다가선 적도 있었다. 그러나 결국 정치의 변두리로 걸어 나왔고 나가는 선거마다 떨어졌다. 내게 정치는 내면을 채우는 일이 아니라 소모하는 일이었다. 이성과 감정, 둘 모두 끝없이 소모되는 가운데 나의 인간성이 마모되고 인격이 파괴되고 있음을 매일 절감했다.

나는 정치의 일상을 즐기지 못했다. 글쓰기는 지성과 영혼을 건드리는 작업이지만 정치는 국가권력을 다루는 사업이다. 국가권력의 본질은 합법적이고 정당하다고 간주되는 폭력이다. 합법적이고 정당하다고 인정되는 폭력이라 할지라도, 폭력으로는 사람의 영혼을 구원하거나 마음을 행복하게 할 수 없다. 정치가 해야 할 일은 합법적이고 정당한 폭력을 선용善用함으로써 사람들이 저마다 원하는 행복한 삶을 살아갈 수 있는 사회적 환경을 만드는 것이다. 권력이 걸려 있기 때문에 정치는 글쓰기와 달리 거의 언제나 살벌한 대결과 가시 돋힌 공격, 분노, 경쟁심, 질투, 굴욕과 같은 감정의 격동을 동반한다.

나는 글쓰기로 되돌아왔다. 정치가 싫다거나, 잘할 수 없을 것이라는 좌절감 때문만은 아니다. 내 인생의 남은 시간 동안 내가 원하는 삶을 살고 싶어서다. 인생이라는 너무 짧은 여행이 그리 길게 남지 않아서다. 그래서 더 절실한 마음으로 자문해본다. 나는 지금 잘 살고 있는가? 이 삶은 훌륭한가? 이렇게 계속 살아가도 괜찮은 것인가? 오늘 하루의 모든 순간들은 내게 의미가 있었는가? 나는 세상을 떠날 때 내가 지금 하는 일들에 대해서 스스로 어떤 평가를 하게 될까? 내 마음이 이렇게 대답했다. '직업으로서의 정치'를 떠나 글 쓰는 일로 돌아가자. 마음이 설레고 일상이 기쁨으로 충만한 삶을 살자.

기적을 일으키는 거울뉴런

맹자는 측은지심惻隱之心이 인간의 본성이라고 주장했다. 어린아이가 우물에 빠지려고 하는 것을 보면 누구나 깜짝 놀라고 측은히 여기는 마음을 가지게 된다. 이는 아이의 부모와 교분을 맺기 위한 것도 아니요, 마을 사람들과 친구들한테서 널리 명예를 얻기 위함도 아니며, 또한 이 어린아이의 울음소리를 싫어해서 그런 것도 아니다.[59] 사람에게 긍휼히 여기는 마음, 연민, 동정심, 또는 타인의 고통과 불행에 공감하고 반응하는 능력이 있다는 것을 굳이 논증할 필요가 없을 것이다.

그렇다면 측은지심은 어디에 있는가? 기쁨이나 즐거움, 아픔과 괴로움은 사람이 각자 느낀다. 모든 감각기관은 각자의 몸에 있다. 빛, 음파, 온도, 맛 등 밖에서 오는 모든 자극은 물리적 실체가 있다. 사람의 감각기관은 물리적 실체가 있는 자극에 반응한다. 나의 고통은 나의 감각기관이 감지하며 타인의 고통은 그 사람의 감각기관이 느낀다. 우리의 감각기관은 타인의 감각기관과 물리적으로 연결되어 있지 않다. 그런데도 사람은 타인의 고통을 함께 느낀다. 혹시 텔레파시라도 주고받는 것일까? 그렇다. 사람은 텔레파시를 주고받는다.

측은지심은 삶을 복잡하게 만든다. 앞에서 나는 품격 있고 행복한 인생의 비결이 하고 싶은 일을 열정적으로 하면서 즐겁게 놀고 뜨겁게 사랑하는 것이라고 말했다. 여기에서 측은지심이 할 일은 별로 없는 것으로 보인다. 일도, 놀이도, 사랑도 모두 나를 위해서 하는 것이다. 타인의 기쁨과 고통에 공감하고 연대하는 것은 인생의 성공 비결 목록에 없다. 그러나 맹자가 말한 대로 측은지심이 없으면 사람다운 사람이 아니다無惻隱之心 非人也!. 그가 중국 대륙을 돌면서 여러 왕들을 만나 한 모든 이야기의 초점은 한 가지였다. 무소불위의 권력을 가진 왕이 측은지심을 발휘하면 만인의 삶을 고통에서 건져낼 수 있다는 것이었다.

1978년 여름, 스무 살의 나를 구로동 야학에 데려간 사람은 서클 선배 심재철이었다. 문화방송 기자를 하다가 정치적 전향을 해 보수 진영으로 간 그는 지금 새누리당의 4선 국회의원이다. 그 야학에는 나보다 두세 살 많은 선배들이 있었다. 몇 사람이 기억난다. 우선 서명숙이다. 정치 전문 기자로 활약하다가 고향인 제주도로 돌아간 서명숙은 올레길을 만들어 '걷기 열풍'을 불러일으켰다. 음악 칼럼니스트 진회숙이 있었다. 당시 이화여대 성악과를 다녔던 진회숙은 '모두 까기의 달인'으로 알려진 진중권 교수의 큰누이다. 전교조 기관지 편집실

---

59 맹자 지음, 우재호 옮김, 「공손추 상 6」편, 『맹자』, 을유문화사, 2007.

장을 지낸 참교육운동의 맹장 이을재도 거기 있었다. 서로 이름도 얼굴도 모르던 우리를 그곳에 모이게 만든 건 아마도 각자의 마음에 있는 측은지심이었을 것이다.

나는 초등학교 4학년 수학과 노동법을 가르쳤다. 노동법 교재는 내가 직접 공부해서 만들었다. 구로동 야학교사 시절을 생각하면 또렷이 기억나는 장면이 있다. 저녁 무렵 구로공단 진입로와 이화여대 앞에 가본 사람이라면 누구나 목격할 수 있었던 강렬한 콘트라스트contrast다. 지금은 가산디지털단지가 된 구로공단 진입로에는 고된 하루 일을 끝낸 여성 노동자들이 무리를 지어 퇴근하고 있었다. 말하는 사람도 웃는 사람도 드문 침묵의 행렬이었다. 그 시각 이화여대 앞 골목은 강의를 마치고 쏟아져 나오는 여학생들로 붐볐다. 그들은 봄날 종달새처럼 명랑하게 웃고 떠들며 걸어갔다. 양쪽 모두 스무 살 갓 넘은, 동시대를 사는 대한민국의 젊은 여성들이었다. 나는 둘 모두를 보았다. 모든 면에서 그들은 달랐다. 옷차림, 피부, 표정, 걸음걸이까지. 마치 인종이 다른 것 같았다.

야학 학생들의 생활환경 조사를 했다. 스무 명 넘는 학생들 중에 중학교를 다닌 사람은 한 명뿐이었던 것으로 기억한다. 모두들 회사 기숙사 아니면 '벌집'이라고 불렀던 조그만 방에서 여럿이 함께 살았다. 봉제 공장에서 미싱을 타거나 전자제품 공장에서 납땜을 했다. 휴무는 보통 격주에 한 번, 하루 평균 열 시간을 일하고 있었다. 잔업수당까지 합쳐도 월급은 2만 3천 원 수준이었다. 한 달 용돈은 천 원 미만, 월급의 일부를 저축하고 나머지는 집으로 송금했다. 대표적인 여가활동은 휴무일에 여럿이 어울려 가리봉 오거리 음악다방에 가서 커피 한 잔을 시키고 장발을 한 'DJ오빠'한테 신청곡 쪽지를 넣는 것이었다. 어서 결혼해서 고된 노동을 면했으면 좋겠다고들 했다.

내가 대학에 들어갈 때 어머니가 20만 원을 주셨다. 야간대학을 장학생으로 다니던 둘째 누이가 낮에 중학교 임시 교사로 뛰면서 모은 돈이었다. 그것이 내가 부모님에게 받은 마지막 돈이었다. 첫 학기 등록금 10만 6천 원과 넉 달치 기숙사비를 내고 나자 용돈이 조금 남았던 것으로 기억한다. 학교 아르바이트 센터에서 소개받은 고등학생에게 수학과 영어를 가르쳤다. 매주 두 시간씩 세 번, 한 달에 스물여섯 시간 정도 과외를 하고 6만 원을 받았다. 시간급으로 따지면 2천 원이 넘었다. 조금씩 저축을 해서 다음 학기 등록금을 모았다. 부모님이 여유가 있는 친구들은 신림동 '녹두골목' 근처에서 2인1실 하숙을 했는데 한 달 하숙비가 3만 5천 원이었다. 나는 한 달에 26시간 일하고 6만 원을 버는데, 나와 나이가 같은 야학 학생들은 250시간 넘게 일하고도 2만 3천 원을 받고 있었다. 시간급으로는 백 원이 채 되지 않았다.

무엇인가 크게 잘못되었다는 생각이 들었다. 여성 노동을 제한하고 노동조합 설립의 자유와 단체교섭권, 단체행동권을 보장한 헌법과 노동법은 없는 것이나 마찬가지였다. '구로공단 앞'과 '이대 앞', '26시간 6만 원'과 '250시간 2만 3천 원', '시급 2천 원과 시급 백 원'의 콘트라스트가 괴로웠다. 가해자가 된 것만 같았다. 비록 본의는 아닐지라도, 타파해야 할 불평등과 사회악에 기대어 쉽게 사는 기득권층이 된 기분이었다. 마음이 불편했다. 화가 났다. 슬펐다. 그냥 저절로 그런 감정이 생겼다. A학점을 따는 것, 마음에 드는 여학생에게 작업을 거는 것, 영어 공부를 하는 것, 졸업해서 어디에 취직해야 좋을지를 고민하는 것, 이 모두가 해서는 안 될 나쁜 짓으로 보였다. '내 문제도 아니고 내가 그렇게 만든 것도 아닌데 왜 내가 분노와 슬픔과 죄의식을 느껴야 하는가?' 그런 의문은 떠오르지 않았다.

그로부터 35년이 지났다. 제18대 대통령 선거가 끝나고 며칠이 지나기도 전에 노동조합 활동가들이 잇달아 목숨을 끊었다. 파업을 한 노동조합 간부와 조합원들에게 사용자가 수백억 원의 손해배상 소송을 내고 재산을 가압류한 사실과 관계가 있는 죽음도 있었다. 송전탑 허리에 널빤지를 대고 영하 십 도가 넘는 혹한 속에서 비정규직 문제 해결과 정리해고 철회를 외치며 몇 달째 농성하고 있는 노동자들에게 법원이 하루 30만 원씩의 손해배상을 하라고 결정했다. 앞으로 얼마나 더 많은 노동자들이, 정당한 권리를 실현하는 투쟁을 하는 데 필요한 최소한의 희망조차 갖지 못해 죽음을 선택할지 알 수 없다. 내가 구로공단 앞과 이대 앞에서 보았던 시대의 콘트라스트는 과연 사라지거나 옅어진 것일까? 아닌 것 같다. 수출 대기업들이 단군 이래 최대 순이익을 내는 시대에 해고당한 노동자와 가족들이 잇달아 목숨을 버린다. 이런 현실 앞에서 분노, 슬픔, 죄의식을 느끼는 사람이 나만은 아닐 것이다. 우리는 도대체 왜 타인이 겪는 고통 앞에서 그런 감정을 느끼게 되는 것일까? 삶을 불편하게 만드는 이 감정에 대해서 어떻게 대처해야 할까?

타인의 고통이나 기쁨에 공감하는 능력은 자연이 우리에게 준 본능이다. 유복한 집안의 머리 좋은 도련님이었던 카를 마르크스와 프리드리히 엥겔스가 「공산당 선언」을 쓴 것도 바로 이 본능 때문이었다고 생각한다. 사상은 계급에서 나오는 것이 아니라 개인의 두뇌에서 만들어진다. 계급적 귀속이 사람의 의식에 강력한 영향을 주는 것은 사실이지만 생각을 전적으로 구속하지는 못한다. 생각은 자유롭다. 그 무엇도 가둘 수 없다. 오늘날 대한민국에서는 똑같이 서울 강남에 살면서 특목고를 나와 명문대학에 간 젊은이들 중에서 '우파'와 '좌파'가 나온다. 이유가 무엇일까? 철학자나 정치학자, 사회학자 누구도 그럴듯한 설명을 해주지 못했다. 이 질문에 명확한 답을 준 것은 뇌 과학자들이었다. 인간의 대뇌피질에는 특별한 기능을 하는 신경세포가 있다. 이것이 타인의 고통이나 기쁨에 감응하게 만든다. 과학자들은 여기에 '거울뉴런mirror neuron'이라는 이름을 붙였다. 내가 이름을 지었다면 '공감뉴런'이라고 했을 것 같다.

거울뉴런은 생물학적 기적을 일으키는 신경세포다. 찰스 다윈의 시대에는 아직 유전과학이라는 것이 없었다. 그렇지만 오로지 관찰과 추론에 의지해 도출했던 다윈의 견해는 2백여 년이 지난 오늘날, 인간 유전자 지도를 거의 완전하게 해독한 과학자들의 강력한 지지를 받고 있다. 인간은 다른 모든 종과 마찬가지로 자기 생존과 번식을 위해 살아가는 이기적인 동물이다. 하지만 인간은 이타 행동을 한다. 이것은 다른 동물들의 이타 행동과는 차원이 다르다. 동물들은 보통 유전자를 공유한 다른 개체에 대해서만 이타 행동을 한다. 새끼를 돌보는 것이 대표적이다. 굶고 있는 다른 박쥐에게 피를 토해서 나누어주는 흡혈박쥐처럼 유전자를 공유하지 않은 다른 개체에게 이타적인 행동을 하는 종이 있기는 하다. 그러나 그 대상은 같은 무리에 있으면서 자기에게 같은 이타적 행동을 할 가능성이 있는 박쥐에 한정된다.[60] 그러나 인간은 유전적 근친성도 없고 전혀 알지도 못하는 타인을 위해 자기의 목숨을 버리기도 한다.

19세기 중반, 영국 사회의 최대 논쟁거리 가운데 하나가 가난한 사람들의 생계를 돕도록 하는 '구빈법救貧法'이었다. 만약 유전과 변이, 생존 경쟁을 통해 '열등한 개체'가 제거되는 자연선택이 진화의 원리라고 한다면, 전염병 예방 접종이나 복지정책으로 생물학적 사회적으로 '열등한 개체'를 보호하는 것은 자연법칙을 거스르는 행위가 된다. 문명이 만든 제도로 자연선택의 작용을 저지할 경우 호모 사피엔스는 생물학적으로 퇴화하게 될 것이다. 구빈법에 반대한 사람들은 이렇게 주장했다. 진보주의자들이 흔히 다윈주의를 혐오하는 데는 그럴 만한 이유가 있었다.

그러나 다윈은 국가의 보건정책과 복지제도를 옹호했다. 그는『종의 기원』을 낸 후 10여 년이 지난 뒤『인간의 유래와 성 선택The Descent of Man, and Selection in Relation to Sex』이라는 두 번째 저작을 발표했다. 여기에서 구빈법은 '본능적 동정심'의 표현이며 이를 외면하는 것은 '극도의 죄악'을 방치하는 것이라고 말했다. 그리고 열등한 개인은 성 선택에서 불리하기 때문에 후손을 퍼뜨리기 어려우므로 공중보건정책과 복지제도가 인류의 생물학적 퇴화를 야기하지는 않을 것이라는 견해를 피력했다.[61] 맹자의 측은지심과 다윈이 말한 '본능적 동정심'은 같은 것이다. 그것은 자연이 인간에게 준 본성이다. 이것이 이타 행동과 복지제도를 만들어냈다. 유전적 근친성이 없는 타인을 위해 자기를 희생하는 '생물학적 기적'을 일으키는 것이 바로 대뇌피질에 산재한 거울뉴런이다.

거울뉴런을 처음 발견한 인물은 이탈리아 파르마대학 소속 생리학연구소 소장 자코모 리촐라티Giacomo Rizzolatti로 알려져 있다. 리촐라티는 원숭이의 대뇌피질에 정교한 측정 장치를 연결한 실험에서 특정한 신경세포가 특정한 행동을 하게 한다는 사실을 발견했다. 그는 원숭이가 접시 위에 놓인 땅콩을 손으로 잡으려 할 때만 신호를 보내는 특정 유형의 행동 뉴런을 주목했다. 이 뉴런은 원숭이가 땅콩을 보기만 하거나 다른 것을 잡을 때는 활성화되지 않았다. 여기까지는 기대한 바와 다르지 않았다. 리촐라티를 놀라게 한 것은 다른 원숭이가 땅콩을 집으려는 것을 보기만 했는데도 그 원숭이의 해당 뉴런에서 신호가 발사된다는 사실이었다. 리촐라티는 연구 대상을 인간에게 확장한 결과 사람에게도 타인을 모방하고 타인이 느끼는 것을 함께 느낄 수 있게 하는 거울뉴런이 있다는 사실을 알아냈다.[62]

거울뉴런은 모든 사람이 가지고 태어나는 신경생리학적 장치이

---

60 최재천 지음, 『생명이 있는 것은 다 아름답다』, 효형출판사, 2011, 41~42쪽.

61 마크 리들리 지음, 김관선 옮김, 『HOW TO READ 다윈』, 웅진지식하우스, 2007, 123~125쪽.

62 요아힘 바우어 지음, 이미옥 옮김, 『공감의 심리학』, 에코리브로, 2006, 22~26쪽.

다. 거울뉴런 덕분에 갓 태어난 아기는 부모의 표정을 모방할 수 있다. 이것이 있기에 아기는 사람들과의 감정적 접촉과 교류를 통해 상호 이해와 연대의 감정을 획득한다. 말을 배우기도 전에 벌써 자신의 감정을 표현해 가까운 사람의 태도를 바꿀 수 있다. 우리는 평생 동안 거울뉴런이라는 신경생리학적 장비를 다듬고 확장하고 관리하고 개선하고 활용하면서 살아간다. 이기적 욕망과 배타적 경쟁이 자연선택이라는 생물학적 진화 과정을 전적으로 지배하는 것이 아니다.

개인이 생존하는 데는 사회적 결속과 유대, 상호 협력이 절대적으로 필요하다. 경쟁에서 이겨 살아남으려면 다른 사람을 이기는 능력뿐만 아니라 타인과 쉽게 공감을 이루어 협력할 수 있는 능력이 있어야 한다. 그러려면 타인의 기쁨뿐만 아니라 아픔에도 공감할 수 있어야 한다. 만약 그대가 해고 노동자들의 고통과 죽음 때문에 마음이 불편하고 눈물이 나려 한다면, 그것은 그대가 지극히 정상적인 인간임을 입증하는 생물학적 증거가 된다.

진보의 생물학

일과 놀이와 사랑만으로는 인생을 다 채우지 못한다. 그것만으로는 삶의 의미를 온전하게 느끼지 못하며, 그것만으로는 누릴 가치가 있는 행복을 다 누릴 수 없다. 타인의 고통과 기쁨에 공명하면서 함께 사회적 선을 이루어나갈 때, 우리는 비로소 자연이 우리에게 준 모든 것을 남김없이 사용해 최고의 행복을 누릴 수 있다. 그런 인생이 가장 아름답고 품격 있는 인생이다. 공감을 바탕으로 사회적 공동선을 이루어나가는 것을 나는 '연대'라고 부른다. 그리고 이러한 연대가 이루어내는 아름답고 유쾌한 변화를 '진보'라고 이해한다. 하지만 모든 사람이 다 그렇게 생각하는 것은 아니다. 스스로 진보주의를 표방하는 사람들은 진보를 매우 다양한 방식으로 정의定義한다.

어떤 사람들은 자본주의를 타파 또는 극복하는 것만이 진보라고 주장한다.[63] 철학자 김상봉이나 박노자 교수가 대표적인 인물이다. 이것은 진보에 대한 '체제론적 접근법'이다. 일리가 있다고는 생각하지만, 나는 이런 시각에 동의하지 않는다. 자본주의 체제를 전면 부정하지 않으면 진보가 아니라거나, 심지어는 오직 사회주의만이 진보적 사상이라는 오해를 불러일으키기 때문이다. 나는 사회주의가 유일하게 올바른 진보적 사상이라고 보지 않는다. 이론적으로 경청할 가치가 있다는 것은 인정하지만 사회주의가 자본주의를 대체할 바람직한 대안이라고 생각하지는 않는다. 생산 수단의 집단적 국가 소유를 근간으로 하는 사회주의 체제는 필연적으로 전체주의로 귀결되어 인간의 자유를 억압한다. 이론을 보나 실제 역사적 경험을 보나 그렇게 평가할 수밖에 없다. 소련과 동유럽 사회주의 체제가 붕괴한 것은 레닌과 스탈린, 마오쩌둥과 같은 혁명가들만의 잘못이 아니다. 근본적으로 사회주의 사상과 정치 이론의 실패였다고 해야 할 것이다.

어떤 사람들은 진보를 불합리한 제도와 물질의 결핍, 낡은 사고방식에서 해방시켜 자유로운 존재로서 행복을 추구하게 하는 것으로 이해한다.[64] 이것은 진보에 대한 '철학적 접근법'이다. 이렇게 보면 비정규직제도를 비롯한 불합리한 사회정치제도를 개혁하는 운동과 사회의 물질적 생산력을 발전시키는 과학기술 연구, 낡은 생각과 고정관념의 굴레를 깨뜨리는 지식활동과 정신운동까지 모두 진보에 포함된다. 나는 이 견해를 대체로 지지한다. 하지만 포괄 범위가 너무 넓기 때문에 현실에서 진보와 보수를 구분하는 데 어려움이 있다는 점이 마음에 걸린다.

나는 진보주의와 보수주의에 대한 '생물학적 접근법'을 좋아한다.

생물학적 접근법에 따르면 진보주의란 '유전자를 공유하지 않은 타인의 복지에 대한 진정한 관심과, 타인의 복지를 위해 사적 자원의 많은 부분을 내놓는 자발성'이다.[65] 이러한 의미의 진보주의자는 생물학적으로 부자연스러운 또는 덜 자연스러운 생각과 행동을 한다. 생물학적으로 부자연스럽다는 것은 '진화가 인간에게 설계해놓지 않은 것'을 의미한다. 유전자를 공유하지 않은, 가족과 친척이 아닌 타인의 복지를 위해 사적 자원을 자발적으로 내놓는 것은 기나긴 생물학적 진화의 마지막 단계에서 새롭게 나타난 행동 방식이다. 이것 역시 진화의 산물이기는 하지만 혈연 집단에 대해서만 이타적으로 행동하는 동물 행동 일반과 비교하면 새롭고 덜 자연스러운 것임에 분명하다.

현생 인류는 아프리카의 적도 이남 사바나 기후 지역에 처음 출현한 이래 지구 표면 전체로 퍼져나가면서 150만 년이 넘는 세월 동안 수렵채집인으로 살았을 것으로 추정된다. 이 장구한 세월을 '사바나 시대'라고 하자. 사바나 시대는 겨우 1만 년 전에 인간이 농업을 발명하면서 끝이 났다. 그리고 우리는 지금 스마트폰과 유튜브의 시대를 살고 있다. 사바나 시대의 생활환경은 오늘날 우리가 사는 환경과 근본적으로 다를 뿐만 아니라 변화가 거의 없거나 매우 느렸다. 인간의 몸은 매우 안정적이었던 그 시대의 생활환경에서 생존하는 데 유리하도록 최적화되었다. 문명 발생 이후 인간이 생물학적 대진화大進化를

63 김상봉 지음, 「낡은 진보와 이별하라」, 『르몽드 디플로마티크』 한국어판, 제23호, 2010년 8월 6일.
64 이남곡 지음, 『진보를 연찬하다』, 초록호미, 2009, 25~36쪽.
65 가나자와 사토시 지음, 김영선 옮김, 『지능의 사생활』, 웅진지식하우스, 2012, 103~104쪽.

겪었다는 증거는 없다. 이것은 우리가 수렵채집 시대에 만들어진 몸과 뇌를 가지고 인터넷과 아이패드의 시대를 산다는 것을 의미한다. 당연히 문제가 생길 수밖에 없다.

비만이 아름다움과 건강의 적이 된 오늘날, 사람들은 다이어트에 필사적으로 매달린다. 수많은 다이어트 방법 가운데 실컷 먹으면서 감량하는 '구석기 다이어트'라는 게 있다. 농업 발명 이전의 식단을 지키는 방법이다. '구석기 다이어트'는 음식의 열량을 따지지 않는다. 육류, 해산물, 달걀, 과일, 견과류, 채소를 마음껏 먹는다. 하지만 곡물, 콩, 감자, 설탕, 전분, 가공식품, 유제품은 먹지 않는다. 실제로 뚜렷한 감량 효과가 있다고 한다. 아이디어는 매우 간단하다. 개별 세포에서 신체 장기까지 몸을 만들고 생명활동을 조율하는 유전자는 사바나 시대에 만들어졌다. 우리 몸의 세포는 사바나 시대 식단에 최적화되어 있는 것이다. 농업 발명 이후 등장한 탄수화물 중심의 식단은 진화적으로 새로운 것이다. 1만 년은 유전자의 적응과 생물학적 진화가 일어나기에는 너무 짧은 시간이다. 따라서 날씬하고 건강한 몸을 갖고 싶으면 구석기 시대 조상들이 먹던 것을 그때와 같은 방법으로 먹어야 한다.[66] 단, 육류는 옥수수 사료가 아니라 풀을 먹고 자란 소와 돼지, 닭, 오리여야 제대로 효과를 볼 수 있다. 구석기 시대 동물들이 그렇게 먹었기 때문이다. 옥수수 사료를 먹고 자란 가축의 육류에는 오메가-3 지방산이 거의 없고 오메가-6 지방산만 많아서 사람의 건강에 악영향을 준다는 것이다.[67] 구석기 시대에는 그런 고기가 없었다.

신체 장기 가운데 가장 정교하고 예민한 것이 뇌다. 몸 전체가 그런 것처럼 뇌도 사바나 시대 생활환경에서 생존하는 데 적합하도록 최적화되어 있다. 사바나 시대 인간은 150명을 넘지 않는 작은 집단을 이루고 살았을 것으로 추정된다. 그 집단의 구성원들은 유전적 친족이거나 친구, 동맹자와 같은 일정한 지역적 공간에서 호혜적 교환 행위를 반복하는 이웃이었다. 개인은 다 자기중심적이지만 생존하기 위해서 그 소규모 종족 집단의 구성원에 대해서 어느 정도 이타적으로 행동하면서 협력했다. 반면 완전히 낯선 개체와 집단은 안전과 생존에 대한 위협으로 보고 배타적 적대적으로 행동했다. '집단 내부에 대한 이타주의'와 '집단 외부에 대한 배타주의'는 동일한 사바나 시대 생존 본능의 양면에 불과하다.

우리 현대인들도 이 본능에 따라 끝없이 경계선을 긋고 울타리를 세운다. 수렵채집 시대보다 그 울타리가 넓어졌을 뿐 본질적인 차이는 없다. 현대인도 수렵채집인과 똑같은 '부족 인간'인 것이다. 혈연의식, 애향심, 동문의식, 애국심은 '집단 내부 이타주의'의 표현이다. 이 본능이 외부에 대해서 적대적인 형태로 표출되면 지역 차별, 학벌주의, 외국인 혐오증, 호전적 침략주의가 된다. 외계 생명체가 지구를 침공하지 않는 한 70억 인류가 모두 하나로 단결하는 경우는 없을 것이다.

서울과 같은 거대한 도시, 5천만 명이 서로 의존하며 살아가는 대

---

66 로렌 코데인 지음, 강대은 옮김, 『구석기 다이어트』, 황금물고기, 2012.

67 유진규 지음, 『옥수수의 습격』, 황금물고기, 2011.

한민국 사회는 진화적으로 완전히 새로운 생존 환경이다. 유전적 친족과 호혜적 교환 행위를 하는 이웃은 극소수에 불과하다. 대부분이 모르는 사람들이다. 사람들은 밤에 불이 나서 죽은 장애인 활동가, 송전탑 위의 해고 노동자, 대통령 선거 결과에 절망을 느끼고 목숨을 끊은 노동조합원과 유전적 친척이 아니다. 가까운 동료나 이웃도 아니다. 그런데도 그들이 느꼈을 고통과 좌절감을 함께 느낀다. 마음이 시리고 아프다. 방법이 있다면 그들을 위해 무엇인가 해주려고 한다. 이런 것은 생물학적으로 덜 자연스럽다. 자연은 생물학적 진화 과정에서 유전자를 공유하거나 지속적으로 호혜적 상호 교환을 반복하는 적은 수의 타인을 위해서만 사적 자원을 자발적으로 내놓도록 인간의 뇌를 설계해놓았다.

강연이나 인터뷰를 하다 보면 진보주의란 무엇이며 보수주의와 어떻게 다르냐는 질문을 자주 받는다. 앞서 말한 것처럼 진보주의를 '유전자를 공유하지 않은 타인의 복지에 대한 진정한 관심과 타인의 복지를 위해 사적 자원의 많은 부분을 내놓는 자발성'이라고 이해하면 그 차이를 비교적 분명하게 설명할 수 있다. 진보는 서민복지를 확대하기 위한 부자증세에 찬성하지만 보수는 반대한다. 진보는 외국인 노동자의 권리와 문화적 다양성을 옹호하지만 보수는 내국인의 이익과 민족문화의 고유성을 중시한다. 진보는 동성애에 대해 너그럽지만 보수는 동성애를 혐오한다. 진보는 전쟁에 반대하고 갈등의 평화적 해결을 옹호하지만 보수는 부국강병을 좋아하고 외부 위협에 대한 군사적 대응을 선호한다. 진보는 여성과 장애인 등 소수자의 권익 보호를 매우 강조하지만 보수는 덜 그렇다. 진보는 무슨 문제가 있으면 국가와 사회의 책임을 강조하는 반면 보수는 개인과 가족의 책임을 중시한다.

뭉뚱그려 말하면 보수는 모든 문제에 대해서 진화적으로 익숙하고 생물학적으로 더 자연스러운 방식으로 생각하고 행동하지만 진보는 진화적으로 새롭고 생물학적으로 덜 자연스러운 방식으로 생각하고 행동한다. 사형제 폐지 문제를 예로 들어 보자. 흉악한 연쇄살인범이 붙잡히면 피해자의 가족들은 보통 가장 확실한 응징인 사형 선고와 형의 집행을 원한다. 이것은 생물학적으로 자연스럽다. 합당한 이유 없이 내 가족을 죽인 자는 똑같은 방식으로 죽이는 게 맞다. 사바나 시대 이래 인간은 늘 그렇게 해왔다. 박찬욱 감독의 영화 「친절한 금자씨」에서 금자와 죽은 아이들의 부모들은 직접 유괴살인범을 처단했다. 아무도 모르게 복수를 한 것은 국가가 사적인 응징을 금지하기 때문이다. 국가는 합법적이고 정당하다고 간주되는 폭력을 행사하는 '유일한 주체'여야 한다. 살인범에 대한 복수도 국가가 대신해주어야 한다. 그것이 바로 사형제도이다.

국가는 그 자체가 진화적으로 새로운 것이다. 생긴 지 만 년 정도밖에 되지 않았다. 자연인에게는 살인할 권한이 없는데 국가에 대해서는 그 권한을 인정하는 것이 타당한가 하는 법철학적 논쟁은 국가 그 자체보다 훨씬 더 새로운 것이다. 고작해야 몇 백 년밖에 되지 않았다. 나아가 사형제도가 흉악 범죄를 줄이는 효과가 있는지 여부를 둘러싼 이론적 실증적 논쟁은 더 새로운 것이다. 부당하게 사람을 죽인 흉악범의 인권을 거론하면서 그들을 가두어놓고 피해자 유족의 세금까지 포함된 나랏돈으로 옷을 입히고 밥을 먹이는 것은 생물학적으로 자연스러운 일이 아니다. 진화적으로 익숙한 것, 생물학적으로 자연스러운 것을 따르는 경향이 있는 보수주의자들은 일반적으로 사형제도를 옹호하며 사형 집행을 지지한다.

그렇다면 왜 어떤 사람들은 생물학적으로 덜 자연스러운 생각과 행동을 하는 것일까? 왜 일부 사람들은 진보적인 것일까? 생물학적으로 덜 자연스러운 일을 하지만, 진보주의 그 자체는 생물학적 진화의 산물임이 확실하다. 크게든 작게든, 급격하든 점진적이든 생활환경은 늘 변화한다. 생존하기 위해서는 새로운 환경 변화에 대응하기 위한 새로운 사고방식과 행동 방식이 필요하다. 모두가 예전의 상황에 맞는 익숙한 생각과 행동만 한다면 개체뿐만 아니라 집단도 새로운 상황에 적응하지 못해 절멸할 수 있다. 모두는 아니더라도 누군가는 새로운 생각을 하고 새로운 행동을 해야만 한다. 이 과제를 해결하기 위해 자연은 인간의 일반 지능을 진화시켰다. 이것이 일반 지능의 발전에 대한 진화론적 설명이다.

만약 그렇다면 생물학적으로 덜 자연스럽고 진화적으로 새로운 생각과 행동을 할 수 있는 능력은 일반 지능과 관계가 있어야 한다. '사바나-IQ 상호작용 가설'이라는 것이 둘의 관계를 설명해준다. 이 가설에 따르면 지능이 낮은 개인은 지능이 높은 개인보다 조상들의 환경에는 존재하지 않았던, 진화적으로 새로운 존재와 상황을 이해하고 처리하는 데 어려움을 겪는다.[68] 그러나 연애, 출산, 육아, 길 찾기처럼 진화적으로 전혀 새롭지 않은 일을 하는 능력에는 일반 지능이 영향을 미치지 않는다. 미국인들을 대상으로 한 실증적 연구가 '사바나-IQ 상호작용 가설'을 뒷받침한다. 나이, 인종, 교육 수준, 소득 수준, 종교 등의 영향을 배제할 경우 IQ가 높은 청소년일수록 진보 성향이 강한 어른이 된다는 것이다. 성인이 되었을 때의 정치적 진보성과 청소년기의 IQ는 단조증가單調增加 관계를 나타냈다. 강한 진보적 정체성을 가진 미국 시민은 강한 보수적 정체성을 가진 시민보다 평균적으로 11점 이상 청소년기의 IQ가 높은 것으로 조사되었다. 정치적 이념에 대한 지능의 영향력은 성이나 인종보다 두 배나 강력하다.[69]

IQ지능지수로 표현하는 일반 지능이 높은 사람일수록 진보주의자가 될 가능성이 더 높다는 이야기다. 오해하지 마시기 바란다. 일반 지능에 대해 특별한 가치를 부여하려는 것은 아니다. 일반 지능은 인간이 지닌 여러 특성 가운데 하나에 지나지 않는다. 노래를 잘 부르는 사람이 음치보다, 달리기 선수가 느림보보다, 키 큰 사람이 작은 사람보다 더 고귀하다고 할 수 없는 것과 마찬가지로 지능이 높은 사람이라고 해서 더 고귀한 것은 아니다. 여기서 말하고자 하는 것은 지능이 높은 사람일수록 진화적으로 새로운 상황에 효과적으로 대처하는 데 필요한 새로운 사고방식과 행동 방식을 더 능동적으로 받아들이는 경향이 있다는 사실뿐이다.

---

68 가나자와 사토시 지음, 김영선 옮김, 『지능의 사생활』, 웅진지식하우스, 2012, 78쪽.

69 같은 책, 106~107쪽.

지능이 높은 사람은 다른 모든 조건이 같다면, 먹이를 확보하기 위한 생존 경쟁과 후손을 퍼뜨리기 위한 성 선택 경쟁에서 우위를 차지할 가능성이 높다. 지식정보화혁명은 이런 흐름을 더욱 뚜렷하게 만들었다. 빌 게이츠와 스티브 잡스는 새로운 지식이 물질적인 부와 사회적 권력의 원천임을 입증했다. 그런데 진보주의자는 일반 지능이 높은 경향이 있는데도 불구하고, 대체로 소수파이며 현실의 권력투쟁에서 패배하는 경우가 많다. 승리해도 그 승리를 오래 지키지 못한다. 역사를 보면 진보주의는 패배를 거듭한 끝에 가끔씩만 승리한다. 수없이 많은 저항과 반란이 참혹한 패배를 당한 끝에 겨우 하나의 혁명이 성공한다. 그 혁명 다음에는 흔히 보수의 반동反動이 찾아든다. 그러면서도 사회와 문명은 새로운 방향으로 진전되었다. 진화적으로 새롭고 생물학적으로 덜 자연스러운 진보적 사상이 거듭되는 패배에도 불구하고 더 널리 퍼지고 일상의 행위 양식에 녹아들어간다. 그에 따라 문명은 더 높은 수준으로 올라가며 사람들 사이의 관계는 더 정의로워진다.

제18대 대통령 선거의 결과는 진보의 거듭되는 패배 가운데 하나일 뿐이다. 그것은 선의 패배나 악의 승리가 아니다. 진화적으로 익숙한 것이 새로운 것을 이긴 수많은 사건 가운데 하나에 지나지 않는다. 1987년 대선에서 노태우 후보가 당선되었지만 그는 전두환처럼 할 수 없었다. 1992년 보수진영으로 투항한 김영삼 후보가 당선되었지만 그는 전임자보다 더 민주적이고 진보적인 정치를 했다. 2007년 당선된 이명박 대통령은 국가를 개인적 '수익 모델'로 만들었지만 민주주의 정치체제 그 자체까지 무너뜨리지는 못했다. 2012년 박근혜 후보가 당선되었지만 그의 정책 공약은 5년 전 낙선했던 진보진영 대통령 후보의 공약보다 더 진보적이었다. 진보 세력은 선거에 졌을 뿐 역사에서 패배한 것이 아니다. 대한민국은 옳은 방향으로 진화하고 있다. 그러니 문재인 대통령을 보고 싶었던 시민들이 '멘붕'에는 빠지지 않았으면 좋겠다.

진보 지식인 중에는 대한민국 사회가 약육강식의 정글과 같다고 맹렬하게 비판하는 분이 적지 않다. 그럴 만도 하다. 자라나는 아이들이 성적 경쟁에 치여 아파트 옥상에서 뛰어내린다. 대학은 수능 성적을 기준으로 거의 한 줄로 세울 수 있을 만큼 뚜렷한 서열을 형성한다. 소위 명문대 졸업생이 아니면 아예 번듯한 일자리를 찾기 어렵다. 직장에서 해고된 노동자와 가족들이 유서 한 장 남기지 않고 목숨을 버린다. 한 번 빈곤의 나락에 떨어지면 일하고 또 일해도 벗어나기 어렵다. 사람의 능력이 종이 한 장 차이에 불과한데도 경쟁에서 이긴 사람과 진 사람의 격차가 너무 크다. 치열한 경쟁이 주는 스트레스가 삶을 옭아맨다. 그러나 이것은 어디까지나 현실의 한 측면일 뿐이다. 사람들은 경쟁의 압력에 시달리면서도 각자 나름의 방식으로 타인의 고통에 공감하면서 사회의 공동선을 이루기 위해 함께 연대하고 있다. 나는 대한민국이 약육강식의 정글은 아니라고 생각한다.

진보주의에 대한 낡은 고정관념을 버릴 때가 왔다. 진보주의는 사회적 계급과 관계가 있지만 특정한 계급의 배타적 특성이라고 할 수는 없다. 사회의 진보적 변화는 피지배계급의 궐기와 투쟁을 통해서 이루어지지만 그것만으로 되는 것은 아니며, 그 계급에 속한 사람만이 진보주의자가 될 수 있는 것은 아니다. 또한 노동자와 농민 등 노동계급의 모든 투쟁이 다 진보적인 것도 아니다. 자기 자신의 권리와 이익을 위해 투쟁할 경우 그 투쟁의 주체가 누구이든 굳이 진보라고 해야 할 이유는 없다. 그것은 생물학적으로 자연스러운 이익투쟁일 뿐이다. 현대자동차 노동조합이 조합원들을 위한 임금 인상을 목표로 투쟁하는 것은 진화적으로 낯익은 것이며 생물학적으로 자연스러운 것이다. 공무원노조가 공무원연금 개혁에 강력하게 반대하는 것 역시 마찬가지이다.

그러나 대기업 노동조합이 사내 하청 또는 파견이라는 명분 아래 부당한 차별과 착취를 당하는 비정규직 노동자들의 권익을 위해 임금 손실을 감수하면서 투쟁한다면 그것은 생물학적으로 덜 자연스러운 것이다. 전교조나 언론노조가 사적 자원의 손실을 감수하면서 조합원이 아닌 누군가의 권익을 위해 투쟁하는 경우도 그렇게 말할 수 있다. 서울 강남 타워팰리스에 사는 어떤 땅부자, 주식부자가 부자감세 철회와 종부세 부활을 지지한다면 그것 역시 마찬가지이다. 진보주의는 만인의 것이다. 누구든 유전적으로 무관한 타인의 복지를 위해 사적 자원을 기꺼이 내놓는 자발성을 발휘한다면 그 사람이 진보주의자이다. 나는 그렇게 생각한다.

우리나라는 혈액 제재를 수입하지만 수혈에 필요한 전혈全血은 자발적 헌혈자들 덕분에 자급자족하고 있다. 매혈賣血은 옛이야기가 되었다. 사람들은 대가를 받지 않고 얼굴도 이름도 모르는 타인을 위해 피를 내준다. 누구인지 모를 사람들을 위해 기부를 한다. 사회복지 공동모금회나 유니세프를 비롯한 구호단체에 돈을 보내고 아프리카 어린이의 후원자가 된다. 라디오 방송에서 가슴 아픈 사연을 들으면 ARS 전화를 돌린다. 부모 잃은 아이들을 위해 자장면을 만들고 장애인 생활시설 목욕탕을 청소하며 외로운 독거노인들을 찾아가 말벗이 되어주고 서울역 노숙자들을 위해 밥을 푼다. 이 모든 연대는 유전적 근친성이 없는 타인의 고통을 함께 느끼는 인간 본성에서 비롯된, 생물학적으로 더 자연스러운 행동이다.

진보주의는 사람의 직접적 행동으로만 표출되는 것이 아니다. 사람들은 이타적 본능을 제도로도 표현한다. 어떤 이유에서든 노동시장에서 생계를 유지할 자원을 얻지 못하는 사람들이 최소한의 인간다운 생활을 할 수 있도록 국가는 최저생계비와 필수 서비스를 제공한다. 이것이 국민기초생활보장법이다. 김대중 정부가 이 제도를 만들었다. 병에 걸린 사람이 돈이 부족해 치료를 받지 못하는 일이 없도록 하기 위해서 국민건강보험을 만들었다. 김대중 정부가 모든 국민이 가입한 의료보험으로 완성했지만, 공무원과 군인, 대기업 직원 등 보험료 납부 능력이 확실한 일부 국민들을 대상으로 한 의료보험을 처음 도입한 것은 박정희 정부였다. 나이가 들어 노동 능력을 잃은 후의 삶에 대비하기 위해 국민연금제도를 만든 것은 노태우 정부였다. 국민연금은 적게 벌고 적은 보험료를 낸 사람에게 더 높은 수익률을 적용해 연금을 준다. 실직의 고통을 덜어주는 고용보험과 산업재해로 인한 피해를 덜어주는 산재보험도 있다. 이 제도는 김영삼 정부가 크게 확충했다. 노인성 질환으로 독립생활을 할 수 없는 사람과 가족은 노인장기요양보험의 지원을 받을 수 있다. 이 제도는 노무현 정부가 도입했다. 사람들은 이러한 제도를 유지하는 데 들어가는 세금과 보험료를 큰 저항 없이 납부한다.

공감을 표현하기 위해 돈만 내는 게 아니다. 사람들은 시간, 건강, 열정과 같은 비금전적 생활 자원을 내고 심지어 목숨까지도 바친다. 가장 강력한 공감과 참여의 형식은 정치 행동이다. 광주민중항쟁, 6월 민주항쟁, 미국산 쇠고기 수입 반대 촛불집회, 한진중공업 해고 노동자를 위한 희망버스에 참여한 사람들을 움직인 동력은 무엇이었을까? 그것은 공감이다. 청년 노동자 전태일은 평화시장 어린 여성 노동자들의 고통에 대한 시민들의 공감을 호소하기 위해 자기 몸에 불을 붙였다. 유능한 재단사로서 자기 회사를 만들어 돈을 벌 기회가 있었으나 노예처럼 살아가는 어린 여성 노동자들을 보면서 그가 느끼는 고통이 너무나 컸다.

우리는 어디까지 참여해야 할까? 누구나 다 목숨을 바쳐야 하는 것일까? 그렇지 않다. 인간은 이타 행동을 하는 이기적 존재이다. 이타 행동의 한계는 정해진 것이 없다. 어디까지 해야 바람직한지 객관적 기준이 있는 것도 아니다. 마음이 움직이고 스스로 감당할 수 있는 범위 내에서 하면 된다고 생각한다. 죽음까지도 감당할 수 있다면 그럴 수 있고, 그저 작은 성금을 보내는 정도만 감당할 수 있다면 그래도 좋을 것이다. 사람은 그 무엇을 위한 도구가 아니다. 누구도 타인에게 어떤 이념이나 공동선을 실현하는 도구가 되라고 강요해서는 안 된다. 스스로 느끼는 만큼, 그리고 자기가 할 수 있고 또 옳다고 생각하는 방식으로 참여하면 된다고 생각한다.

제일 손쉽고 비용이 적게 드는 것부터 살펴보자. 인터넷 포털 뉴스에 응원 댓글을 달 수 있다. 트위터나 페이스북에 응원 맨션을 붙이고 관련 기사를 링크하는 것도 좋은 방법이다. 사람들을 돕는 단체에 후원금과 격려의 편지를 보낼 수도 있다. 김진숙 씨의 크레인 농성 때 그랬던 것처럼 한진중공업 해고 노동자의 복직투쟁을 격려하는 희망버스 투어에 참여할 수도 있다. 따뜻한 차와 손수 구운 과자를 들고 서울시청 앞 농성천막에 가서 쌍용자동차 해고 노동자들과 밤을 함께 새워줄 수도 있다. 이런 문제들을 해결하려고 노력하는 정당에 가입하거나 정치인을 후원하고, 국회의원 선거나 대통령 선거에서 그런 후보의 선거운동 자원봉사를 할 수도 있다. 아예 이런 일들을 직접 조직하는 운동을 직업으로 삼을 수도 있다. 시민단체 상근 활동가나 직업정치인이 되는 것이다.

왜 그래야 하는지를 논리적으로 설명할 수 있다. 그러나 논리 이전에 마음이다. 그렇게라도 하지 않으면 마음이 너무 불편한 사람들이 그렇게 한다. 비용이 들고 고생이 되는데도 그렇게 하면 마음이 편하고 당당해지기 때문이다. 이런 마음은 문명과 교육의 산물만은 아니다. 이것은 인간 본성의 발현이다. 나와 유전적으로 무관한 타인의 고통을 함께 느낄 수 있는 능력, 그들의 복지에 진지한 관심을 가지고 자기의 사적 자원을 기꺼이 내놓으려는 자발성, 이 모두가 자연이 인간에게 준 재능이며 본능이다. 이런 이타적 본성, 공감의 능력을 발휘하는 것을 나는 연대라고 부른다. 연대는 일, 놀이, 사랑과 더불어 삶을 의미 있고 존엄하고 품격 있게 만드는 제4원소이다. 나는 이렇게 외치고 싶다. "연대하는 자에게 복이 있나니, 지금 이곳의 행복이 그들의 것이리라!"

제4장

삶을 망치는 헛된 생각들

이름이 길이 남지 않음을
애석하게 여길 필요는 없다.
그것은 행복한 삶의
본질적 요소가 아니다.

신념의 도구가 되는 것

사람은 자유로운 존재로서 자기가 원하는 인생을 옳다고 믿는 방식으로 살아가면서 행복을 누릴 권리가 있다. 그러나 많은 것들이 자유를 박탈하고 속박하고 훼손하기 때문에 자유롭게 살기 어렵다. 살아가는 데는 물질적 자원이 필요하다. 이것이 너무 부족하면 자유가 제약된다. 절대 빈곤에 허덕이면서 생존하는 데 모든 힘을 소모해야 한다면 자유가 없는 것이다. 불합리한 제도 또한 자유를 박탈하고 훼손한다. 그러나 물질적 풍요와 민주적이고 평등한 제도를 확보한다고 해서 모든 문제가 다 풀리는 것은 아니다. 사람은 불합리하고 낡은 생각에 얽매어 행복한 삶과 의미 있는 인생을 스스로 훼손하기도 한다. 그렇게 해서 삶의 주체가 아니라 무엇인가의 도구가 된다. 실현할 수도 없고 실현해봐야 별 가치도 없는 망상에 사로잡혀 삶의 환희를 저버린다. 아무 기쁨도 가져다줄 수 없는 나쁜 감정에 사로잡혀 행복을 맛볼 기회를 외면한다. 느끼고 생각하는 능력 없이 행복한 인생을 살 수 없다는 것은 분명하다. 그러나 그 느낌과 생각은 때로 감옥이 되고 족쇄가 되고 독극물이 되어 자신의 인생과 타인의 삶을 파괴하기도 한다.

인생에서 가장 '달콤 살벌한' 것은 신념이 아닌가 싶다. 사람들은 저마다 옳다고 믿는 삶의 원칙이 있다. 그런 것을 모두 합쳐서 신념信念이라고 하자. 나름의 신념이 있기 때문에 우리는 삶의 목표와 방법을 설정하고 살아가는 데 필요한 행위의 준칙을 세울 수 있다. 그런데 신념의 역할은 인생의 철학적 토대를 제공하는 데 그치지 않는다. 신념은 때로 삶 그 자체가 된다. 사람은 신념을 위해 살기도 하며 신념을 위해서 죽기도 한다. 신념은 단지 머리에 든 생각에 머무르지 않는다. 일, 사랑, 놀이가 되고 아름다운 사회적 연대와 참혹한 국가 범죄를 만들어낸다. 이렇게 신념은 누군가의 인생 전체를 채우기도 한다.

우리는 신념에 따라 살고 죽은 사람들을 안다. 신라 청년 이차돈은 스물여섯 살에 목이 베여 죽었다. 그의 신념은 부처님의 진리였다. 고려 충신 정몽주는 개성 선죽교 위에서 역성혁명을 준비하던 이방원의 부하들에게 피살되었다. 그는 고려왕조를 지킴으로써 신하의 도리를 다하려고 했다. 조선 명장 이순신은 노량해전에서 전사했다. 그는 나라와 백성의 안전을 위해서 철수하는 왜군을 남김없이 몰살시켜야 한다고 확신했다. 우리의 영원한 '누나' 유관순과 민족 지사 안중근은 일제의 손에 죽었다. 어떤 위협과 고문에도 민족 독립을 향한 신념을 꺾지 않았다. 백범 김구 선생은 친일 반공주의 국가권력에게 암살당했다. 그에게 통일된 민족 국가를 세우는 것은 삼팔선을 베고 죽더라도 포기할 수 없는 신념이었다. '아름다운 청년' 전태일은 근로기준법 책자를 껴안고 청계천 평화시장 앞에서 자기 몸을 불살랐다. 어린 여성 노동자들이 사람답게 웃으며 사는 세상을 만들어야 한다는 것이 그의 신념이었다.

동서고금 수많은 사람들이 자신의 신념을 이루기 위해서 전력을 다해 분투하다 신념을 버리지 않고 죽었다. 인류의 역사에는 같은 시대 같은 사회에서 상반되는 신념의 깃발을 들고 서로 죽고 죽인 사례도 헤아릴 수 없이 많다. 한때 신념의 동지였다가 철천지원수가 된 사례도 허다하다. 프랑스대혁명 동지였던 조르주 당통을 민중의 적으로 몰아 단두대에서 처형했던 로베스피에르는 훗날 다른 혁명가들에게 똑같은 방식으로 처형당했다. 러시아혁명의 지도자 트로츠키는 사상투쟁이라는 명분 아래 벌어진 권력투쟁에서 패배한 후 해외로 망명했다. 스탈린이 보낸 스페인 출신 자객이 멕시코까지 따라와 빙벽 등반용 곡괭이로 그를 죽였다. 북한 국가주석 김일성은 한국전쟁이 끝난 후 남로당 총책 박헌영을 미국의 간첩으로 몰아 처형했다.

그대는 어떤 신념을 가지고 있는가? 그대는 그 신념을 위해 죽을 각오가 되어 있는가? 이런 질문을 받으면 기분이 좋지 않을 것이다. 아니라고 말하면 조금 비겁한 것 같고 그렇다고 하자니 감당하기가 어렵다. 그러니 질문 형식을 바꾸어 보자. 신념을 위해 살고 죽는 것은 훌륭한 일이라고 생각하는가? 만약 그런 삶이 훌륭하다면 모든 사람이 다 그렇게 해야 한다고 믿는가? 그렇다고 말하기는 어렵다. 신념을 위해 살고 죽는 것이 훌륭하지 않다는 게 아니다. 그것은 훌륭할 수도 있고 그렇지 않을 수도 있다. 또 훌륭한 신념을 가졌다고 해서, 반드시 그 신념을 위해 살고 죽어야 하는 것 역시 아니다. 신념을 위해 살고 죽는 것도 훌륭한 인생일 수 있지만, 그것과 다른 인생 역시 얼마든지 훌륭할 수 있다고 생각한다.

신념에 따른 삶과 죽음이 훌륭하려면 먼저 그 신념이 훌륭해야 한다. 신념 자체가 훌륭하지 않으면 그 신념을 따르는 삶도 훌륭할 수 없다. 그런데 신념이란 어디까지나 머리에 든 생각이다. 어떤 신념도 완벽하게 옳다거나 훌륭하다고 할 수는 없다. 마찬가지로 완전히 잘못되었거나 사악하다고 단정할 수 있는 신념도 흔치는 않다. 사상이나 이념, 가치관은 완전하지도 않으며 고정된 것도 아니다. 사람들은 때로 신념을 버리기도 하고 바꾸기도 한다. 훌륭하게 살기 위해서는 훌륭한 신념을 가지려고 노력해야 한다. 그러나 삶에서 더 중요한 것은 신념 그 자체보다는 그것을 대하는 태도이며 그 신념을 실천하는 방법이다. 신념이 잘못된 것이 아닌 경우에도 그것을 실현하는 방법을 잘못 선택하면 삶이 죄악의 구렁텅이에 빠진다.

샐로스 사르Saloth Sar는 크메르 루주Khmer Rouge, 캄보디아 공산당 지도자로서 1976년부터 4년 동안 민주캄푸치아공화국의 총리를 지냈다. 그는 본명이 아닌 폴 포트Pol Pot라는 이름으로 세계에 알려졌다. 폴 포트는 그리 길지 않았던 집권 기간 동안 당시 7백만 명 정도였던 캄보디아 국민 가운데 최소한 150만 명을 죽음의 심연으로 몰아넣었다.[70] 정확한 통계가 없으니 이것은 어디까지나 추정치일 뿐이다. '킬링필드'

라는 이름이 붙은 크메르 루주 정권의 대학살은 단순히 많은 사람을 잔인하게 죽인 사건이 아니다. 그것은 아름다운 이상 또는 강철 같은 신념을 폭력적 방법과 결합함으로써 일어난 국가 범죄였다.

1975년 미국의 지원을 받던 군부정권을 전복하고 정권을 장악한 크메르 루주는 완전히 평등한 세상을 만든다는 목표 아래 인간을 '개조'하려 했다. 이를 위해 사유 재산과 가족, 자본주의적 기업, 자본주의와 관련이 있다고 여겨지는 모든 형태의 문화 양식을 철저히 파괴했다. '인간 개조'를 방해한다고 판단하면 누구든 다 죽였다. 일차적인 숙청 대상은 기존 정권의 권력기구에 종사했던 관료, 공무원, 경찰, 자본주의 경제체제와 관련된 기업인과 기술자들, 그리고 의사와 교사 등 중산층 지식인들이었다. 안경을 쓰거나 글을 읽을 줄 안다는 이유만으로 총살당한 사람도 숱하게 많았다.

폴 포트는 도시를 자본주의적 착취와 타락의 심장이라고 판단했다. 크메르 루주 정권은 1백만이 넘던 수도 프놈펜 주민들을 모두 농촌 집단 농장으로 이주시켰다. 환자와 노인, 어린이와 임산부도 예외가 아니었다. 농촌에는 생활 기반시설이 없었다. 아무 준비 없는 대규모 강세 이주는 질병과 굶주림으로 인한 떼죽음으로 이어졌다. 도시는 텅 비어 폐허가 되었고 농촌은 '킬링필드'로 변했다. 국민을 '소탕'하던 크메르 루주의 만행은 미국을 상대로 한 전쟁에서 겨우 승리를 거두었던 베트남 정부의 마지못한 개입으로 새로운 정권이 수립된 1979년까지 계속되었다. 정권을 잃은 폴 포트는 크메르 루주 병력을 이끌고 산으로 들어가 게릴라활동을 벌이던 중 옛 동료들에게 붙잡혀 있다가 병으로 죽었다. 캄보디아는 아직도 대학살이 남긴 후유증을 극복하지 못하고 세계에서 가장 가난한 나라 중 하나로 남아 있다.

폴 포트는 부패한 캄보디아왕실과 제국주의 프랑스의 억압에서 민중을 해방시켜 평등하고 풍요로운 나라를 만들겠다는 이상을 품은 혁명가였다. 프놈펜 기술고등학교를 거쳐 무선전자공학을 공부하기 위해 파리에 유학했다. 그는 1953년 귀국해 사립학교 교사로 일하면서 정치활동을 시작했다. 시아누크가 왕정을 폐지하고 선거를 통해 정권을 획득한 1955년에 정글로 들어가 공산주의 혁명을 위한 무장투쟁을 개시했다. 그리고 1967년부터는 중국 공산당의 지원을 받아 본격적인 내전을 벌였다. 1970년 미국이 남베트남 민족해방전선의 후방 기지를 파괴하기 위해 캄보디아를 폭격해 수없이 많은 민간인을 죽였다. 크메르 루주는 미국의 지원을 받던 군사정부에 대한 공세를 강화했고, 캄보디아 민중의 폭넓은 지지를 받아 세력을 크게 확대했다. 미군이 마침내 베트남전쟁 패배를 인정하고 철수하자 크메르 루주는 수도 프놈펜을 점령하고 내전 승리와 '민주캄푸치아공화국' 수립을 선포했다. 그런데 희망에 부풀었던 캄보디아 민중에게 들이닥친 것은 아무도 상상하지 못했던 '킬링필드'의 대재앙이었다.

도대체 무엇이 이 참극을 불러들였을까? 빛나는 이상을 지녔던 폴 포트는 왜 희대의 살인마가 된 것일까? 문제는 이상 또는 신념 그 자체가 아니었다. 그것을 실현하려고 채택한 방법이 문제였다. 폴 포트는

---

70 필립 쇼트 지음, 이혜선 옮김, 『폴 포트 평전』, 실천문학사, 2008.

자기의 이상과 신념이 고결하고 올바르다고 확신했다. 다른 이상과 신념을 가질 타인의 권리를 인정하지 않았다. 누구나 자신이 원하는 삶의 목표를 자기가 옳다고 믿는 방식으로 추구할 자유가 있다는 것을 받아들이지 않았다. 자기의 신념이 옳기 때문에 그것을 타인에게 폭력으로 강요하는 것도 정당하다고 믿었던 것이다. 고결한 이상, 바위처럼 굳건한 신념은 아름다울 수 있다. 그러나 올바른 이상과 신념을 실현하기 위해서라면 어떤 수단을 써도 정당하다는 생각은 자신과 타인의 삶을 치명적으로 위협한다.

이상주의자 폴 포트가 인류 역사에서 가장 끔찍한 범죄에 속하는 대학살을 저질렀다는 사실을 부정하는 사람은 없다. 그러나 기독교 개혁가로 알려진 장 칼뱅Jean Calvin이 정도 차이는 있지만 본질은 똑같은 행위를 했다는 것을 아는 이는 많지 않다. 알면서도 그를 여전히 옹호하는 사람도 있다. 칼뱅은 1541년 자유 도시였던 스위스 제네바 시의회를 장악했다. 속세의 권력을 손에 넣은 그는 「교회계율」이라는 것을 만들어 법률을 대체하고 시민들이 이것을 준수하는지 감시하고 위반자를 처벌하는 '종교국'과 '도덕경찰'을 창설했다. 신의 피조물인 인간이 오로지 하나님의 뜻에 따라 사는 이상향을 만들기 위해 신학과 세속 권력을 결합한 신권정치神權政治를 편 것이다. 그 결과는 참혹했다.

작가 슈테판 츠바이크가 조사한 바에 따르면 칼뱅이 통치한 첫 5년 동안에만 제네바에서 열세 명이 교수대에 매달렸다. 열 명은 단두대에서 목이 잘렸다. 35명이 화형장에서 불타 죽었다. 무려 58명이 사형에 처해진 것이다. 76명은 도시 밖으로 추방되었다. 감옥에 갇힌 사람은 더 많아서 교도소장이 더는 죄수를 받을 수 없다고 시의회에 통보할 지경이 되었다. 유죄 선고를 받은 사람뿐만 아니라 단순히 혐의를 받는 사람에게도 무시운 고문을 했다. 거리에서 채찍질을 하고 발바닥을 불로 지지고 달군 쇠꼬챙이로 혀를 뚫었다. 혐의를 받게 되자 고문을 당할까 두려워한 나머지 체포되기 전에 자살하거나 도망친 사람도 숱하게 많았다. 이 모든 일들이 벌어졌을 당시, 제네바 인구는 고작 1만 6천 명에 지나지 않았다. 그렇게 작은 도시에서 그토록 끔찍한 공포정치를 시행한 것이다.[71]

칼뱅이 처벌한 범죄 행위는 범죄라고 말하기 어렵거나 범죄일 수가 없는 것들이었다. 거리에서 주먹다짐을 한 죄를 물어 선원 두 사람을 교수대에 매달았다. 세례식에서 웃음을 짓거나 포도주를 걸고 주사위놀이를 한 사람들에게 징역형을 내렸다. '칼뱅 선생님'에게 '칼뱅 씨'라고 하거나 예배당에서 사업 이야기를 한 사람들을 감옥에 집어넣었다. 바이올린으로 춤곡을 연주한 맹인 여자와 거리에서 노래를 부른 남자는 '다른 곳에서' 그런 일을 하도록 도시 밖으로 추방했다. 칼뱅의 예정설을 비판한 남자를 도시의 모든 교차로에서 채찍질한 다음 불태워 죽였다. 술에 취해 칼뱅 욕을 한 출판업자는 불타는 쇠꼬챙이로 혀를 찌른 다음 도시 밖으로 내쫓았다.

칼뱅식 공포정치의 절정은 1553년 10월 그와 신학 논쟁을 벌였던

---

71 슈테판 츠바이크 지음, 안인희 옮김, 『다른 의견을 가질 권리』, 바오, 2009, 83~91쪽.

스페인 출신 신학자 미카엘 세르베투스Michael Servetus를 불태워 죽인 사건이었다. 세르베투스는 칼뱅과 다른 신학적 견해를 표명했다는 이유로 체포되어 오랜 시간 고문과 학대를 당했다. 쇠사슬과 밧줄로 화형대에 묶인 세르베투스의 머리에 유황을 묻힌 면류관이 씌워졌다. 그가 동의를 구하려고 칼뱅에게 보냈다가 유죄의 증거로 사용되었던 신학 논문 원고가 밧줄에 끼워졌다. 장작더미에 불길이 타올랐을 때 세르베투스는 외쳤다. "예수, 영원한 하나님의 아들이시여, 저를 불쌍히 여기소서!" 그 시각 칼뱅은 현장에 오지 않고 자기 집에 있었다.[72] 세르베투스는 단지 다른 의견을 가졌다는 이유만으로 살해당한 것이다.

칼뱅이 지배한 제네바는 죽은 도시가 되었다. 살아 있는 것은 오직 「교회계율」과 그것을 집행하는 도덕경찰뿐이었다. 연극, 춤, 축제, 모든 형태의 놀이가 사라졌다. 혼외 교제, 부부 간의 선물 교환, 허가받지 않은 책 출판, 외국과의 서신 왕래, 공적 이슈에 대한 발언, 장신구 달린 옷, 남자들의 가르마, 여자의 머리치장, 적포도주를 제외한 술이 모두 금지되었다. 찬송가의 가사가 아닌 멜로디에 관심을 두는 태도까지 범죄 행위로 간주되었다. 시민들에게 허용된 것은 일하고 복종하고 교회에 가는 것밖에 없었다. 이것은 권리가 아니라 신성한 의무였다. 겁에 질린 시민들은 자기가 의심받는 일을 피할 목적으로 서로 감시하고 밀고했다. 그래서 종교국은 직접 시민들을 감시할 필요가 없게 되었다. 칼뱅은 인간의 내면에 있는 사탄이 숨 쉬지 못하게 하겠다면서 인간의 자유와 생명력, 삶의 환희를 완전히 목 졸라 죽인 것이다.

무시무시한 폭력을 동원해 공포정치를 조직화한 지성적 금욕주의자 칼뱅의 동기는 고상했다. 그가 모든 '죄인'에 대해 냉혹했던 것은 악과 싸우기 위해서였다. '하나님의 명예'를 드높이기 위해서는 도덕적 품성을 길러야 하고, 그렇게 하려면 계속되는 형벌이 필요하다고 생각했다. 공포정치를 밀고나가는 것이야말로 하나님이 자기에게 부여한 의무라고 믿었다. 그리고 자신이 가진 신학적 정치적 견해에는 오류가 없다고 확신했다. 칼뱅은 현란한 신학 이론으로 무장한 광신자였다. 타인의 고통에 감응하지 못했을 뿐만 아니라 아무 죄책감도 느끼지 않은 채 수많은 사람을 고문하고 죽였다. 이런 사람을 가리켜 정신과 심리학자들은 '사이코패스'라고 한다. 장 자크 루소가 나타나 칼뱅의 공포정치를 완전히 끝내는 사상의 혁명을 이룰 때까지 제네바 시민들은 무려 2백 년 동안 자유와 개성과 다양성이 사라진 무덤 속에서 삶의 의미와 환희를 빼앗긴 채 살아야 했다.

신앙이나 이념은 훌륭할 수 있다. 그러나 거기에는 조건이 있다. 다른 이념과 다른 신앙에 대한 관용tolerance을 갖추는 것이다. 그럴 때에만 신념은 삶을 풍요롭고 기쁘고 의미 있게 만드는 데 도움이 될 수 있다. 그래야 사람이 이념의 도구나 노예가 아니라 주인이 되는 것이다. 빛나야 할 것은 신앙이나 이념이 아니다. 정말 빛나야 할 것은 자연이 준 본성과 욕망을 긍정적으로 표출하고 실현하면서 영위하는 기쁜 삶이다.

---

72 슈테판 츠바이크 지음, 안인희 옮김, 『다른 의견을 가질 권리』, 바오, 2009, 172~174쪽.

진보주의는 보수주의와 마찬가지로 하나의 이론, 철학, 세계관으로 볼 수 있다. 그러나 나는 진보주의를 어떤 이론의 집합이라기보다는 타인과 세상을 대하는 감정 또는 정신적 태도라고 생각한다. 감정이나 정신적 태도는 상대적이다. 어느 것은 옳고 어느 것은 틀렸다고 말할 수 없다. 따라서 나와 다른 감정을 품고 다른 태도로 세상을 사는 사람들에 대해서 너그럽게 대하는 게 합리적이다. 태도의 차이를 옳고 그름 또는 선악의 잣대로 판단하거나 단죄해서는 안 될 것이다. 선악의 잣대로 모든 일을 판단하게 되면 자칫 삶을 이념에 종속시키는 비극을 초래할 수 있다. 좌익 소아병과 극우 맹동주의, 좌익 전체주의, 우익 국가주의는 모두 동일한 원인에서 파생한 이념의 병이다. 이 병의 원인은 '불관용'이다.

신념을 지니고 살면서 그 노예가 아니라 주인이 되려면 어떻게 해야 하는 것인가. 나도 정답은 모른다. 내 나름의 방법이 있을 뿐이다. 신념은 훌륭할 수도 그렇지 않을 수도 있다. 그러나 어떤 경우에도 사람은 훌륭해야 한다. 나는 내가 가진 신념 덕분에 내 자신과 내 삶이 더 훌륭해지는지를 주의 깊게 살핀다. 내 자신을 비루하게 만드는 신념은 좋은 것이 아닐 가능성이 많다. 그런데도 신념 그 자체가 확실히 훌륭해 보인다면, 그 신념을 실천하는 방법을 잘못 선택한 것이 틀림없다고 생각한다. 많은 국민의 관심과 비판을 받았던 이른바 '통합진보당 비례대표 국회의원 후보 부정부실 경선 사건'을 겪으면서 나는 신념 그 자체보다는 그것을 실현하는 방법이 더 중요하다는 것을 새삼 깨달았다.

그 사건은 사실 아주 단순한 것이었다. 통합진보당 중앙당 지도부는 비례후보 선출 당원 투표를 실시하면서 공정 선거를 보장하는 데 필요한 기본적인 규제 조처를 취하지 않았다. 그래서 반칙을 사전에 막을 수도 없었고 제지할 방법도 없었다. 실제로 유력한 후보들은 대부분 선거 관리의 허점을 활용해 각자 할 수 있는 방식으로 부정 선거를 했다. 온라인 투표의 가장 큰 문제는 대리 투표의 위험이다. 조직적인 대리 투표를 완전히 봉쇄하는 것은 불가능하다. 그러나 그 위험을 최소화할 수는 있다. 하나의 컴퓨터에서 복수의 당원이 투표하는 것을 막는 '동일 아이피 중복 투표 제한 조처'를 취하는 것이다. 그런데 통합진보당 중앙당 사무총국과 선거관리위원회를 실질적으로 장악한 소위 옛 민주노동당 구당권파는 이런 조처를 취하자는 요구를 완강하게 거부했다. 그래서 당원의 이름과 전화번호만 알면 다른 사람이 인증번호를 스마트폰으로 전송받아 손쉽게 대리 투표를 할 수 있게 된 것이었다.

이런 환경에서 조직적인 대리 투표가 이루어졌다. 아이패드를 들고 당원을 찾아가 투표하게 하는 사실상의 공개 투표도 막을 수 없었다. 온오프라인 투표를 여러 날 동안 병행했기 때문에 중앙당과 지역의 선거 관리 담당자와 후보 캠프는 언제든 투표자와 미투표자를 확인할 수 있었다. 특정 후보와 연계된 중앙당 당직자들이 여러 차례 미투표자 명부를 다운로드했다. 투표 값에 대한 임의적인 수정이 이루어지기도 했다. 오프라인 투개표 관리도 정상이 아니었다. 현장 투표소

관리를 엄격하게 한 지역은 투표자가 거의 없었지만 그렇지 않은 곳에서는 한 투표소에서 수백 명이 투표했다. 투표용지 관리도 엉망이었고 선거인 명부도 사후에 위조 변조한 게 한두 군데가 아니었다.

진보정당이든 보수정당이든 치열한 경선을 하면서 투개표 관리를 이렇게 하면 부정이 생기지 않을 도리가 없다. 이기고 싶은 욕망은 인간의 보편적 본능이기 때문이다. '총체적 부정부실 선거'의 실태는 당의 자체 진상 조사에서 다 드러났다. 다만 누가 어떤 방식으로 했는지를 확인하지 못했을 따름이다. 당 자체 진상조사위원회는 통신 자료 열람과 필적감정을 할 권한이 없었기 때문이다. 부정을 저지를 수 있는 조건을 다 만들어놓은 게 중앙당 지도부였는데, 그 지도부가 당원을 조사하고 징계할 자격이 있는지도 의심스러웠다. 국회의원에 당선된 사람을 포함해서 경쟁에 참가한 모든 비례대표 후보가 사퇴하고 국민에게 사과한 다음 당 전체가 새 출발을 하자는 제안이 나온 것은 바로 그런 고민 때문이었다. 그런데 이 제안은 일부 당선자와 정파가 거부해 실행되지 못했다. 그들은 이 안건을 처리하기 위해 연 중앙위원회 의사 진행을 물리적으로 방해하고 의장석에 있던 당의 공동 대표들을 폭행했다.

부정 경선 의혹을 처음 인지한 순간 나는 먼저 당원들을 떠올렸다. 다른 당원에게서 인증번호를 전송받아 대리 투표를 하는 모습, 투표하지 않은 당원들이 오프라인 투표소에서 투표한 것처럼 가짜 서명을 하면서 선거인 명부를 조작하는 모습이었다. 그들은 나쁜 사람이 아니다. 권력에 눈먼 사람도 아니다. 노동자와 농민, 힘없는 서민들의 권익과 복지에 진지한 관심을 가지고 귀한 시간과 열정을 바치며 진보 정치운동에 참여한 활동가들이다. 그들은 선한 의지를 품고 더 훌륭한 세상을 만들기 위해 진보정당에 참여했다. 그런데 정파를 가리지 않고 반칙을 했다. 당도, 후보도, 당원들도 모두 훌륭함과는 거리가 먼 행동을 한 것이다.

운동도 정치도 하다 보면 성과를 얻기도 하고 얻지 못하기도 한다. 가시적인 성과가 없는 경우에도 참여하는 사람들 스스로가 훌륭한 일을 하면서 훌륭하게 살고 있다는 확신을 얻는다면 실패는 아니다. 그런 노력이 쌓여 언젠가는 승리를 손에 쥘 수도 있기 때문이다. 그러나 참여하는 사람의 행위를 비루하게 만든다면 그런 운동, 그런 정치, 그런 정당은 목표를 달성하는 경우에도 성공했다고 할 수 없다. 일시적인 성과를 거둔다 해도 오래 가지 못한다. 민족 자주, 한반도 평화, 민중 생존권 보장 등 그 어떤 아름다운 이념과 목표도 그 운동 속에서 사람을 더 훌륭하게 만들지 못한다면 의미가 없다고 나는 믿는다. 그것은 훌륭한 운동이 아니다. 그런 운동은 사람을 이념의 도구로 만들 뿐이다.

비례대표 후보 경선 관리와 관련하여 사실상 전권을 행사했던 이정희 대표와 옛 민주노동당 구당권파가 탈당한 사람들만 부정을 저질렀고 자기네는 피해자일 뿐이라고 주장하는 것은 그들 스스로 옳다고 믿는 어떤 것의 노예가 되었음을 자인한 것이라고 나는 판단한다. 그런 사람들이 제법 긴 시간 대한민국 대표 진보정당을 이끌었다는 사실이 믿기지 않는다.

정치는 자기가 옳다고 생각하는 것이 아니라 사람들이 원하는 것을 이루어주는 사업이다. 스스로 좋은 것이라고 생각할지라도 사람들이 원하지 않는다면 강제할 수 없다. 그런데 그들은 자기의 신념이 절대적으로 옳다는 확신의 바탕 위에서 그것을 실현하기 위해서는 어떤 수단도 쓸 수 있다고 믿는 것 같다. 소위 '진리의 정치'를 하는 것이다. 그러나 나는 인생에도 정치에도 확정된 진리 같은 것은 존재하지 않는다고 생각한다.

불운을
어찌할 것인가

지나온 삶에 완전히 만족하기는 쉽지 않다. 살아온 삶과 앞으로 예견되는 삶에 다 만족하기는 더욱 어렵다. 만족스러운 삶을 영위하기 어려운 것은 설계 오류, 능력 부족, 판단 착오 등 스스로 책임져야 할 마땅한 여러 이유가 있다. 자신의 부족함을 성찰하고 더 노력하면 이런 것을 어느 정도는 극복할 수 있을 것이다. 그런데 내게는 문제가 없는데 세상이 잘못되어서, 또는 단지 운이 없어서 만족스런 인생을 살지 못했다고 생각한다면 사태가 간단치 않다. 세상의 부조리不條理와 불운은 내 힘으로 어떻게 해볼 수 없는 것이기 때문이다. 이것은 단순히 삶에 대한 책임을 회피하기 위한 변명거리가 아니다. 실제로 이 둘은 사람의 인생에 막대한 영향을 준다.

세상은 합리적이어야 한다. 삶은 공평해야 한다. 마땅히 그래야 한다. 그러나 이것은 이룰 수 없는 소망이다. 삶은 공평하지 않으며 세상에는 부조리가 널려 있다. 여러 가지 행운을 누리며 살아온 사람으로서 생각해본다. 이렇다 할 행운을 누리지 못했거나 거듭 불운을 만나는 사람들은 얼마나 자주 위태로운 삶의 고비에 맞닥뜨리며 살아갈까? 부조리가 없는 완벽하게 합리적인 세상, 노력한 만큼 보상과 명예를 얻는 공평한 삶은 실현할 수 없는 꿈인가? 아무래도 그런 것 같다. 세상은 정글과 비슷하다. 강 건너에 무엇이 있는지 내다보기 어려운 것은 물론이요, 한 걸음 앞에 무엇이 나를 기다리고 있는지조차 알기 어렵다. 언제 어디서 무엇이 내 삶을 급습해 예기치 못한 혼란과 고통을 안겨줄지 모른다. 왜 하필이면 다른 사람이 아니라 내가 그런 일을 당했는지 합리적인 설명을 할 수 없는 경우도 많다. 그래서 삶은 기획하고 설계한 대로 흘러가지 않는다. 불러들이지도 않았고 쫓아낼 수도 없으며 논리적으로 설명할 수도 없는 무언가가 삶을 바꾸어놓을 때, 우리는 그것들을 가리켜 행운, 불운, 우연, 축복, 저주, 은혜 또는 부조리라고 한다.

불운, 행운, 부조리가 인생에 깊은 골짜기와 높은 봉우리를 만들어낸 사람들을 만나 보자. 헬렌 켈러Helen Adams Keller는 중증 중복 장애를 극복한 인간 승리의 표본으로 알려져 있다. 그는 시각과 청각 중복 장애인으로서 학사학위를 받은 최초의 인물이었다. 하도 유명해서 가정교사였던 앤 설리번까지 온 세상에 알려질 정도였다. 그런데 헬렌 켈러가 단순히 장애를 극복한 인물이었던 것은 아니다. 왕성한 집필 활동을 한 작가였고 여성 참정권과 노동자의 권리, 장애인 인권 보장을 위해 끈질기게 노력한 사회주의자였다. 헬렌 켈러만큼 커다란 행운과 불운을 함께 겪은 사람은 정말 흔치 않다. 행운의 도움을 기꺼이 받아들여 그토록 혹독한 불운을 이겨낸 사람은 더욱 드물다.

헬렌 켈러가 미국 앨라배마 주에서 태어났을 때 부유하고 교양 있는, 그리고 무엇보다도 딸을 지극히 사랑하는 부모가 거기 있었다. 엄청난 행운이었다. 그런데 생후 열아홉 달이 되었을 때 헬렌 켈러는 성홍열과 뇌막염에 걸렸다. 급성 뇌출혈 증상을 동반했던 그 병은 물러났지만 더는 볼 수도 들을 수도 없는 아기를 남겨 놓았다. 모든 아기들이 성홍열과 뇌막염에 걸리지는 않는다. 또 이 전염병에 걸린 모든 아기가 장애를 얻는 것도 아니다. 이것은 이중의 불운이었다. 그런데 헬렌 켈러는 매우 영리한 아이였다. 자라면서 자기 방식의 수화를 익혔다. 또래였던 요리사의 딸 마르타가 그 수화를 이해했다. 그래서 남과 대화하는 능력을 기를 수 있었다. 이 모든 것은 아무 필연성도 없이 따로 따로 찾아온 행운과 불운이었다.

헬렌 켈러의 부모는 특수 교육 전문가와 장애인 교육기관을 백방으로 수소문한 끝에 그 자신도 시력 감퇴 증상을 앓고 있던 스무 살의 시각장애학교 졸업생 앤 설리번을 가정교사로 맞아들였다. 그때부터 앤과 헬렌 켈러는 50여 년을 동반자로 살았다. 시각장애학교와 청각장애학교를 거쳐 대학 입학 허가를 받으면서 헬렌 켈러는 미국 사회의 저명인사가 되었다. 작가 마크 트웨인을 비롯한 지식인들과 씀씀이 후한 독지가들이 교육비를 후원해주었다. 헬렌 켈러는 스물네 살에 학사학위를 받았다. 시청각 장애에도 불구하고 독일어를 포함하여 다섯 개 언어를 구사했다.

헬렌 켈러는 미국 국경을 넘어 세계에 알려졌다. 그는 혼자 장애를 이기고 사회에 들어가는 데 머무르지 않았다. 장애인들의 교육을 지원하기 위한 기금을 모았다. 성매매 여성들을 시각장애인으로 만드는 매독에 대해 사회의 관심과 정부의 대책을 촉구하는 캠페인을 전개했다. 헬렌 켈러는 여성참정권운동의 열혈 전사였다. 여성이 처음으로 투표권을 행사하기 시작한 것은 불과 1백여 년 전의 일이다. 인류의 자유와 민주주의를 지키는 수호천사인 양 행세하는 미국에서도 1920년이 되어서야 여성이 투표권을 획득했다.

헬렌 켈러는 또한 미국 군대가 해외에서 벌이는 전쟁에 반대했다. 만연한 인종차별과 흑인 인권유린을 격렬하게 비판했다. 평생 동안 서른아홉 개 국가를 여행하면서 수많은 빈민가와 공장을 방문했다. 노동자의 인권 보장과 아동노동 근절을 호소했으며 여성 피임을 옹호하고 사형제폐지운동에 참여했다. 자신이 활동하던 시기 재임했던 미국 대통령을 모두 만났으며 마크 트웨인과 찰리 채플린을 비롯한 유명 인사들과 교류했다. 헬렌 켈러는 스물아홉 살에 미국 사회당에 입당해 활발한 정치활동을 벌였으며 미국 사회당 대통령 후보 유진 뎁스Eugene Debs의 선거운동을 지원했는데, 이 사실은 널리 알려져 있지 않다. 한마디로 그는 약하고 가난하고 억눌리고 차별받는 모든 사람의 벗이었다.

처음에 헬렌 켈러는 모든 사람, 모든 언론, 모든 정파의 존경과 사랑을 받았다. 그러나 자신이 사회주의자임을 공개 선언하고 맹렬한 평화주의 여성주의활동을 전개하자 보수주의 언론과 지식인들은 갑

자기 태도를 바꾸었다. 헬렌 켈러는 누군가의 배후 조종을 받고 있으며 장님이고 귀머거리여서 쉽게 실수를 저지른다고 공격 받았다. 그러나 그는 비난과 모함에 굴복하지 않았다. 여든두 살에 찾아든 뇌졸중 때문에 활동을 접을 때까지 주어진 시대 환경 안에서 자기가 원하는 삶을 옳다고 생각하는 방식으로 굳세게 밀고 나갔다.

헬렌 켈러는 자서전을 포함하여 열두 권의 책을 썼다. 산문과 신문 칼럼, 에세이는 헤아리기 어려울 만큼 많이 썼다. 갤럽은 그를 20세기 인류에게 가장 존경받는 인물 18인에 포함시켰다. 헬렌 켈러의 생애에 대해서는 많은 책이, 영화가, 다큐멘터리가 만들어졌다. 헬렌 켈러는 세상에서 가장 아름다운 것은 보거나 만질 수 없으며 오로지 마음으로 느낄 수 있다고 한 적이 있다. 그의 삶에서 무엇이 아름다운가. 그는 불운 앞에 절망하거나 굴복하지 않았다. 주어진 행운에 감사하며 기꺼이 그 도움을 받아 불운과 싸웠다. 그리고 세상의 부조리와 불운에 고통받으며 신음하는 사람들에게 자기가 줄 수 있는 것을 나누어 주려고 노력했다. 이것이 그의 삶에서 내가 느끼는 아름다움이다.

오로지 엄청난 행운만 누리는 것처럼 보이는 사람도 불운의 방문을 받는다. 스페인 FC바르셀로나 소속 아르헨티나 국가대표 공격수인 리오넬 메시Lionel Messi도 그런 인물이다. 1987년 아르헨티나 산타페 주 로사리오에서 태어난 메시는 다섯 살에 이미 주변 사람들을 놀라게 한 '모태母胎 축구 천재'였다. 이 아이가 뛰어난 축구 스타가 될 것임을 의심하는 사람은 없었다. 그런데 열한 살이 되었을 때 메시는 성장 호르몬 분비에 장애가 있다는 진단을 받았다. 이것이 축구 재능에 어떤 악영향을 줄지는 확실하지 않았다. 그러나 키가 제대로 자라지 않는다면 축구 선수에게 좋을 것이 없다는 건 분명했다. 문제는 치료비였다. 그의 부모에게는 매달 900달러 넘게 드는 치료비를 감당할 능력이 없었다. 그가 태어났을 당시 아버지는 공장 노동자였고 어머니는 비정규 청소 노동자였다. 공을 차는 재능 말고는 메시의 출생에서 행운이라고 할 만한 요소를 찾아보기 어려웠다.

그런데 대서양 건너에서 도움의 손길이 찾아들었다. 스페인 프로구단 FC바르셀로나의 유소년 선수 선발 담당자가 이 소년이 뛰는 모습을 보았다. 구단은 메시 가족을 통째로 유럽으로 데려왔다. 꾸준히 치료를 받은 덕분에 키 169센티미터, 몸무게 67킬로그램으로 성장했지만 메시는 여전히 작고 가볍다. 하지만 그는 축구로 세계 최고가 되었다. 열여섯 살에 친선 경기에서 비공식 데뷔전을 했다. 곧이어 스페인 프리메라리가 경기에 공식 데뷔했으며, 1년 뒤에 데뷔 골을 넣었고 얼마 지나지 않아 주전 선수 자리를 확보했다. 메시의 성장과 더불어 FC바르셀로나는 세계 최강 프로축구팀이 되었다.

FC바르셀로나와 아르헨티나 국가대표팀에서 메시가 보인 활약상에 대해서는 여기서 말할 필요가 없을 것이다. 메시는 가볍고 민첩하다. 보통의 프로축구 선수들이 한 번 공을 터치하는 시간에 두 번 세 번 터치한다. 작은 틈새도 놓치지 않고 파고들어 누구도 예측하지 못한 패스로 간단히 수비를 무너뜨린다. 골을 많이 넣으면서 동료들에게 그만큼 많은 골을 어시스트한다. 이런 능력은 어디에서 온 것일까?

물론 즐기고 노력한 결실이다. 그러나 메시보다 축구를 더 좋아하고 더 긴 시간 더 힘들게 훈련한 선수가 수없이 많다. 그들 가운데 누구도 메시처럼 하지 못한다. 그의 뇌와 중추신경, 뼈와 근육은 축구를 하기에 최적의 상태로 조율되어 있다. 타고난 재능 없이는 불가능한 일이다. 그런 재능의 축복이 하필이면 왜 평범한 아르헨티나 공장 노동자의 아들에게 내렸는지는 설명할 길이 없다. 그건 그냥 그에게 주어진 행운이었다. 메시는 즐거운 마음으로 열심히 뛰어서 그 행운을 움켜쥐었을 뿐이다.

헬렌 켈러나 메시와는 달리 태어나자마자 부모에게 버림받은 불운의 주인공도 많다. 2012년 프랑스 대통령 선거에서 사회당 후보 프랑수아 올랑드가 당선되었다. 올랑드 대통령은 첫 내각을 구성하면서 플뢰르 펠르랭Fleur Pellerin이라는 젊은 여성을 중소기업·혁신·디지털경제 담당 장관으로 임명했다. 프랑스 장관 펠르랭은 한국에서 태어났다. 원래 이름은 김종숙이라고 한다. 1973년 갓난아기였을 때 서울 길거리에서 발견되어 입양시설로 갔다. 김종숙이라는 이름을 누가 언제 지어주었는지는 확인되지 않았다. 부모에게 버림받은 그 아기가 40년이 지난 후 프랑스의 장관이 되리라고는 그 누구도 상상할 수 없었을 것이다.

발견된 지 여섯 달이 지나 김종숙은 프랑스로 입양되었다. 낳아준 부모가 어떤 사람인지, 그 핏덩이를 버린 데 어떤 가슴 아픈 사연이 있었는지는 알 수 없다. 김종숙은 프랑스에서 '플뢰르'가 되었다. 우리말로는 '꽃'이다. 언론 보도에 따르면 플뢰르의 아버지는 국가연구기관에서 일한 핵물리학 박사였다. 펠르랭 박사 부부는 아들을 둘 낳았으나 둘 모두 유전 질환으로 사망했다고 한다. 그들은 유라시아 대륙 동쪽 끝에서 딸을 새로 얻었다. 퍼스트 네임first name을 기독교 성인의 이름을 따서 짓는 유럽의 문화 전통에 비추어보면 '꽃'이라는 이름은 다소 이례적이다. 아마도 딸을 끔찍이 예뻐한 나머지 그렇게 이름을 짓지 않았을까 싶다.

부모가 친권을 포기한 아이들을 외국으로 보내는 해외 입양은 큰 논쟁거리이다. '고아 수출'이라는 도덕적 비판을 받는다. 요즘에는 먼저 국내 입양을 주선하고 그 다음에 충분한 숙려 기간을 거쳐 해외 입양을 보내게 한다. 플뢰르에게 입양은 엄청난 행운이었다. 만약 40년 전 한국정부가 해외 입양을 막는 정책을 썼다면 그는 국내 어느 시설에서 자라다가 열여덟 살이 되어 소액의 정착지원금을 들고 사회로 나가야만 했을 것이다. 약간의 행운이라도 만났다면 모든 어려움을 이겨내고 유능하고 훌륭한 시민이 되었으리라고 생각한다. 그러나 대한민국의 정치 사회 현실을 고려하면 그토록 젊은 나이에 장관이 되기는 어려웠을 것이다.

플뢰르 펠르랭은 낳아준 부모에 대해서도 한국에 대해서도 큰 관심이 없다고 했다. 한국을 방문해도 낳아준 부모를 찾을 의사가 없다고 밝혔다. 그는 프랑스 사람이다. 조국 프랑스를 사랑하며 자기의 삶에 긍지를 지니고 있다. 플뢰르는 명석한 소녀였다. 두 해를 월반해 불과 열여섯 살에 바칼로레아를 치르고 대학에 진학했다. 그냥 대학이 아니다. 프랑스 최고의 대학인 그랑제꼴 고등경영대학원ESSEC이다. 그 다음에는 고위공무원 양성소로 알려진 국립행정학교ENA를 졸업했다. 2002년 대통령 선거 때는 사회당 리오넬 조스팽 후보의 연설문 작성 팀에서 일했으며, 프랑스 최고의 엘리트 코스 중에 하나인 파리정치대학까지 마쳤다.

프랑스 사람들의 교육열은 우리나라에 뒤지지 않는다. 홍세화 선생의 『나는 파리의 택시운전사』를 보면, 누구보다 겸손한 그가 평소와는 다르게, 학교 최고의 수재로 인정받는 딸을 둔 아버지가 학부모 행사에서 어떤 대접을 받는지를 실감나게 자랑하는 대목이 나온다. 그랑제꼴이나 국립행정학교는 열심히 공부한다고 해서 누구나 갈 수 있는 대학이 아니다. 이런 곳에 플뢰르는 남들보다 2년 일찍 들어갔으니, 키워준 부모에게 그가 얼마나 큰 기쁨이며 자랑이었을지 상상할 수 있지 않겠는가. 좋은 양부모를 만난 것은 친부모에게 버림받은 불운만큼이나 큰 행운이었다.

한 번 큰 행운을 만났다고 해서 삶이 안전하고 행복해지는 것은 아니다. 그 행운이 끔찍한 불행을 불러들이는 경우도 흔히 있다. 삼성전자 이재용 사장은 재벌 총수 아들로 태어난 덕분에 서른여섯 살에 삼성전자 상무가 되었다. 대한민국에서 가장 큰 기업 집단을 그들에게는 푼돈에 불과한 상속세만 내고 물려받은 데 이어, 겨우 마흔세 살 나이에 세계 최고 기업 가운데 하나로 손꼽는 삼성전자 사장에 취임했다. 초고속 출세의 비결은 검증된 경영 능력이 아니라 그와 삼성그룹 이건희 회장 사이의 유전적 근친성이다. 두 사람의 유전자는 50퍼센트 일치한다. 그러나 똑같은 아버지를 만나도 전혀 다른 운명에 빠질 수 있다.

남의 가슴 아픈 가족사를 거론하는 것이 마음에 걸리지만 삼성그룹 이건희 회장은 대통령, 국무총리, 장관 못지않게 큰 힘을 가진 '경제권력' 또는 '공인'인 만큼 크게 경우 없는 일은 아닐 것으로 생각한다. 이건희 회장의 따님 가운데 하나가 뉴욕의 아파트에서 스스로 목숨을 끊었다. 처음에는 교통사고라고 했지만 언론인들의 취재 결과 자살로 밝혀졌다. 자살의 주된 동기는 연인과의 결혼에 대한 아버지의 완강한 반대였던 것으로 알려졌다.[73] 부모가 결혼을 흔쾌히 허락할 만한 남자를 만났더라면 지금 행복한 삶을 누리고 있을지도 모를 사람이 하필이면 왜 부모가 절대 허락하지 않을 남자와 사랑에 빠진 것일까? 합리적으로 설명할 방법이 없으니 불운이라고 할 수밖에 없다. 자살에 이르기까지 그가 겪었을 고통을 생각하면 다른 모든 안타까운 죽음을 대할 때와 마찬가지로 마음이 아프다.

유명한 사람들의 이야기는 널리 알려져 있기에 특별해 보인다. 하지만 주변을 살펴보면 이런 일들은 사방에 널려 있다. 세상도 인생도 행운과 불운, 불합리와 부조리로 넘쳐난다. 1980년대 중반 한 시기 동고동락했던 원풍모방 노동조합 이옥순 위원장은 폐암으로 세상을 떠났다. 그는 담배를 피운 적이 없었다. 정리해고를 당한 쌍용자동차 노동자와 가족들 가운데 스물세 명이 절망에 빠져 목숨을 끊거나 질병으로 생명을 잃었다. 그들 가운데 회사의 경영 악화에 대해 책임을 져야 할 사람은 아무도 없었다. 고속도로에서 만취 운전자가 모는 자동차에 추돌당해 사망한 항공사 직원 일가족의 가슴 아픈 사연이 언론에 보도되었다. 그 가족이 그런 참극을 당해야 할 마땅한 이유는 어디에도 없었다. 부모의 따뜻한 성원을 받으며 스스로 열심히 공부하는데도 시험에서 좋은 성적을 받지 못하는 학생에게 우리는 어떤 납득할 만한 설명도 해줄 수 없다. 금이야 옥이야 여러 자식을 사랑으로 키웠지만 누구도 늙어버린 부모를 봉양하지 않을 때 그 책임이 온전히 그 부모에게만 있는 것은 아니다.

삶에는 인과관계를 찾아 합리적으로 설명할 수 없는 일들이 너무나 많다. 이것을 어떻게 해야 할까? 어떻게 할 방법이 없다. 그냥 일어나는 일이고, 일단 일어나고 나면 되돌릴 방법이 없기 때문이다. 이 대목에서만큼은 어떤 초월적 존재 또는 신에게 의지하는 사람들의 심정을 나도 어느 정도 이해한다. 모든 일에 감사하라는, 교만에 빠지지 말라는, 어두운 골짜기에 떨어져도 희망을 잃지 말고 기도하라는 가르침에 공감한다. 그래서 종교의 이름이 무엇이고 어떤 신을 숭배하든, 나는 신앙을 가진 사람들과 그 신앙을 존중한다. 그러나 내 자신은 종교가 없다. 종교가 없는 사람으로서 나는 세상의 부조리와 설명할 길 없는 불운을 일어나는 그대로 받아들인다. 행운에 대해서는 감사하되 불운에 대해서는 그 무엇도 그 누구도 원망하지 않는다. 이것이 좋은 방법이라서가 아니라 다른 방법이 없기 때문이다. 내 선택으로 바꿀 수 없는 것은 주어진 환경으로 받아들이는 게 최선이다.

---

73 『노컷뉴스』, 2005년 11월 26일자.

출생이라는 제비뽑기

삶의 가장 큰 부조리는 출생의 행운과 불운이 아닐까 싶다. 출생은 제비뽑기와 같다. 태어날 때 주어진 환경과 조건 중에는 아무리 노력해도 극복하기 어려운 것이 있다. 불구대천의 원수였던 미국 대통령 조지 부시George W. Bush와 알 카에다 지도자 오사마 빈 라덴Osama bin Laden을 보라. 부시는 아버지도 미국 대통령이었다. 아버지 부시는 대통령이 되기 전에 석유 기업을 경영하여 억만장자가 되었다. 빈 라덴의 아버지도 사우디아라비아 석유 재벌이었다. 또한 둘 모두 머리가 좋고 의지가 강한 남자였다. 일탈하고 방황하던 시절도 있었지만 결국은 확고한 종교적 신앙으로 무장하고 치열한 삶을 살았다. 두 사람은 모든 면에서 비슷했지만, 국적과 종교 두 가지가 달랐다.

이것은 선택한 것이 아니라 주어진 것이었다. 부시는 미합중국에서 태어나 기독교 근본주의자가 되었고, 빈 라덴은 사우디아라비아에서 태어나 이슬람 근본주의자가 되었다. 부시는 자신이 옳다고 믿는 것을 위해 아프가니스탄과 이라크를 침공했다. 여자와 어린이, 노인을 포함하여 헤아릴 수 없이 많은 아랍인을 죽였다. 빈 라덴도 자기가 옳다고 믿는 것을 위해 뉴욕 세계무역센터 빌딩을 잿더미로 만들었다. 다양한 종교와 서로 다른 국적을 가진 수많은 사람이 영문도 모른 채 죽었다. 두 사람의 악연은 어디에서 왔을까. 그것은 출생이었다. 빈 라덴이 미국에서 태어나 기독교 성경을 암기하면서 자랐다면 조지 부시와 같은 인물이 되었을지 모른다. 조지 부시가 아랍에서 태어났다면 빈 라덴과 비슷한 사람이 되었을지 모른다. 인간은 선을 추구한다. 그러나 우리가 절대 선이라고 믿는 것들이 언제나 진리인 것은 아니다.

나는 대한민국에서 태어났다. 한반도를 가로지른 휴전선 북쪽이 아니라 남쪽에서 태어난 것은 행운이었다고 생각한다. 70억 지구인 중에서 대한민국 정도 되는 나라에 태어난 사람이 그리 많지는 않다. 게다가 자식들을 사랑하고 아끼고 존중하는 부모를 만났다. 아무 노력도 하지 않고 그저 태어남으로써 얻은 행운이다. 만약 내 인생에서 성공이라고 할 만한 어떤 것이 하나라도 있다면, 그 '팔할八割은 행운'이었다고 생각한다. 삶이 순조롭지 않을 때, 아무리 애를 써도 원하는 것을 성취하지 못할 때, 사람들은 그래서 흔히 부모를 원망한다.

출생의 행운과 불운은 삶에 결정적인 영향을 준다. 불편하지만 부정할 수 없는 진실이다. 그러나 태어날 때 받은 어떤 행운도 행복한 생활, 훌륭한 삶, 성공하는 인생을 완벽하게 보장하지는 않는다. 출생의 불운도 훌륭한 삶의 가능성을 완전 봉쇄하지는 못한다. 출생의 행운과 불운은 이미 벌어진 일이다. 바꿀 수 없다. 행운은 감사한 마음으로 받아들이면서 다른 사람들과 나누어야 한다. 불운은 온전히 혼자 감당하면서 극복해나가야 한다. 누군가 곁에서 거들어준다면 감사할 일이다. 다른 방법은 없다.

내가 받은 '출생의 행운'을 생각하면서 내 아버지의 삶을 생각해 본다. 그것은 어쩌면 내 아버지가 겪어야 했던 '출생의 불운'에서 비롯된 것이었는지도 모른다. 아버지는 1녀 4남 중 넷째, 아들 중에는 셋째였다. 그런데 겨우 세 살 때 동생을 얻으면서 어머니를 잃었다. 당시는 3·1운동이 일제의 탄압에 좌절당한 직후로, 이미 혼기가 찼던 고모님이 혼인을 미루고 어린 두 동생을 키웠다. 그 바람에 스무 살이 넘어 시집을 갔고, 친정에 두고 온 불쌍한 동생들이 마음에 걸려 눈물로 밤을 지새운 적이 많았다고 한다. 아버지는 유년기에 심각한 영양실조와 전염병을 앓았다. 병은 나았지만 한쪽 눈이 완전히 실명되는 후유증을 남겼다. 평생을 따라다녔던 위장병도 그때 시작되었다. 아버지는 그나마 별로 좋지 않았던 나머지 한쪽 눈의 시력에 의지해 평생을 사셨다.

아버지는 열세 살에 소학교를 졸업했지만 집안 살림이 어려웠던 탓에 중학교를 가지 못했다. 집안의 농사일을 도우면서 틈틈이 혼자 공부한 끝에 십대 후반 청소년기에 혼자 일본 도쿄에 가서 낮에는 병원 약국 허드렛일을 하고 밤에는 상업학교를 다녔다. 아버지는 병원 아르바이트를 한 덕에 징용을 면제받았지만 두 살 아래 작은아버지는 징용에 끌려갔다. 태평양전쟁이 터질 무렵 아버지가 스무 살이 되자 어른들이 경주 어느 부잣집 딸과 혼인을 시키려고 날을 잡았다. 그런데 신랑감이 아무 말없이 집을 나가버렸다. 한참이 지난 후 고모님 앞으로 전신환이 든 편지 한 통이 배달되었다. 일본 제국주의 괴뢰 국가였던 만주국 퉁화현에서 온 것이었다.

내가 대학생이 되고 나서 들은 이야기에 따르면, 아버지는 그것을 일종의 매매혼賣買婚이라고 생각했다고 한다. 성한 눈이 하나뿐이고 돈도 한 푼 없는 가난뱅이 총각을 '양반가의 후예'라고 해서 얼굴 한 번 본 적 없는 처녀와 혼인하게 하는 것을 달리 해석할 수 없었다는 이야기다. 그래서 사업을 한다면서 만주에 가 있던 둘째 형님한테로 도망을 친 것이다. 만주를 침략한 제국주의 일본은 만주국 초등학교 체제를 이원화해, 주로 일본 아이들이 다니는 소학교와 중국인이나 조선인 아이들이 다니는 4년제 국민우급학교를 만들었다. 아버지는 퉁화현의 어느 국민우급학교에 취직했고, 첫 월급을 일전 하나 손대지 않고 그대로 전신환으로 바꾸어 어머니나 다름없는 누님에게 보낸 것이었다.

아버지의 고향은 월성군 내남면이었다. 지금은 경주시에 편입되어 있다. 큰아버지는 2년 남짓 경주 내남면과 산내면 면장을 하셨는데 쌀과 놋그릇 등 전쟁 물자 공출이 극도로 강화되는 것을 견디기 어려워 면장을 그만두었다. 일본이 전쟁에서 질 것이라고 판단하고 만주에 가 있는 두 동생들에게 편지를 보내 귀국을 독촉했다. 그런데도 말을 듣지 않자 직접 만주에 가서 동생들을 데리고 오셨다. 그로부터 한 달 후에 일본은 무조건 항복을 선언했고 조선 민중은 광복을 맞았다. 그런데 막내 숙부는 해가 바뀌도록 돌아오지 않았다. 징용에 끌려가 죽은 사람이 너무나 많았던 때라 제사를 지낼 준비를 하는데 작은아버지는 마치 기적처럼 살아 돌아오셨다. 작은아버지는 필리핀에서 노역하던 중 동료들과 함께 뗏목을 타고 탈출해 망망대해를 표류하다가 굶어 죽기 직전에 미군 함정에 구조되었다. 일본인 군속이 아니라 징용에 강제로 끌려온 조선인 노무자라는 사실을 인정받는 데 시간이 걸려 귀국이 늦어졌던 것이다.

아버지는 1945년 말, 미 군정청이 실시한 교원자격시험에 응시해 동양사와 세계사 중등교사 자격을 취득했다. 나는 아버지가 일제 강점기에 교사 자격증을 취득하신 줄 알았다. 그런데 돌아가시고 나서 교육청 인사 기록을 확인해보니 학력은 소학교와 도쿄의 야간상업학교가 전부였다. 만주국 통화현 국민우급학교 재직 경력이 있지만 교사 자격은 1946년 미 군정청의 교원자격시험에 합격한 후 교원양성소를 수료해 취득한 것이었다. 1982년 6월 아버지는 군에 있던 내게 편지를 부치러 가다가 횡단보도 교통사고로 돌아가셨다. 운전자는 스물한 살 먹은 초보였던 것으로 기억한다. 그 편지는 내게 배달되지도, 사고 현장에서 발견되지도 않았다.

아버지는 세상을 떠나기 직전까지 약 36년 동안 경주와 대구 일대의 여러 학교에서 한국사와 세계사를 가르치셨다. 미 군정청 시절 큰아버지는 대학교원 자격을 얻었고, 작은아버지는 초등교사 자격을 취득하셨다. 작은아버지는 평생 초등교사를 하셨지만 큰아버지는 대학

교수로 나가지 않으셨다. 일제 강점기 면장을 지낸 사람으로서 공직에 나가지 않는 것이 옳다고 판단해서 그랬다는 말을 집안 어른들에게 듣기는 했지만 실제로 그랬는지는 확인할 수가 없다. 조선 후기 당쟁사에 조예가 깊었던 큰아버지는 사랑방에서 경북대나 영남대 같은 지역 대학교수들에게 한문을 가르치셨다. 아흔이 넘어 돌아가시자 대구 지방 유력지인『매일신문』이 큰아버지의 일대기를 연재했다.

평소 교류가 있었던 큰아버지와 외할아버지가 동생과 딸을 혼인시켰다. 아버지는 이미 서른 살이 된 노총각 신랑이었고 어머니는 열 살 젊은 신부였다. 가족이 생긴 이후 아버지의 삶은 세 가지로 채워졌다. 학교, 책, 그리고 아이들. 취미 생활도 따로 없었고 자주 어울리는 친구도 거의 없었다. 신혼 때는 출근하면서 어린 아내에게 하루 넉 자씩 한자 숙제를 내고, 퇴근 후에는 반드시 숙제 검사를 하셨다고 한다. 그 덕분에 소학교밖에 나오지 않았지만 어머니는 한자를 혼용한 신문을 읽는 데 평생 어려움이 없었다.

여가 시간이 있으면 꽃밭을 가꾸었고 마당 한 귀퉁이에서 닭을 길러 아이들에게 달걀을 먹였다. 꽁치, 고등어, 파래, 김, 달걀, 대파 같은 것들이 머리를 좋게 한다면서 퇴근하실 때 손수 시장을 봐오셨다. 아버지는 겨울에도 새벽 4시면 어김없이 일어나 가족들을 위해 물을 데우고 호롱불 아래서 책을 읽으셨다. 물자가 부족한 시절이었지만 어디선가 구충제와 간유구肝油球, 어린이 영양제를 구해다 6남매 모두에게 나누어 먹이셨다. 보이지 않는 한쪽 눈과 만성 위장병 때문에 겪은 고통이 너무 컸기 때문이었을 것이다. 두 살 터울의 여섯 남매를 공부

시키기 위해 어머니는 내가 대구에서 초등학교를 다니던 때 동네 가게를 열었다. 매일 19번 시내버스를 타고 대구 칠성시장에 가서 채소와 생선을 사다 팔았다. 그렇게 해서 6남매 모두를 대학에 보내주셨다. 넷은 사립대학, 둘은 국립대학을 다녔다. 아무리 생각해도 나는 아버지가 겪은 출생의 불운을 대가로 출생의 행운을 받았던 것 같다.

그렇다면 아버지의 불운은 도대체 어디에서 왔을까? 세상은 아이러니로 가득하다. 그것은 할아버지가 누렸던 '출생의 행운'에서 비롯된 것으로 보인다. 할아버지는 대한제국 시절 경주 부윤府尹 노영경의 맏딸이 낳은 첫 아이였다. 증조할아버지가 안동에서 '스카우트'된 경주 부윤의 맏사위였던 것이다. 경주 부윤의 맏손자로 동헌 뜨락에서 걸음마를 배우고 주변 사람의 섬김을 받으며 자란 할아버지는 일제 강점기를 거쳐 광복과 6·25전쟁까지 격동의 현대사가 몰고 온 사회경제적 변화에 융통성 있게 적응하지 못했던 듯하다. 귀하게 자란 사람이 흔히 그러하듯 경제 관념이나 생활 능력이 약했다. 그런데도 자존심이 강해 남에게 숙이지 못하고 양반 후예로서 나름의 권위를 지키려고 했다. 게다가 술을 아주 좋아하시고 주량도 센 분이었다고 한다. 어머니의 표현을 빌리면, "술 자시면 아무한테나 '호놈호년' 하셔서 말썽도 많았지만 알고 보면 마음 따뜻하고 인정 많은 어른"이셨다. 어쨌든 할아버지는 네 아들 가운데 아래 둘을 소학교밖에 보내지 못했다.

어떤 부모를 만나느냐에 따라 인생은 크게 달라진다. 잘될 때도 잘못될 때도, 어느 정도 '부모 탓 조상 탓'을 할 근거는 있다. 우리는 조상에게서 또는 부모에게서 여러 가지를 물려받아 그것을 발판으로 삼아 살기 때문이다. 나는 아버지에게 물질을 물려받은 것이 없었다. 어머니도 자식에게 물려줄 것이 없다. 하지만 나는 엄청나게 큰 가치가 있는 것을 이미 물려받았고 그 덕분에 오늘까지 이만큼 살 수 있었다. 그것은 무엇인가를 새로 알게 될 때 즐거움을 느낄 수 있는 능력이다. 부모님은 생물학적 유전자뿐만 아니라 '문화유전자meme'도 물려주셨다. 아버지는 아이들을 억압하지 않았다. 어떤 전공이나 직업을 강요하지도 않았다. 딸과 아들을 차별하지 않았다. 집에서 신문과 어린이 잡지를 정기 구독했고 학교 도서관에서 끊임없이 책을 가져다주었다. 늘 돈이 부족했지만 자식들 보는 데서 돈 타령이나 돈 걱정을 하지 않았다. 아무 하는 일 없이 시간을 보내는 적이 없었다. 누구에 대해서도 아이들 듣는 데서 비난이나 욕설을 한 적이 없었다. 나는 전공이 경제학인데, 엉뚱하게도 세계사 책을 써서 번 돈으로 독일 유학을 다녀왔다. 아버지가 역사 교사가 아니었고, 어린 시절 『사기열전』이나 『삼국유사』에 등장하는 흥미로운 이야기들을 밥상머리에서 듣지 않았다면, 내가 역사에 그렇게 큰 관심을 갖지는 않았을 것이다.

내 인생에 성공이라고 할 만한 것이 있다면 '8할이 행운'이라고 했다. 그런데 내 인생은 정말 성공한 것일까? 그렇게 말할 수는 없을 것 같다. 책을 쓰고, 방송 토론 진행자로 유명해지고, 국회의원과 장관을 한 것을 가지고 성공한 인생이라고 할 수는 없다. 내 인생의 성공과 실패는 아직 알 수 없다고 생각한다. 그것은 앞으로 어떻게 사느냐, 그리고 내가 한 모든 일에 대해 죽음에 임박해서 스스로 어떻게 평가하느냐에 달려 있다.

아버지의 인생은 성공한 것이었을까? 훌륭한 삶이었을까? 불행하게도 아버지는 교통사고를 당한 그 순간 곧바로 의식을 잃었고 한순간도 다시 자신의 세계로 돌아오지 못한 채 떠나셨다. 자신의 인생을 정리하고 자평할 기회를 얻지 못한 채 삶을 마감한 것이다. 하지만 나는 아버지가 훌륭한 삶, 품격 있는 인생을 살았다고 생각한다. 아버지는 자신의 세계에서 매 순간 충실한 삶을 사셨다. 아버지의 일은 학교, 사랑은 가족, 그리고 놀이는 책과 꽃이었다. 삶의 위대한 세 영역 모두에서 아버지는 최선을 다했다고 생각한다.

젊은이들은 대체로 가족사에 관심이 없다. 나도 그랬다. 족보를 찾아보고 조상들의 이야기를 듣는 일은 언제나 따분하게 느껴졌다. 할머니 할아버지는 말할 것도 없고, 아버지 어머니가 어떤 환경에서 태어나 어떤 행운과 불운을 겪으면서 살았는지, 내가 경험하지 못했거나 경험했지만 제대로 기억하지 못하는 중요한 사건들에 대해 알아보려고 노력하지 않았다. 이제야 비로소 관심을 가지게 되었다. 막연히 내 인생, 내 소신대로 산다고 생각했는데, 하나씩 짚어보니 의외로 나의 성격, 가치관, 생활 방식, 취향이 생물학적 문화적으로 가족사의 영향을 강하게 받았다는 사실을 깨달았기 때문이다.

명색이 글쟁이이면서 아버지의 삶을, 어머니의 삶을 한 번도 제대로 듣고 기록한 적이 없었다. 이 글을 쓰다 보니 사진조차 한 번 제대로 본 적이 없는 할머니에 대해서 알고 싶은 욕구가 차오른다. 나 자신을 제대로 알려면 할머니의 삶을 알아야 한다는 생각이 든다. 나는 평지에 솟아오른 돌멩이가 아니다. 숱한 고비를 넘기며 이어져온 가족사의 굴곡 어디엔가 놓인 존재이다. 그 굴곡을 알아야 내가 진짜 누구이며, 어떻게 사는 것이 행복한 것인지 더 잘 알 수 있다. 가족사를 탐색해보라. 당신의 내면이 훨씬 더 풍요로워질 것이다.

나는 영생永生이 싫다

인간은 이성과 더불어 욕망을 가진 충동적 존재이다. 욕망에 휩쓸리고 충동에 빠지면 때로 이성이 무력해진다. 여기에 무지가 겹치면 터무니없는 망상에 빠져 자기 손으로 삶을 파괴할 수 있다. 가장 대표적인 것이 영생불사에 대한 욕망이다. 인간은 모든 면에서 유한한 존재이다. 이 사실을 담담하게 받아들여야 한다. 사랑, 기쁨, 행복, 열정, 환희 등 삶에서 귀중한 모든 것은 '지금 여기'에, 오로지 '지금 여기'에만 있다. 그 너머에는 아무것도 없다. '지금 여기'를 넘어서려는 집착과 망상은 삶의 기쁨을 갉아먹는다. 열정을 엉뚱한 곳으로 인도한다.

"헛되고 헛되며 헛되고 헛되니 모든 것이 헛되도다!"[74] 지혜의 화신으로 알려진 이스라엘 왕 솔로몬은 이렇게 말했다. 그렇다. 그 아무리 새로운 것도 시간이 흐르면 색이 바라기 마련이며, 그 아무리 빛나는 영광도 언젠가는 망각의 심연으로 가라앉고 만다는 것을 솔로몬 왕은 잘 알고 있었다. "무엇을 가리켜 이르기를, 보라 이것이 새것이라 할 것이 있으랴. 우리 오래전 세대에도 이미 있었느니라. 이전 세대를 기억함이 없으니 장래 세대도 그 후 세대가 기억함이 없으리라."[75]

삶에는 끝이 있다. 지금 존재하는 것은 머지않아 모두 스러지고 망각된다. 인생은 헛되다. 아무렇게나 살면 되지, 어떻게 살든 무슨 상관이 있으랴. 그렇게 생각할 수 있다. 하지만 기쁜 삶, 의미 있는 인생을 살고 싶다면 무엇보다 먼저 삶의 유한성과 관련한 허무 의식을 이겨내야 한다. 두 갈래 길이 있다. 하나는 유한성과 싸우는 길이다. 불로장생不老長生 또는 영생永生의 꿈을 이루기 위한 싸움에서 인간은 일정한 성과를 거두었다. 그러나 참혹한 자기모멸과 억압, 자신과 타인에 대한 학대와 살상이라는 끔찍한 대가를 치러야 했다. 다른 하나는 삶의 유한성을 받아들이고 그 안에서 의미와 기쁨을 찾는 길이다. 문명의 역사는 이것이 더 좋은 선택임을 증명했다. 그러나 지금도 많은 사람들이 삶의 유한성과 투쟁하느라 마땅히 누려야 할 삶의 환희를 외면한다. 패배하면 삶이 허무하다고 한탄한다.

인류 역사를 통틀어 삶의 유한성에 가장 격렬하게 맞섰던 인물은 중국 진秦나라 시황제始皇帝가 아닐까 싶다. 시황제는 중국 대륙을 통일하고 강력한 중앙집권국가를 세워 춘추전국 시대 5백여 년의 대혼란을 마감한 인물이다. 그는 법가法家 사상을 토대로 삼아 강력하고 효율

---

74 「전도서」, 1장 2절, 『구약』.

75 「전도서」, 1장 10~11절, 『구약』.

적인 관료 체제와 군사 조직을 구축했다. 기원전 221년 최후의 라이벌 제齊나라를 제압한 후 최초의 황제로 등극한 그는 목숨을 걸고 싸워 이룩한 제국이 만세萬歲를 지속하도록 하기 위해 지방 봉건세력의 권력을 박탈해 중앙으로 집중했다. 부자들을 모두 수도 셴양咸陽으로 강제 이주시키고 국토를 36개 군현郡縣으로 나누어 황제가 임명한 지방관을 내려 보냈다. 법률을 통일하고 문자와 도량형에 단일한 국가 표준을 도입했다. 도로와 운하 연결망을 구축해 물류를 혁신했다. 외적의 침입을 봉쇄하기 위해 북방에 수많은 요새를 세웠고 이를 연결해 만리장성을 구축했다.

그래도 안심하지 못한 시황제는 수시로 전국을 순행하면서 지방 조직을 점검했고 가는 곳마다 황제를 찬양하는 기념비를 세우게 했다. 춘추전국 시대 직전에 존재했던 주周나라를 이상향으로 간주한 유학자들이 봉건제로 회귀할 것을 주장하자 진나라의 역사와 의술, 농경에 관한 것만 남겨두고 황실 도서관의 다른 책을 모조리 불살라버렸다. 이것이 그 유명한 분서焚書사건이다. 권력 독점과 행정의 통일성 강화, 국가 안보를 명분으로 한 대규모 군비 지출, 경제의 효율성을 높이기 위한 표준 제정과 물류 네트워크 건설, 개인숭배와 현장 지도, 사상과 언론에 대한 강력한 통제, 시황제는 유능하고 무자비한 독재자의 통치술이 어떠해야 하는지를 남김없이 보여주었다.

그런데 황제의 권력으로도 해결하지 못한 문제가 하나 남았다. 그것은 바로 삶의 유한성이었다. 목숨을 걸고 싸워 만든 거대한 제국이 만세를 이어나간다 할지라도 자기 자신이 그 권력을 영원히 누릴 수는 없다는 게 문제였다. 시황제는 씩씩한 사람이었다. 운명에 그냥 굴복하지 않았다. 황제가 불로장생의 비방秘方을 구한다는 소식이 퍼지자 천하의 날고 기는 사기꾼들이 몰려들었다. 시황제는 불로장생의 약을 구해 오라고 사방으로 사람들을 보냈지만 소용이 없었다. 좋다는 약을 이것저것 먹어보고 효험이 있다 싶으면 상을 주었고 마음에 들지 않으면 죽이기도 했다. 그러자 약을 구할 방법이 없어서 도망치는 사람도 생겼다. 일설에는 사기꾼들이 명약이라고 권한 것 중에는 수은 같은 중금속이 함유된 것도 있었다고 한다. 해로운 것이 어디 수은뿐이었겠는가. 조정 주변의 유학자들이 이런 황당한 짓을 두고 뒷담화를 하자 시황제는 그들을 산 채로 땅에 묻어버렸다. 이것이 무려 460여 명을 생매장한 갱유坑儒사건이다. 시황제는 지방을 순시하던 중 병으로 죽었다. 당시 나이는 겨우 51세였다. '약화사고藥禍事故'를 당했을 가능성이 높다.

시황제는 인류 역사상 최대 사기를 당했다. 산동 출신 서복徐福이라는 사람이 바다 건너 신선이 사는 전설의 산에 가서 불로초不老草를 가져오겠다고 황제를 꼬드겼다. 서복이 마음먹고 사기를 쳤을 수도 있다. 그게 아니면 약을 구해 오라는 명령을 받고 구하지 못해 죽임을 당할지 모르는 위기 상황에서 나라 밖으로 망명할 자금을 마련하기 위해 부득이 벌인 사기극일 수도 있다. 어쨌든 서복이 한 짓은 사기라고 말할 수밖에 없다. 그의 고향인 산동에서 바다를 건너면 전설의 산이 아니라 한반도가 있고, 거기서 더 가면 일본이다. 황제는 서복에게 큰 기대를 걸고 아낌없는 지원을 했다.

서복은 무려 60척이나 되는 배에 엄청난 양의 귀금속과 사람 5천 명을 태우고 떠났다. 신선들에게 잘 보이기 위해 선발한 미소년 미소녀 3천 명에다, 이 거대한 선단이 생존하는 데 필요한 장인과 전문가들이 동승한 것이다. 이렇게 떠난 서복을 시황제는 다시는 보지 못했다. 그가 황제에게 말한, 바다 건너 신선이 사는 세 산 가운데 봉래산蓬萊山과 영주산瀛洲山이 있었다. 봉래산은 금강산, 영주산은 한라산의 다른 이름이다.[76] 서복은 선단을 끌고 제주도 서귀포 근처를 들렀다가 일본으로 간 것으로 추정된다. 이것은 대륙의 황제가 아니면 당하고 싶어도 당할 수도 없을 정도의 대형 사기사건이었다.

시황제가 특별히 어리석은 사람이었던 것은 아니다. 대륙을 통일하고 제국을 세운 인물인데 그럴 리야 없지 않겠는가. 옛날 사람이라 그런 것도 아니다. 인간은 지난 10만 년 동안 생물학적으로 진화하지 않았다.[77] 이성과 감정 모든 면에서 그는 생물학적으로 현대인과 동일한 사람이었다. 그가 우리와 달랐던 것은 생명현상 일반에 대한 지식이 빈약했다는 것뿐이다. 그렇지만 생물학 지식이 풍부한 현대인들도 불로장생의 꿈에 젖으면 규모가 작을 뿐 본질은 똑같은 건강영양식품 사기사건에 걸려들거나 엉터리 만병통치약을 먹고 병에 걸린다. 신선보다 더 있음직하지 않은 어떤 초월적 존재에 대한 망상에 빠져 재산을 헌납하고 인생을 맡긴다.

인간은 잘 속이고 잘 속는 동물이다. 사행심射倖心은 사기가 성공하는 필수 조건이다. 횡단보도 앞에서 신호가 바뀌기를 기다리는 짧은 시간에 운전자들은 사기를 당한다. 백화점에 20만 원을 받고 납품하는 굴비 한 상자를 단돈 3만 원에 주겠다는 사기꾼들에게 넘어가 썩은 생선이 든 상자를 받는 것이다. 안타깝게도 어떤 사람들은 은행 이자율보다 서너 배 높은 투자 수익을 보장하겠다는 교활한 사기꾼들의 허황한 약속에 넘어가 평생 땀 흘려 모은 재산을 날린다. 피해자가 제어하지 못하는 욕망에 이끌려 사기꾼과 모종의 공감을 이룰 때 사기극은 성공을 거둔다. 시황제가 특별히 멍청한 사람이어서 사기를 당한 게 아니었다.

시황제의 투쟁은 불로장생의 명약을 구하는 데 그치지 않았다. 정신적 관념적인 영생을 위해서도 할 수 있는 모든 일을 했다. 그는 엄격한 심사와 허가를 받지 않고는 누구도 접근할 수 없는 거대한 황궁에 살았다. 죽음을 피할 수 없다면 시체라도 그런 곳에 영원히 살게 하고 싶었다. 그래서 산시성陝西省 시안西安에 지하 무덤을 만들었다. 확인된 바에 따르면 무덤 부지는 무려 50제곱킬로미터나 된다. 땅속에 만들어 밖에서는 알아볼 수 없게 했고 어디에 있는지 기록을 전혀 남기지 않았다. 이 야심찬 시도는 일단 성공을 거두었다. 농부들이 우물을 파다가 우연히 땅 밑의 빈 공간을 발견한 1974년까지, 무려 2100년 동안 아무도 그곳에 발을 들이지 못했다. 중국 정부가 보낸 발굴단은 흙으로 빚은 실물 크기의, 같은 모양이 하나도 없는 병사兵士와 군마軍馬를 6

---

76 '서복'에 대한 항목은 위키백과를 참조했다.

77 게랄트 휘터 지음, 이상희 옮김, 『우리는 무엇이 될 수 있는가』, 추수밭, 2012, 43쪽.

천 개나 찾았다. 마차와 철제 농기구, 활과 화살, 창과 칼, 다양한 합금 주형鑄型, 수천 개의 미니어처가 나왔다.[78]

사마천의 『사기』에 이 지하 무덤에 관한 기록이 있다. 진시황은 무려 70만 명을 동원해 무덤을 팠다. 온갖 진기한 물건을 보관해두고 누가 침입하면 화살이 자동 발사되는 장치를 설치했다. 이세황제 호해는 자식이 없는 후궁들을 순장殉葬시켰다. 장례가 끝나자 무덤의 안쪽 바깥쪽 문을 폐쇄해 기술자와 노예들을 가두어 아무도 살아나오지 못하게 했다. 풀과 나무를 심어 무덤을 밖에서 알아보지 못하게 만들었다.[79] 실제로 발견된 시황제의 무덤은 사마천의 기록보다 더 거대한 지하 궁전이었다. 이 무덤을 다 발굴하려면 앞으로 몇 세대가 걸릴 것이라고 한다.

시황제는 자신이 오래 기억되게 만드는 데 성공했다. 인류 문명이 존속하는 한, 만리장성과 시황제의 무덤은 사라지지 않을 것이다. 중국 정부는 전 세계에서 엄청난 관광객을 끌어모으는 그 유적들을 오래도록 잘 보존할 것이다. 그러나 그와 함께 분서갱유를 비롯해 시황제가 저지른 모든 악행도 마찬가지로 오래 기억될 것이다. 시황제는 결국 영생의 꿈을 이루지 못했다. 생물학적 영생은 병에 걸려 일찍 죽음으로써 실패했고, 지하 궁전에서 방해받지 않고 영원히 잠들려고 했던 야심찬 계획도 일시적 성공으로 끝난 것이다.

부질없는 가정을 해보자. 진시황이 유한성이라는 운명을 담담하게 받아들이고, 황제의 권력으로 '지금 여기'에서의 행복을 추구했다고 하자. 책을 불사르고 유학자를 생매장하고 대륙을 순회하면서 기넘비를 세우고 수천 명의 미소년 미소녀와 기술자들을 배에 실어 존재하지도 않는 신선들에게 보냈던 그 열정과 자원을 일하고 사랑하고 노는 데 썼다면 어떻게 되었을까? 무소불위의 권력으로 사람들 사이에 정의를 수립할 수 있었을 것이다. 학문과 교육을 진흥하고 산업을 양성하여 민중의 삶을 풍요롭게 만들었을 것이다. 세금을 깎아주고 형벌을 감경해 백성들이 부모를 봉양하고 아이들을 돌보면서 평범하고 단란한 삶을 살 수 있도록 했을 것이다. 여인들을 더 깊이 사랑하며 더 즐거운 인생을 살 수 있었을 것이다. 영생에 대한 욕망은 자신의 삶을 황무지로 만들고 때로 타인의 삶을 파괴한다.

---

78 '진시황릉' 항목은 브리태니커 백과사전을 참조했다.

79 사마천 지음, 김원중 옮김, 「진시황본기」, 『사기본기』, 을유문화사, 2005, 234~235쪽.

영원한 것에 대한 갈망

우리네 보통 사람들은 삶의 유한성에 어떻게 대처하고 있는가. 진시황과 얼마나 다른가. 사실 별로 다를 게 없다. 진시황은 제국의 황제였기에 불로장생의 영약을 구하는 헛된 일에 막대한 자원을 쏟아부을 수 있었다. 범인凡人의 상상을 초월하는 지하 무덤을 축조했다. 그만 그랬던 것이 아니다. 다른 사람들도 시황제보다 작은 권력과 적은 돈으로 비슷한 일을 했다. 가야 시대와 삼국 시대 이래 만들어진 수많은 왕릉, 대한민국 곳곳의 양지바른 야산마다 들어서 있는 토호들의 무덤과 송덕비, 절경을 자랑하는 계곡 바위에 파놓은 이름들을 보라. 이 모두는 영원성을 향한 헛된 갈망이 만들어낸 것들이다.

북한 개성 근교 개풍군 천마산에 박연폭포가 있다. 조선 최고 예인藝人 황진이가 '박연폭포'라는 시를 지을 만큼 좋아했던 곳이다. 이명박 대통령이 취임했지만 남북 관계가 아직은 괜찮았고 해상 분계선 위로 포탄이 날아다니지도 않았던 때, 나는 개성 관광을 가서 박연폭포를 보았다. 폭포 물줄기가 떨어지는 곳 바로 앞쪽에 커다란 너럭바위에 휘갈겨 쓴 한시가 흐릿하게 음각陰刻되어 있었다. 안내원은 황진이가 머리카락에 먹을 묻혀 쓴 시라고 했다. 자작시는 아니었다. 술을 너무 마시는 바람에 환갑까지밖에 살지 못했다는 당나라 시인 이태백의 작품「여산폭포를 보며望廬山瀑布」의 한 구절이었다.

해가 향로봉을 비추니 자줏빛 안개가 일어나고
멀리 폭포를 바라보니 긴 강이 걸려 있구나.
날아 솟았다 바로 떨어진 물줄기 삼천 척
아마도 은하수가 구천에서 떨어지는 듯하구나.[80]
日照香爐生紫煙 (일조향로생자연)
遙看瀑布掛長川 (요간폭포괘장천)
飛流直下三千尺 (비류직하삼천척)
疑是銀河落九天 (의시은하락구천)

황진이는 자기가 썼다는 표식을 남기지 않았다. 정말 썼다면 흥에 겨워 그냥 썼을 것이고, 누군가 그 글씨가 사라지는 게 안타까워서 음각을 했을 것이다. 여기까지는 크게 나쁠 것이 없다. 그런데 고개를 들어 살펴보니 박연폭포 물줄기가 떨어지는 암벽은 물론이요, 사방 눈에

---

80 번역문 출처는 몽촌(hjh044)님의 블로그를 참고했다.

보이는 바위에는 예외 없이 누군지 알 수 없는 이름들이 크고 작은 한자로 새겨져 있었다. 물줄기 바로 아래와 옆에, 줄을 매어 내려오지 않고서는 접근할 수 없는 곳도 마찬가지였다. 자신의 이름이 영원히 지워지지 않기를 갈망하면서 사람을 시켜 이름을 새긴 사람들은, 그 바위가 풍우에 닳아 글자가 다 없어질 때까지 만인에게 욕을 들으리라고는 생각하지 못했을 것이다. 그런 행위는 지금도 계속되고 있다.

2012년 4월 북한 공식 매체들은 북한 당국이 김일성 주석 탄생 백주년을 맞아 박연폭포 주변 천연바위에 대형 글발을 새겨 준공식을 했다고 보도했다. '영원한 우리 수령 김일성 동지'라고 새긴 이 글발의 전체 길이는 무려 37미터이다. 김일성이라는 이름 글자의 높이는 5미터, 너비는 2.9미터, 글씨 획의 너비는 0.8미터, 음각한 깊이는 0.45미터이다. 다른 글자들은 조금 작아서 높이는 4.1미터, 너비는 2.4미터, 획의 너비는 0.7미터, 깊이는 0.35미터이다. 2012년 4월 5일 열린 준공식에는 노동당 중앙위원회 김기남 비서, 최고인민회의 상임위원회 양형섭 부위원장 등 조선노동당 고위 간부들이 참석했다.[81] 이 글발은 '조선민주주의인민공화국' 전역의 어지간한 산에서 다 그런 것처럼, 박연폭포 주변에서도 다른 모든 이름들을 압도할 것이다. 금강산에도, 삼일포에도, 묘향산에도 사정은 다 마찬가지이다. 이 보기 흉한 글발들은 근본적으로 진시황의 욕망과 똑같은 것, 삶의 유한성을 거부하고 영원성을 추구하는 권력의 일그러진 갈망을 날것 그대로 보여준다.

'위대한 수령'도 박연폭포 바위의 글발도 영원할 수 없다. 인간은 역사의 시간을 살 뿐이다. 설사 역사의 끝까지 기억된다고 해도 지질학적 시간 또는 천문학적 시간을 견디지 못한다. 우주의 시간과 비교하면 백만 년도 찰나에 불과하다.

영화 「2012」에서는 지구의 자전축이 이동해 땅과 바다가 모두 뒤집힌다. 히말라야 꼭대기가 파도에 잠기고 대양 한가운데 없었던 땅이 솟아난다. 지구는 자전하면서 태양 주위를 돈다. 자전주기는 23시간 56분 4초, 자전축은 북극과 남극을 잇는 선이다. 지구 표면을 둘러싼 바닷물과 대기의 밀도가 시간과 장소에 따라 변하면 자전축도 조금씩 흔들린다. 어디선가 대지진이 일어나 지각의 모양과 위치가 달라지면 더 크게 움직일 것이다. 어떤 이유에서 자전축이 크게 움직이면 거꾸로 바닷물과 대기에 영향을 준다. 심하면 지각의 변화를 일으킨다. 해수, 대기, 지각의 변화와 자전축 사이에는 서로 영향을 미치는 '되먹임feed back' 현상이 있다. 따라서 적어도 이론적으로는 영화 「2012」처럼 지구 표면이 완전히 '리셋'되는 사태가 발생할 가능성을 완전히 배제할 수는 없다.

영화 「아마겟돈」과 「딥 임팩트」에서는 혜성이 날아와 지구와 충돌한다. 혜성이 영화에서보다 더 크다면 지구의 생물이 모조리 절멸하고 만리장성과 박연폭포 바위도 다 사라질 것이다. 이것은 실제로 일어났고 앞으로도 일어날 수 있는 사건이다. 유카탄 반도가 있는 멕시코 만 프로그레소 항구 근처 바다 밑에는 직경이 200킬로미터에 가까

---

81 「北, 박연폭포에 김일성 찬양 대형 글발 새겨」, 『노컷뉴스』, 2012년 4월 6일자.

운 거대한 웅덩이가 있다. '칙술룹'이라고 부르는 이 웅덩이는 지구 안에서 용암이 분출해서 생긴 분화구가 아니라 밖에서 무엇인가 떨어져 생긴 것이다. 미국과 체코 공동 연구진이 과학 잡지 『네이처』에 공개한 시뮬레이션 결과에 따르면, 화성과 목성 사이를 돌던 지름 170킬로미터와 지름 60킬로미터 소행성 둘이 충돌하면서 수없이 많은 파편이 생겼다. 큰 조각만 해도 300여 개나 되었는데 그중 지름 9.6킬로미터 크기의 조각 하나가 멕시코 만 인근에서 지구와 충돌했다.[82] 6,500만 년 전 일어난 사건이다. 그 충돌의 위력은 미국이 일본 히로시마에 떨어뜨렸던 원자폭탄의 무려 50억 배였다. 지구 표면 전체가 불길에 휩싸였고 수증기와 가스, 먼지와 연기 때문에 태양빛이 사라졌다. 이때 공룡을 포함하여 지구 표면의 생물이 대부분이 사라졌다. 지구 생태계가 회복되는 데는 수백만 년이 걸렸다.[83]

박연폭포 천연바위에 새긴 글발이 운이 좋아 그런 사태를 다 견디고 살아남는다 하자. 그래도 최종 결과는 달라지지 않는다. 천체물리학자들의 관측과 추론에 따르면 우주는 팽창하고 있으며 그 나이는 140억 년이다. 140억 년 전에 빅뱅이 일어나 공간과 시간이 탄생했다는 것이다. 인간이 관측한 별 가운데 제일 나이가 많은 것이 약 132억 년이다. 태양은 나이가 50억 년밖에 되지 않은 젊은 별이다. 방사성 동위원소 반감기를 이용해 측정한 지구 나이는 45억 년 정도 된다. 지구에 생명을 가진 최초의 유기분자가 출현한 것은 38억 년 전이라고 한다. 인간이 나타난 것은 겨우 몇 백만 년 전이다.

지구의 33만 배나 되는 태양 질량은 4분의 3이 수소로 구성되어 있다. 태양은 수소 원자핵 네 개를 헬륨 원자핵 하나로 융합해 열과 빛을 낸다. 그 에너지를 받아 광합성을 함으로써 지구 식물이 살아간다. 식물이 만든 에너지를 받아 동물이 산다. 다시 50억 년이 지나면 태양은 내부의 수소를 다 태운 다음 부풀어 오를 것이다. 그때 지구는 태양에 흡수되거나, 흡수되지 않아도 대기를 다 빼앗겨 생물이 존재할 수 없는 행성이 된다. 태양마저도 에너지를 모두 잃고 늙은 별이 되어 쓸쓸한 최후를 맞게 될 것이다.[84] 이 계산이 옳다면 우리가 사는 지구 행성은 앞으로 50억 년 넘게 존재할 수 없다.

은하와 행성의 생애 주기에 비추어 보면 인간의 삶과 하루살이의 삶은 양적인 차이가 없다. 둘 다 찰나의 시간을 살 뿐이다. 그러나 질적으로는 결정적인 차이가 있다. 인간은 자신의 삶이 찰나에 불과하다는 것을 안다. 하루살이는 그것을 모른다. 이 차이를 만들어내는 것이 바로 호모 사피엔스의 특별함이다. 그 특별함을 지성이라고 한다. 삶이 찰나에 지나지 않는다는 사실을 아는 사람이 사람다운 삶을 제대로 살 수 있다. 그것을 모르는 삶은 그저 조금 더 길기만 할 뿐 하루살이의 삶과 근본적으로 다를 것이 없는지도 모른다. 영원한 것은 어디에도 없다. '영원한 수령'을 찬양하는 박연폭포 바위 글발은 하루살이의 몸부림보다 못한, 무지와 헛된 욕망에 사로잡힌 권력이 남긴 보기 흉한 낙서에 지나지 않는다.

---

82 「공룡멸종 부른 운석은 '밥티스티나' 소행성 파편」, 『한겨레』, 2007년 9월 7일자 참고.

83 스티브 존스 지음, 김혜원 옮김, 『진화하는 진화론』, 김영사, 2008, 387쪽 참조.

84 리처드 도킨스 지음, 김명남 옮김, 「태양이란 무엇일까」, 『현실, 그 가슴 뛰는 마법』, 김영사, 2012.

육체와 분리된 영혼

생명의 유한성을 상대로 한 싸움에서 인간은 거듭 패배하면서 지속적으로 후퇴해왔다. 좋은 음식, 건강한 생활 습관, 효과 있는 약물과 의료 기술, 이런 것들의 도움을 받아 수명을 조금 연장했지만 사람은 아무리 오래 살아도 백 년을 넘기기 어렵다. 생물학적 영생이 불가능하다는 것은 이제 누구나 안다. 인간은 이 전선戰線에서 완전한 패배를 인정하고 퇴각했다. 사람 그 자체의 영생이 아닌, 사람이 이룬 성취나 업적의 영생은 역사의 시간에서는 어느 정도 실현 가능한 목표라고 할 수 있다. 그러나 진화의 시간, 우주의 시간에서 승리할 희망은 전혀 없다. 이 싸움의 마지막 전투는 이제 영혼의 영생을 두고 벌어지고 있다. 물질세계가 영원할 수 없다면 육체와 분리된 정신, 물질적 실체가 아닌 영혼은 혹시 영생할 수 있지 않을까? 이 전투를 치르는 무기는 사후세계, 천국, 또는 윤회라는 해묵은 관념이다.

인간의 몸은 누구나 다 똑같은 물질로 이루어져 있다. 무게가 60킬로그램인 사람의 몸을 원자 단위로 나누면 산소 38.8킬로그램, 탄소 10.9킬로그램, 수소 6.0킬로그램, 질소 1.9킬로그램, 칼슘 1.2킬로그램, 인 0.6킬로그램, 칼륨 0.2킬로그램 등이 된다.[85] 오직 인간에게만 있는 특별한 원자는 없다. 원자 단위로 보면 별과 달, 풀과 나무, 아메바와 사람은 모두 같다. 그런데 무생물이나 다른 생물들과 달리 인간은 지성을 가지고 있다. 몸은 모두가 똑같은 물질로 이루어져 있는데도 서로 다른 자아 정체성을 형성한다. 인간의 정신, 사유 능력, 지성, 자아 또는 영혼은 도대체 어디서 온 것인가. 그것이 물질이라면 다른 사물에도 있어야 하지 않겠는가. 이 의문에 대한 가장 선명한 대답은 물질-정신, 이원론二元論이다. 영혼은 육체와 따로 존재하며 이 둘이 합쳐 인간을 만든다는 생각이다.

이 설명은 논리적으로 간단하고 직관적으로 잘 와 닿는다. 그런데 증명할 수가 없다는 것이 문제다. 영혼은 눈에 보이지 않는다. 손으로 만질 수도 없다. 말을 걸어오지도 않는다. 죽은 사람의 영혼을 보거나 말을 나눌 수 있다는 사람들이 있지만 그것은 어디까지나 그들 자신의 주장에 불과하다. 비물질적인 것, 물질적 실체를 가지지 않은 것은 존재를 증명할 방법이 없다. 예컨대 신神이라는 초월자의 존재를 믿거나 믿지 않을 수 있다. 그렇지만 신이 존재한다는 것을 증명할 방법은 없다. 논리학적으로는 존재를 증명하지 못하면 존재하지 않는다고 보는

85 '인체' 항목은 위키백과를 참조했다.

게 타당하지만 종교는 논리학을 넘어선다. 신은 오직 그 존재를 믿는 사람에게만 존재한다. 육체와 분리되는 영혼의 존재 역시 그렇다.

「21그램」이라는 영화가 있다. 우울한 표정을 가진 배우 숀 펜이 출연한 영화로, 심장 이식을 소재로 삼아 삶과 죽음의 의미를 탐색한 진지한 작품이다. 이 영화의 제목은 영혼의 무게가 21그램임을 '증명'했다는 어떤 과학자의 주장에서 유래했다. 영혼의 존재를 믿는 과학자들은 그것을 입증하기 위해 수백 년 동안 노력했다. 미국 심령연구협회에서 활동한 던컨 맥두걸Duncan MacDougall 박사는 1907년 놀라운 주장을 담은 논문을 발표했다. 그는 인간의 몸뿐만 아니라 영혼도 물질일 수 있다는 가설에서 출발했다. 영혼이 물질이라면 다른 물질과 마찬가지로 질량을 가져야 한다. 그렇다면 영혼의 무게를 측정할 수 있을 것이다. 과학자들은 사람이 숨을 거둘 때 몸무게가 아주 조금 줄어든다는 사실을 알고 있었다. 땀과 소변, 폐에 들어 있던 공기가 빠져나가기 때문이다. 만약 영혼이 질량을 가진 물질이라면 사망과 동시에 몸무게가 그보다 많이 줄어들 것이다. 맥두걸은 여섯 명의 환자를 대상으로 임종 직전과 직후 몸무게 차이를 확인했다. 그리고 몸에서 빠져나간 수분과 공기의 무게도 측정했다. 그랬더니 빠져나간 수분과 공기의 무게보다 몸무게가 21그램 더 줄어들었다. 개를 대상으로 한 측정 실험에서는 그런 차이가 나타나지 않았다.

맥두걸은 이 계산을 근거로 영혼은 물질이며, 사람에게만 있고, 그 무게가 21그램이라고 과감하게 주장했다. 그러나 그의 주장은 과학적 검증을 통과하지 못했다. 샘플 수가 너무 적은 데다 측정 방법도 신뢰하기 어려운 것으로 드러났다. 다른 과학자들은 맥두걸과 같은 측정 결과를 얻지 못했다. 그렇지만 맥두걸의 주장은 대중적으로 큰 반향을 불러 일으켰다. 영혼의 존재를 믿고 싶어하는 사람이 아주 많기 때문이다. 육체가 죽은 다음에도 영혼이 살아남는다는 주장은 매력이 있다. 삶의 유한성이 주는 허무 의식과 절망감을 어느 정도 덜어주기 때문이다. 영생에 목마른 사람에게는 단비와 같다. 더욱이 영혼이 비물질적인 존재가 아니라 21그램의 질량을 가진 물질이라면 더욱 좋은 일이다.

영혼의 불사를 믿든 그렇지 않든, 그것은 각자의 자유다. 그 영혼이 신의 구원을 받아 천국에서 영생을 누린다고 믿든, 아니면 영혼이 육체가 죽은 후에 다른 생물의 몸을 가지고 환생한다는 윤회를 믿든, 남에게 피해를 줄 일은 없다. 그러나 이 믿음을 잘못 쓰면 자기의 삶을 망칠 수 있다. 내세에서 영생하기 위해, 윤회의 다음 단계에서 좋은 삶을 얻기 위해, 지금 이 순간 여기에서 맛볼 권리가 있는 삶의 환희를 자기 손으로 억압하고 질식시킬 수도 있다. 심지어는 타인의 삶을 파괴하고 생명을 빼앗기도 한다.

1997년 3월 26일, 아직도 그런 일이 어떻게 일어날 수 있었는지 완전하게 해명되지 않은 기이한 사건이 일어났다. 마셜 애플화이트 Marshall Applewhite라는 남자와 추종자 38명이 '인류를 넘어선 진화 단계'로 존재를 이전하기 위해 지구 행성을 탈출한 것이다. 그들이 지구를 떠난 장소였던 미국 캘리포니아 고급 맨션에는 서른아홉 구의 시신이 남았다. 시신의 머리에는 비닐봉지가 씌워져 있었고 위胃에서는 보드카와 강력한 수면제, 청산칼리와 비소가 검출되었다. 시신은 모두 검은색 셔츠를 입었고 팔에는 '천국의 문 탐사팀'이라는 완장이 둘러져 있었다. 애플화이트는 사흘에 걸쳐 진행된 자살극의 마지막 순서를 맡았던 것으로 추정된다. 다른 두 곳에서도 유사한 방식으로 사망한 시신이 세 구 더 발견되었다. 이탈한 옛 신도들에게는 비디오테이프가 배달되었다. 자살을 앞둔 신도들은 하나같이 행복에 겨운 표정과 어조로 따뜻한 작별 인사를 남겼다. 이른바 '천국의 문Heaven's Gate' 사건이다.[86]

음악 교사였던 애플화이트는 마흔 살이었던 1972년 무렵 문란한 사생활 문제로 정신적 혼란에 빠져 제 발로 정신병원에 입원했는데, 여기에서 보니 네틀즈Bonnie Nettles라는 간호사를 만났다. 두 사람은 여러 가지 신비체험을 한 끝에 자신들이 「요한계시록」 11장에 등장하는, '원수들이 지켜보는 가운데 구름을 타고 하늘로 올라간 두 예언자'라는 확신을 얻었다. 두 사람은 '신의 계시'를 실행하기 위해 전국을 다니며 강연을 하고 사람을 모아 단체를 만들었다. 애플화이트의 주장에 따르면 지구의 '리사이클링'이 임박했으므로 살아남으려면 지구를 떠나야 한다. 육체는 영혼이 '인류를 넘어선 진화 단계'로 가는 데 쓰는 임시적 매개체에 지나지 않는다. 거기로 가는 자격을 얻으려면 지구에 대한 모든 애착을 버려야 한다. 가족, 친구, 재산, 직장, 개성, 성욕까지 모두 포기해야 한다는 것이다.

멀쩡하게 사회생활을 하다가 애플화이트를 추종하게 된 신도들은 믿기 어렵지만, 소중한 모든 것을 정말로 버렸다. 캠프를 만들어 집단 생활을 하면서 '우주생활'에 대비한 훈련을 했다. 1995년 드디어 '천국의 문'이 열리는 날이 다가왔다. 처음 발견한 사람이 엘런 헤일과 토마스 밥이어서 '헤일-밥 혜성Comet Hale-Bopp, 정식 명칭은 C/1995 O1'이라는 이름이 붙은 초대형 혜성이 나타난 것이다. 엄청나게 밝고 큰 꼬리 불빛을 가진 헤일-밥 혜성은 무려 18개월 동안 육안으로 볼 수 있었는데, 1997년 3월 지구 가장 가까운 곳까지 접근했다. 여기서 가깝다는 것은 어디까지나 천문학적 개념이다. 일상적 계산 단위로 하면 그 혜성은 지구에서 무려 2억 킬로미터나 떨어진 곳에 있었다. 천문학자들은 이 혜성을 다시 보려면 2천 5백 년을 기다려야 할 것으로 전망했다.

애플화이트는 헤일-밥 혜성 꼬리 쪽의 가장 밝은 곳에 자기네를 '인류를 넘어선 진화 단계'로 태우고 갈 우주선이 숨어 있다고 주장했다. 원래 자살은 반대하지만 시간이 없으니 영혼만 우주선에 탑승하기 위해 자살해야 한다고 추종자들을 설득했다. 신도들은 사흘에 걸쳐 질서 정연하게 독극물을 마시고 비닐봉지를 뒤집어쓴 채 '천국의 문'을 탐사하기 위해 지구 행성을 떠났다. 이탈한 신도들을 마저 구하기 위해 '천국의 문' 웹사이트 자료를 읽으면 '탑승권'을 찾을 수 있으니 포기하지 말라는 당부까지 남겼다.

애플화이트가 망상에 빠진 정신분열증 환자였음은 말할 나위가

86 '천국의 문' 사건 개요는 위키피디아 해당 항목과 조나단(joongpedre)님의 블로그에 올라 있는 「광기로의 승천, 천국의 문」을 참조했다.

없다. 그런데 40여 명의 추종자들이 그 황당무계한 계획을 받아들여 죽음에 대한 본능적 공포를 극복하고 질서 정연하게 자살한 것은 이해하기 어려운 일이다. 그들은 20대에서 70대까지, 남자와 여자가 섞여 있었으며, 다양한 직업적 배경을 가지고 있었다. 분명한 공통점은 하나뿐이었다. 육체와 분리된 영혼의 존재를 믿었으며, 영혼의 영생을 간절히 원한 나머지 '지금 이곳'의 삶에서 얻을 수 있는 모든 기쁨과 감동과 행복을 스스로 파괴해버렸다는 사실이다.

애플화이트의 주장이 맞다고 치자. 그렇다면 그들의 영혼은 헤일-밥 혜성 꼬리에 숨은 우주선에 탑승했을 것이다. 그 영혼들은 지금 어디에서 무엇을 하고 있을까? 육체가 없으면 감각도 없다. 감각이 없는 영혼들은 '우주생활'에서 어떤 행복을 누리고 있을까? 그것을 과연 행복이라고 말할 수 있을 것인가? 다시 말하지만 행복은 '지금 여기'에만 있는 것이다. 행복을 느끼려면 육체와 정신, 감각과 이성이 모두 필요하다. 둘을 분리하여 영혼의 영생을 추구하는 것은 어리석은 망상에 지나지 않는다.

이름 남기기

호랑이는 죽어 가죽을 남기고 사람은 죽어 이름을 남긴다는 말이 있다. 이름 남기기는 삶을 그나마 덜 파괴하면서 영원성에 대한 갈망을 달래는 온건한 방법이다. 죽음의 필연성을 부정하지 못하고, 영혼의 영생이나, 천국, 윤회에 대한 믿음에서도 큰 위로를 받지 못할 때, 유한한 삶의 허무함을 달랠 수 있는 마지막 수단은 이름이 후세에 오래 기억되게 하는 것이다.

이름을 남기려는 노력이 삶에 활력을 불어넣을 수는 있다. 그러나 이름 남기기 그 자체를 인생 목표로 설정할 경우 삶을 왜곡하게 된다. 이름을 남기는 데는 여러 방법이 있다. 만인의 사랑과 존경을 불러일으키는 삶을 살면 저절로 이름이 남는다. 엄청나게 나쁜 짓을 해도 이름이 남는다. 우리는 수천 년 전에 살았던 사람들을 여럿 안다. 교양인이라면 누구나 공자, 맹자, 석가, 예수, 소크라테스, 플라톤, 아리스토

텔레스를 안다. 그 삶의 내용을 구체적으로 알지 못하는 경우에도 이름은 안다. 알렉산더 대왕, 마호메트, 칭기즈 칸도 그런 사람이다. 코페르니쿠스, 레오나르도 다빈치, 미켈란젤로, 베토벤, 모차르트, 갈릴레이, 뉴턴, 아인슈타인도 인류 문명이 지속되는 한 잊히지 않을 것이다. 그들은 위대한 진리를 밝혔거나, 거대한 제국을 세웠거나, 마음을 흔드는 예술 작품을 남겼다.

이름과 업적이 남았기에 그들의 삶은 훌륭했던 것일까? 아니다. 그 역이 진실이다. 그들은 자신의 삶에 충실했을 뿐이다. 진리에 대한 호기심, 깨닫는 즐거움, 내면에서 솟구치는 열정, 선을 행하려는 의지를 자기 나름대로 표현하고 실천했다. 그렇게 살았던 수많은 사람들 중에서 재능과 행운의 도움을 얻은 극소수만이 위대한 그 무엇을 이루었으며 그와 함께 자기의 이름을 남겼다. 만약 자신의 삶을 긍정하고 자신이 이룬 것에 만족한다면 그 인생은 이름이 남든 그렇지 않든, 그에 상관없이 훌륭한 인생이다. 하지만 이름 남기기 그 자체를 목적으로 삼는 행위는 자칫 악명을 남길 따름이다. 진시황을 보라. 그는 송덕비를 대륙 곳곳에 남겼지만 얻은 것은 폭군이라는 오명汚名뿐이다. 위대한 수령의 이름을 영원히 남기기 위해 온 나라 산의 큰 바위마다 글발을 새기는 행위 역시 마찬가지 오명을 만들 따름이다. 그런데 이름을 남기고 싶은 욕망은 권력자만의 전유물이 아니다. 그것은 만인의 욕망이다.

어떤 교수가 학생들에게 '내가 살아가는 이유'라는 주제로 글을 쓰라는 과제를 내주었다. 제출된 보고서 중에 이런 것이 있었다.[87]

호랑이는 죽어서 가죽을 남기고 사람은 죽어서 이름을 남긴다. 내가 살아가는 이유는 그것이다. 내 이름을 남기는 것, 내 이름의 가치를 더 높게 만드는 것, 비록 삶이 끝나 죽음을 맞게 되더라도 후세에 이름이 전해져 오래오래 기억되게 만드는 것, 그것이 내가 현재 살아가고 있는 이유라고 생각한다.

이 학생만 그런 것이 아니다. 비슷한 인생관을 가지고 사는 사람이 적지 않다. 그런데 이름을 남기는 데 집착하다가 큰 망신을 당하는 사람도 있다. 민홍규라는 사람이 있었다. 그는 전통방식 국새 제조의 달인임을 자처하여 대한민국 국새제작단장이 되었고 정부의 요청을 받아 새 국새를 제작했다. 그런데 알고 보니 전문가가 아니었다. 국새를 엉터리로 만들었고 금을 횡령한 증거가 드러나 구속되었다. 그런데 흥미롭게도 그가 국새에 '대한민국'을 새기면서 'ㄷ' 획 사이 공간에 아주 조그맣게 자기 이름을 새겨 넣었다는 사실이 드러났다. 정부 공식 문서에 국새를 찍을 때마다 민홍규 도장을 찍는 꼴로 만든 것이다.[88] 자기의 이름이 영원히 남기를 바라는 갈망이 빚은 웃지 못할 희극이었다.

칸트의 충고를 기억하자. 행복한 삶을 원한다면 스스로 세운 준칙에 따라 행동하되 그것이 보편적 법칙이 될 수 있도록 하라. 어떤 경우

---

87 프라이버시를 존중하여 이 글을 쓴 학생의 이름을 밝히지 않는다.

88 「국새에 몰래 자기 이름 새겨… 민홍규 국새제작단장 "기가 막혀"」, 『매일경제』, 2010년 10월 4일자.

에도 자기 자신을 포함하여 모든 사람을 수단이 아닌 목적으로 대하라. 이름을 남기기 위해 사는 것은 자기 자신을 수단으로 만드는 것이다. 그것은 훌륭하고 행복한 삶이라고 할 수 없다. 훌륭한 인생, 행복한 삶은 죽음 너머가 아니라 '지금 여기'에 있다. 겉으로는 이름이 남는 것처럼 보이지만 실제로 남는 것은 그 이름을 떠올리게 만드는, '지금 여기'에서 보낸 삶의 내용이다. 이름을 남기는 것이 삶의 이유나 목적이 될 수는 없다. 그것은 삶의 결과일 뿐이다. 누군가의 삶이 다른 사람의 마음에 잊기 어려운 무엇인가를 남기면 그 결과, 원하든 원치 않든 저절로 이름이 남는다.

"도척이 개 범 물어갔다"는 속담이 있다. 나쁜 사람에게 좋지 않은 일을 당하는 것을 볼 때 우리 어머니가 쓰던 속담이다. 그 이름이 수천 년이 지나도록 사라지지 않은 도척盜跖은 누구인가? 도척은 중국 춘추시대 혼란기를 주름잡았던 살인강도단 두목이다. 부하 9천 명을 거느리고 여기저기 다니면서 힘이 약한 제후의 성을 공격해 재물을 약탈하고 여자들을 강간했다. 사람을 죽여 간을 날로 먹었다고도 전해진다. 그런데 도척도 나름 도道를 깨달은 자였다고 한다. 『장자』「외편」에 따르면, 부하가 도둑질을 하는 데도 도가 있는지 물었다. 도척은 어디에 간들 도가 없겠느냐면서, 다섯 가지 도를 갖추지 못하면 큰 도적이 될 수 없다고 대답했다.[89]

> 남의 집에 감추어져 있는 것을 마음대로 알아맞히는 것이 성인이다.
>
> 남보다 먼저 들어가는 것은 용기이다.

남보다 뒤에 나오는 것이 의로움이다.

도둑질해도 되는가 안 되는가를 아는 것이 지혜이다.

고르게 나누어 가짐이 어짊이다.

夫妄意室中之藏 聖也 (부망의실중지장 성야)

入先 勇也 (입선 용야)

出後 義也 (출후 의야)

知可否 知也 (지가부 지야)

分均 仁也 (분균 인야)

장자는 2천 5백여 년 전 사람이다. 『장자』는 사실상 정본正本이 없다. 학계에서 널리 인정되는 해석에 따르면 우화와 은유로 가득한 「내편」만이 장자의 저술이고 「외편」과 「잡편」은 추종자들이 덧붙인 것이라고 한다.[90] 「내편」에는 사상의 라이벌이었던 유가儒家를 노골적으로 비판하거나 공격하는 내용이 없다. 여기에서 장자는 우리 삶이 온전해지는 길, 편안하고 자유로운 삶의 길, 진정한 소통의 길을 제시했다.[91] 그러나 「외편」과 「잡편」은 공자를 인격적으로 비하하고 유가 사상을 짓궂게 공격하는 이야기로 넘쳐난다. 문체는 신랄하며 논리는 지극히 날카롭다. 도척이 「외편」과 「잡편」에만 등장하는 것으로 보아

---

89 장자 지음, 김학주 옮김, 『장자』, 연암서가, 2010, 248~249쪽.

90 장자 지음, 같은 책, 19쪽.

91 정용선 지음, 『장자, 마음을 열어주는 위대한 우화』, 도서출판 간장, 2011, 6~7쪽. 이 책은 철학을 공부하지 않은 독자도 비교적 쉽게 장자의 철학을 이해할 수 있게 하는 장점이 있다.

이 이야기도 유가를 놀림감으로 만들 목적으로 장자의 추종자들이 지어낸 패러디로 보아야 할 것이다. 도척이 도를 깨우친 인물은 아니라는 이야기다.

『장자』 중 「잡편」에 공자와 도척이 만나는 장면이 나온다. 물론 다 지어낸 이야기이겠지만, 공자는 도척을 교화할 목적으로 찾아갔다가 크게 망신을 당하고 혼비백산 겨우 살아 돌아온다. 여기에서 도척은 이름을 남기는 데 손톱만큼도 관심이 없는 허무주의자로 묘사되어 있다. 그는 공자를 위선적 속물이자 진짜 도적이라고 비난하면서 간을 꺼내 점심 반찬을 만들어버리기 전에 어서 돌아가라고 겁을 준다. 공자는 도척을 장군으로 대접하고 뛰어난 용모와 지적 능력, 용기와 리더십을 칭찬하며 덕을 펴서 왕이 되라고 권한다. 그런데 도척은 공자의 '접대성 멘트'를 가볍게 물리쳤다. 자기가 아니라 공자가 추앙하는 위대한 왕과 제후들이야말로 '세상을 어지럽히는 무리'이고 소위 충신과 지식인들도 왕에게 아부하여 부귀를 탐하는 도적들이라는 것이다. 도척은 오히려 공자를 다음과 같이 훈계했다.[92] 물론 이것은 장자의 후예들이 도척의 입을 빌려 유가에게 한 말로 보아야 할 것이다.

사람의 수명은 기껏해야 백 살, 중간 정도로는 80살, 밑으로 가면 60살이다. 그것도 병들고 여위고 죽고 문상하고 걱정거리로 괴로워하는 것을 빼고 나면 입을 벌리고 웃을 수 있는 것은 한 달 중에 사오일에 지나지 않는다. 하늘과 땅은 무궁하지만 사람은 죽는 때가 온다. 이 유한한 육체를 무궁한 천지 사이에 맡기고 있기란 준마가 좁은 문틈을 달려 지나가버리는

> 것과 다름이 없다. 따라서 자기의 기분을 만족시키지 못하고 그 수명을 보양하지 못하는 자는 모두 도를 깨닫지 못한 사람인 것이다.

도척은 이름을 남기고 싶은 욕망이 없었다. 사람은 죽는다. 삶은 덧없다. 자기 기분 내키는 대로 사는 것이 최고다. 그렇게 생각하면서 온갖 흉악한 범죄를 저지르고 살았다. 부하 9천 명을 거느릴 정도의 완력과 카리스마, 리더십을 가진 사람이 제대로 된 삶의 철학까지 겸비했다면 왕이 되고도 남았을 터이다. 그런데도 도척의 이름은 길이 남았다. 수천 년이 지나 한반도 한 귀퉁이에서 평생을 산 우리 어머니가 이름을 알 정도로 유명한 인물이 되었다. 그 원인은 그가 저질렀던 모든 죄악이다.

기독교 성서에 등장하는 '선한 사마리아인'은 이름을 남긴다는 것의 본질을 보여준다. 우리는 그 사람의 이름이 무엇인지 모른다. 우리가 기억하는 것은 그가 한 행위, 그리고 그렇게 할 수 있게 만든 그 사람의 마음이다. 소크라테스도, 공자도, 석가모니도, 예수도 이름을 남길 목적으로 살지 않았다. 모두 스스로 설계한 삶을 자기가 원하는 방식으로 살다 죽었을 뿐이다. 훌륭한 삶을 살면 이름이 남는다. 그러나 이름을 남겼다고 해서 다 훌륭하게 산 것은 아니다. 이름이 길이 남지 않음을 애석하게 여길 필요는 없다. 그것은 행복한 삶의 본질적 요소가 아니다.

---

92 장자 지음, 김학주 옮김, 『장자』, 연암서가, 2010, 720쪽.

에필로그

현명하게 지구를 떠나는 방법

보건복지부에서 일하던 시절 노인단체 임원들에게 식사를 대접하는 일이 종종 있었다. 반주 삼아 맥주잔을 부딪치면서 그분들은 이렇게 외치곤 했다. "나이야!" "가라!", "구구팔팔!" "이삼사!"

'나이야 가라!'는 비록 몸은 늙었어도 생각과 행동은 젊은 사람들처럼 활발하게 하자는 것이다. '구구팔팔 이삼사!'는 아흔아홉 살까지 팔팔하게 살고 이틀 사흘 누웠다가 죽자는 말이다. 건강하게 오래 산 어른이 어느 날 대청마루에서 낮잠 자려고 눈을 감았다가 다시는 깨어나지 않는 경우가 있다. 이런 죽음에 대해 사람들은 무병장수하시고 깨끗하게 잘 가셨다고 덕담을 한다. 그런데 그렇게 말없이 떠나기보다는 이틀 사흘 정도 누웠다가 떠나는 것이 더 나을 수 있다. 의식도 고통도 없이 삶을 마감하는 것이 가장 행복한 죽음은 아니다. 영원히 돌아오지 않을 길을 떠날 때는 작별하는 시간이 있어야 한다. 그 시간은 훌륭한 삶의 마무리이며 사랑을 표현할 수 있는 마지막 기회이다.

잠자다가 그냥 떠나버리면 사랑하는 사람들과 작별할 기회가 없다. 다시는 돌아오지 못할 길을 떠나면서 작별조차 하지 못한다면 모두에게 아쉬움이 남을 것이다. 딸, 아들, 사위, 며느리, 손자, 손녀 등 가까운 친지들을 불러 모아 미처 다 표현하지 못했던 사랑과 감사의 마음을 전하면 얼마나 좋은가. 혹시 이웃집 김 영감에게 빚진 돈이 있으면 갚도록 하고 아무도 모르게 감추어둔 예금통장이 있으면 며느리나 손자 손에 쥐어주어야 한다. 상속해줄 유산은 자식들이 다투지 않도록 기부하거나 잘 나누어주어야 할 것이다.

남는 이들과 작별하는 시간이 그저 작별을 위한 것만은 아니다. 떠나는 사람이 자신의 삶을 돌아보고 정리하고 평가하는 시간이기도 하다. 자신이 설계한 삶을 자기 힘으로 살았던 사람이라면 후회할 일도 자랑할 일도 다 많을 것이다. 남과 자신을 용서할 일도 있을 것이다. 그러나 전체적으로 봐서 자신이 선택한 대로 열심히 잘 살았다고 느낀다면, 그 사람의 삶은 훌륭했으며 인생은 성공했다고 생각한다. 다시 태어난다면 다른 삶을 살아보고 싶다고 느낄지라도, 이미 살아버린 삶 역시 하나의 당당한 인생이었다는 평가를 스스로 내릴 수 있다면 그 역시 훌륭하다. 이틀 사흘 정도면 이런 정리를 하는 데 부족하지 않을 것이다.

우리는 보통 죽음을 슬픈 일로 여긴다. 물론 죽음은 모든 것과 작별하는 것이니, 많든 적든 애통함이 따를 수밖에 없다. 특별히 애통한 죽음도 많이 있다. 그러나 일반론으로 말하자면 죽음은 삶의 자연스러운 이면裏面일 뿐이다. 태어나 살아 있는 모든 것은 언젠가 죽어 없어진다. 피할 수도 바꿀 수도 없다. 사람도 마찬가지이다. 누군가의 죽음이 애통하게 느껴진다면 그 감정은 죽음 그 자체보다는 기쁨과 공감의 상실에 기인한 것이다. 그 사람이 더 살았다면 맛볼 수 있었을 행복, 그로 인해 관계를 맺고 살아가는 다른 사람들이 받았을 기쁨, 그것들이 사라지는 데 따르는 아픔을 표출하는 것이다. 우리는 사람뿐만 아니라 아끼던 반려 동물의 죽음 앞에서도 비슷한 애통함을 느낀다.

나는 어떻게 죽음을 맞이해야 할까? 예전에도 가끔 생각했다. 더 나이를 먹은 지금은 더 자주 생각한다. 여러 가지를 상상해보았다. 앞으로 또 어떻게 바뀔지 모르겠지만 일단 지금 시점에서 괜찮아 보이는 계획을 마련했다. 실제로 그렇게 할 수 있으면 정말 좋을 것 같다. 나는 무엇보다도, 병상에 누워 사랑하는 이들과 작별하거나 병원 영안실의 검은 띠 두른 네모 틀에 갇혀 절을 받고 싶지 않다. 오늘날 흔히 보는 조문과 장례식은 떠난 이의 명복을 비는 행사인 동시에 상실감에 빠진 유족을 위로하는 자리이다. 그러나 내가 알지 못하는 내 아이들의 친구나 거래처 직원들이 내 장례식에 오는 것을 나는 원치 않는다.

삶의 기억을 공유하는 사람들과도 그렇게 작별하고 싶지는 않다. 웃는 얼굴로 말을 건네며 함께 삶의 구비를 걸어왔던 이들과 마지막 인사를 나누고 싶다. 흥겨운 파티를 열어 즐겁게 작별하고 싶다. 내 삶과 죽음을 애통함이 아니라 유쾌한 기억으로 남게 하고 싶다.

철학자 니체Friedrich Nietzsche도 이런 식으로 삶을 마무리하고 싶어 했다. 누구보다 강렬한 우정의 철학을 설파했던 니체는 친구들이 이야기하는 소리를 들으며 죽음을 맞이하고 싶다고 했지만 정신병원에서 고독하게 세상을 떠났다. 연암燕巖 박지원은 실제로 그렇게 삶의 마지막 순간을 보냈다. 그는 노환으로 거동을 할 수 없게 되자 약을 물리치고 술상을 차려 친구들을 불러들였다. 친구들이 말하고 웃는 소리를 들으면서 죽음을 맞이했다.[93] 연암 선생의 시대에 비하면 사는 형편이 훨씬 나아졌으니, 나는 그보다 훨씬 더 여유 있게 마지막을 준비할 수 있을 것이다.

이것을 사전死前 장례식이라 해야 할지 생전生前 장례식이라 해야 좋을지 모르겠다. 생과 사를 명확하게 구분하기 어려울 때가 있다. 이것도 그런 경우라고 할 수 있겠다. 아무려면 어떤가. 둘 다 좋다. 나는 이 파티에 인생의 길모퉁이를 돌 때마다 뜻을 함께하고 사랑과 정을 나누었던 사람들, 시련과 고통을 함께 견뎌냈던 사람들을 초대하려고

---

93 고미숙 지음, 『동의보감: 몸과 우주, 그리고 삶의 비전을 찾아서』, 그린비, 2011, 98~99쪽.

한다. 장소는 어디 시설 좋은 나이트클럽이나 넓은 웨딩홀이 좋겠다. 초대받은 손님들은 십시일반 자기 몫의 회비를 들고 오게 하고 제대로 된 출장 뷔페를 주문하자. 살날이 얼마 남지 않았으니 더 필요한 것도 없다. 선물은 돈으로 살 수 없는 것으로 제한한다. 세상을 떠날 때 짐이 될 수 있는 물건들은 피하고, 손으로 쓴 엽서나 직접 기타 반주를 하면서 부르는 노래처럼 마음을 나눌 수 있는 것으로 하자.

자료를 뒤적이다가 실제로 생전 장례식을 한 사람이 있다는 사실을 알았다. 미국의 유명한 회계법인 KPMG 회장이었던 유진 오켈리 Eugene O'Kelly는 53세에 죽었다. 그가 뇌암 확진을 받았을 때 남은 시간은 석 달뿐이었다. 오켈리는 삶의 기억을 공유하는 이들에게 편지와 전화로 작별 인사를 했다. 그 수가 1천 명이 넘었다. 가까운 친지들을 초대해 좋은 식당에서 고급 와인을 나누면서 추억거리를 만들었다. 그 90일 동안의 경험과 사색을 책으로 남겼다.[94] 그는 자기의 삶을 충분히 음미하면서 지구 행성을 떠났다.

파티에는 음악이 중요하다. 노무현 대통령 자서전을 정리하던 때 하루 종일 멜라니 사프카의 'the saddest thing'과 'dust in the wind'를 듣곤 했는데, 내 장례 파티에서도 한 번쯤은 틀고 싶다. 나미의 '즐거운 인생', 싸이의 '챔피언'도 좋다. 이선희의 '아 옛날이여'도 들어야 한다. 그것은 내 인생의 노래이다. 마산교도소 특수독방 스피커에서 흘러나온 이 노래를 처음 들었을 때 나는 마치 드넓은 풀밭을 내달리는 자유인이 된 것 같았다. 소년 시절과 청년기에 수도 없이 불렀던 송창식의 '고래사냥'과 조용필의 '단발머리', 거리에서 악을 쓰며 외쳤던 '님을 위한 행진곡' '불나비' '민들레처럼'도 함께 불러보자. 술이 빠질 수 없다. 맥주는 독일산 '바르슈타이너', 포도주는 프랑스산 '까베르네 쇼비뇽', 소주는 아무거나, 막걸리는 고양시에 있는 배다리양조장 것이 좋겠다.

여기에 누구를 초대할까? 아내와 내가 둘 다 아직 건강하다면, 그리고 아내가 찬성한다면 둘이 함께 초청인이 되어야 할 것이다. 앞 순위는 우리 아이들, 다행히 있다면 사위와 며느리, 손자 손녀들, 가깝게 교류했던 양가의 친척들이다. 아직 살아서 파티에 올 기력이 있는 초등학교 친구들, 중·고등학교 친구들도 초대해야 마땅하다. 우리 가족이 제주도에 휴가를 갈 때마다 승용차며 숙소를 마련해주고 온갖 '향응'을 베풀어주었던 아내의 고향 친구들은 특별히 중요한 손님들이다. 독일 유학을 할 때 내가 자주 돼지고기를 구워주고 김치찌개를 해주었던 이웃 유학생들도 있다. 원칙과 상식이 통하는 사회를 만들어보겠다고, 욕먹어 가며 함께 발버둥 쳤던 정치 동지들도 빠뜨리지 말아야 한다.

---

94 유진 오켈리 지음, 박상은 옮김, 『인생이 내게 준 선물』, 꽃삽, 2006.

팬클럽 '시민광장'을 만들어 어려울 때마다 나를 구해주고 도와주었던 시민들은 꼭 모셔야 한다. 나는 큰 빚을 졌다. 그분들은 선거 때마다 후원금을 주었고 자원봉사를 했으며 함께 '온라인 전투'를 벌였고 선거 펀드에 투자했다. 해마다 빠뜨리지 않고 생일 선물을 주었고 내 책을 구입했으며, 전국 각지에서 강연회를 조직했고 나를 만날 때마다 밥을 사주었다. 아메리카노 커피를 즐겨 마신다고 누군가 나를 욕했을 때는 원두커피 전문점 '기프티콘'을 보내주고 볶은 원두를 선물했다. 마치 추운 곳만 골라 찾아다니는 겨울 철새처럼, 나로 인해 현실에서 성공하기 어려운 여러 신생정당의 당원이 되기까지 했다. 그런데도 그분들은 나더러 무엇인가 책임지라고 하기보다는 부담을 느끼지 말라고 했다. 내가 자기네를 선택한 것이 아니라 자기네가 나를 선택했다고 말했다. 비록 이룬 것은 적었지만 그분들과 함께한 모든 순간이 내게는 설렘이고 기쁨이었다.

함께 좋은 책을 만들었던 파주 출판단지 사람들도 초대하는 것이 좋겠다. 재즈 가수 말로와 조관우 씨는 아내와 내가 다 좋아하고 또 조금은 친하기도 한 가수들이니 노래를 청해도 될 것이다. 월척도 함께 낚고 짱도 같이 쳤던 낚시동호회 조우들은 꼭 와야 한다. 나의 모교라고 할 수 있는 대학 서클의 선후배들도 절대 빠뜨리지 말아야 한다. 내 삶에서 가장 순수하고 열정적이었던 시기를 함께 보낸 벗들이다. 여기 오는 모든 손님들에게는 절대 '사후死後 장례식'에는 오지 말라고 부탁할 것이다.

이것은 추억, 사랑, 용서를 위한 파티이다. 여기서 우리는 공유하고 있는 인생의 한 조각 또는 큰 덩어리들에 대한 이야기를 할 수 있을 것이다. 내가 한 일들이 나른 사람에게 준 기쁨과 아픔을, 타인의 행위에서 내가 받았던 즐거움과 상처를 되짚어볼 것이다. 그렇게 살면서 다 전하지 못했던 사랑, 감사, 그리고 원망하는 마음까지 남김없이 풀어놓을 수 있을 것이다. 모두가 다 지난 일들이다. 달라질 것은 하나밖에 없다. 고백하고 이해하고 용서하고 화해함으로써 남는 자의 삶과 떠나는 자의 죽음이 더 평화로워지는 것이다. 이런 것이 좋은 작별 아니겠는가.

잔치가 끝나고 나면, 내 삶은 조금 길 수도 짧을 수도 있는 마지막 페이지로 넘어간다. 그 페이지마저 넘어가면 내 정신은 사라지고 생명활동이 멈춘 육체만 남을 것이다. 그것도 잘 떠나게 해야 한다. 오래 썼지만 혹시라도 다른 누군가에게 쓸모가 있는 것이 있다면 주도록 하자. 예컨대 각막 같은 것이다. 그것으로 누군가 세상을 볼 수 있다면 얼마나 좋은가. 줄 수 있는 것이 하나도 남지 않은 몸은 의과대학 해부학 실습용으로 쓰게 하면 좋겠다. 내가 아플 때 병을 고쳐준 의사 선생님들은 공부를 할 때 누군가의 시신으로 실습을 했을 것이다. 만약 무연고 행려 사망자의 시신이나, 뭐 그런 것으로만 했다면 공평하지 않은 일이다. 내가 다 쓰고 떠난 육신이 사람의 생명을 살리는 일에 쓰인다면 좋지 아니한가. 이렇게 쓰고 보니 꼭 유언장을 공개하는 것 같아서 묘한 기분이 든다.

마지막은 화장火葬이다. 문명이 생기기 전처럼 시신을 들판에 버린다면 새가 쪼아 먹고 들짐승이 뜯어 먹을 것이다. 보기에 좋을 리 없고, 또 요즘은 버릴 땅도 없으니 그보다는 묻는 게 낫겠다. 하지만 수의로 감싸고 관에 넣어 묻어도, 보이지만 않을 뿐 흙 속의 벌레와 미생물이 뜯어먹기는 한가지일 것이다. 그 벌레와 미생물도 결국 죽어 흙이 될 것이니 결과적으로는 마찬가지라 할 수 있다. 그런 과정을 생략하고 곧바로 육신을 자연으로 돌려보내는 게 화장이다. 다 태우고 남은 것은 좋아하고 존경하는 스님이 계신 절 근처 숲에 묻도록 하자. 유골함은 사양한다. 그저 잘 썩는 천으로 만든 보자기로 싸서 묻으면 된다. 그렇게 해와 달, 밤하늘의 별, 풀과 나무와 물과 바람에게로 돌아가게 하자. 내 몸과 우주의 모든 것들이 같은 물질로 이루어져 있다는 것은 얼마나 다행스러운 일인가.

깨끗하고 편리하게 살겠다고 지구에 폐를 많이 끼쳤다. 내가 쓴 책을 만드는 데 쓰인 나무가 한두 그루가 아니다. 그것만 해도 미안한데 죽은 육신을 묻느라고 묘지를 만들어 자연을 더 해쳐서는 안 될 것이다. 묻은 자리는 표시나지 않게 잘 다지고 느티나무처럼 오래 사는 나무 한 그루 심었으면 한다. 그리고 거기 큼직한 돌 몇 개, 나무와 잘 어울리게 놓아두자. 내 딸과 아들이, 있다면 그 아이들의 아이들까지,

내 생각이 날 때 언제든 소풍 오듯 와서 작고 예쁜 꽃 한 송이 놓아주고, 나무 그늘 드리운 돌에 걸터앉아 서로 안부를 나눌 수 있다면 좋지 않겠는가. 그것으로 충분하다. 제사는 지내지 말라고 할 것이다.

나는 몸이 죽은 후에도 살아남는 영혼이라는 것을 믿지 않는다. 내가 죽은 후에 남는 것은 사랑하는 사람들이 가진 나에 대한 기억과 느낌뿐이라고 생각한다. 내가 아버지의 제사를 지내는 것은 형제자매들이 모여 부모님에 대한 기억과 느낌을 나누고 삶에 감사하며 서로 정을 주고받는 좋은 시간이 되기 때문이다. 그러나 내 자식들은 촛불을 켜고 음식을 차린 제사상 앞이 아니라 새가 노래하고 바람이 숨 쉬는 자연의 품에서 그런 기회를 가지기를 바란다.

더 진지하게 죽음을 생각할수록 삶은 더 큰 축복으로 다가온다. 죽음이 가까이 온 만큼 남은 시간이 더 귀하게 느껴진다. 삶은 준비 없이 맞았지만 죽음만큼은 잘 준비해서 임하고 싶다. 애통함을 되도록 적게 남기는 죽음, 마지막 순간 자신의 인생을 기꺼이 긍정할 수 있는 죽음, 이런 것이 좋은 죽음이라고 믿는다. 주어진 삶을 제대로 살면서 잘 준비해야 그런 죽음을 맞을 수 있을 것이다. 때가 되면 나는, 그렇게 웃으며 지구 행성을 떠나고 싶다.

참고문헌

· 가나자와 사토시 지음, 김영선 옮김, 『지능의 사생활』, 웅진지식하우스, 2012.

· 게랄트 휘터 지음, 이상희 옮김, 『우리는 무엇이 될 수 있는가』, 추수밭, 2012.

· 고미숙 지음, 『동의보감 : 몸과 우주, 그리고 삶의 비전을 찾아서』, 그린비, 2011.

· 공지영 지음, 『의자놀이』, 휴머니스트, 2012.

· 김난도 지음, 『아프니까 청춘이다』, 쌤앤파커스, 2010.

· 김두식 지음, 『욕망해도 괜찮아』, 창비, 2012.

· 김재진 지음, 『뇌를 경청하라』, 21세기북스, 2010.

· 데이비드 실즈 지음, 김명남 옮김, 『우리는 언젠가 죽는다』, 문학동네, 2010.

· 라몬 삼페드로 지음, 김경주 옮김, 『죽음은 내게 주어진 마지막 자유였다』, 지식의 숲, 2006.

· 라인홀드 니버 지음, 이한우 옮김, 『도덕적 인간과 비도덕적 사회』, 문예출판사, 2000.

· 로렌 코데인 지음, 강대은 옮김, 『구석기 다이어트』, 황금물고기, 2012.

· 리처드 도킨스 지음, 김명남 옮김, 『현실, 그 가슴 뛰는 마법』, 김영사, 2012.

· 리처드 도킨스 지음, 홍영남 옮김, 『이기적 유전자』, 을유문화사, 2008.

· 마이클 샌델 지음, 이창신 옮김, 『정의란 무엇인가』, 김영사, 2010.

· 마크 리들리 지음, 김관선 옮김, 『HOW TO READ 다윈』, 웅진지식하우스, 2007.

· 맹자 지음, 우재호 옮김, 『맹자』, 을유문화사, 2007.

· 사마천 지음, 김원중 옮김, 『사기본기』, 을유문화사, 2005.

· 셸리 케이건 지음, 박세연 옮김, 『DEATH 죽음이란 무엇인가』, 엘도라도, 2012.

· 슈테판 츠바이크 지음, 안인희 옮김, 『다른 의견을 가질 권리』, 바오, 2009.

· 스티브 존스 지음, 김혜원 옮김, 『진화하는 진화론』, 김영사, 2008.

· 스티븐 킹 지음, 김진준 옮김, 『유혹하는 글쓰기』, 김영사, 2002.

· 아이라 바이오크 지음, 김언조 옮김, 『품위 있는 죽음의 조건』, 물푸레, 2011.

· 알베르 카뮈 지음, 이가림 옮김, 『시지프의 신화』, 문예출판사, 1999.

· 야마가타 켄지 지음, 김수호 외 옮김, 『인간답게 죽는다는 것』, 군자출판사, 2006.

· 오스카 라퐁텐 지음, 진중권 옮김, 『심장은 왼쪽에서 뛴다』, 더불어숲, 2000.

· 요아힘 바우어 지음, 이미옥 옮김, 『공감의 심리학』, 에코리브르.

· 우석훈, 박권일 지음, 『88만원세대』, 레디앙, 2007.

· 유진 오켈리 지음, 박상은 옮김, 『인생이 내게 준 선물』, 꽃삽, 2006.

· 유진규 지음, 『옥수수의 습격』, 황금물고기, 2011.

· 이남곡 지음, 『진보를 연찬하다』, 초록호미, 2009.

· 장자 지음, 김학주 옮김, 『장자』, 연암서가, 2010.

· 정용선 지음, 『장자, 마음을 열어주는 위대한 우화』, 도서출판 간장, 2010.

· 조지 버나드 쇼 지음, 김일기 김지연 옮김, 『쇼에게 세상을 묻다』, TENDEDERO(뗀데데로), 2012.

· 존 레이티 지음, 김소희 옮김, 『뇌, 1.4킬로그램의 사용법』, 21세기북스, 2010.

· 존 스튜어트 밀 지음, 서병훈 옮김, 『자유론』, 책세상, 2010.

· 최재천 지음, 『생명이 있는 것은 다 아름답다』, 효형출판사, 2011.

· 크라잉넛 지음, 『어떻게 살 것인가』, 동아일보사, 2010.

· 폴 새가드 지음, 김미선 옮김, 『뇌와 삶의 의미』, 필로소픽, 2011.

· 필립 쇼트 지음, 이혜선 옮김, 『폴 포트 평전』, 실천문학사, 2008.

· 홍사중 지음, 『늙는다는 것 죽는다는 것』, 로그인, 2008.

· 히노하라 시게아키 지음, 김옥라 옮김, 『죽음을 어떻게 살 것인가』, 궁리, 2005.

인물과 사건 항목에 대해서는 브리태니커 백과사전, 위키백과, 위키피디아, 네이버 백과사전을 참조했으며,
여러 자료는 전문연구소 및 해당 기관에서 발표한 보도 자료와 신문 기사를 참고했다.